図解即戦力

オールカラーの豊富な図解と
丁寧な解説でわかりやすい!

ビジネスで役立つ IT用語がこれ1冊でしっかりわかる本

小宮紳一
西村一彦

技術評論社

ご注意：ご購入・ご利用の前に必ずお読みください

はじめに

本書はビジネスパーソンを対象にIT用語を解説するものです。収録した115のIT用語は、最新のトレンドワードだけではなく、IT業界で働く方のための定番用語や基礎用語も含んでいます。本書の大きな特徴は、すべての用語を図解していることです。これにより、言葉だけでは理解しづらいITの専門用語を、直感的にイメージできるようにしています。用語や関連技術の説明には、できる限り専門用語を使わず、IT関連の知識を持っていない方でも理解できるように平易な記述を心がけました。

本章は全6章で構成されています。第1章では「話題のIT用語」という分類でAI、IoT、DXなど、ビジネスパーソンに必須の用語を取り上げています。第2章は「IT開発＆技術の基礎用語」として、AIとIoTに関連する用語を中心に解説しています。AIとIoTは今後のキーとなるテクノロジーなので集中的に解説しています。第3章は「Web＆ネットワークの用語」をテーマに集めています。ジャンルとしてはクラウド、5G、デジタルマーケティング、セキュリティです。インターネット関連の用語に加え、その重要性がますます増加しているセキュリティ関連の用語も収録しました。第4章は「ビジネス＆経済のIT用語」として、フリーミアム、キャッシュレス決済、シェアリングなど、私たちの身の回りで登場している新しいサービス、X-TechなどのITを利用したビジネス革新などをテーマに解説しました。第5章は「開発関連で知っておきたいIT用語」という分類で集めています。バグやテストなどの基本用語から、開発手法や開発環境などに関連する用語までカバーしています。IT業界で働く方には必須の用語ばかりです。また、IT以外の業界の方でも自社システムの開発に関わることがありますが、この章の用語を理解していると社内外のコミュニケーションがスムーズになるはずです。第6章は「IT＆Web業界で使われる用語」を集めました。開発手法やそのメリット・デメリットを知るうえでも重要なものばかりです。

本書により、ビジネスパーソンが最新のIT用語を理解し、業務に活用して、新たなビジネスチャンスを獲得していただければ幸いです。

監修・執筆　小宮紳一

CONTENTS

はじめに …… 3

Chapter 1 話題のIT用語

01 AI
AI（Artificial Intelligence）…… 12
02 IoT
IoT（Internet of Things）…… 14
03 DX
DX（Digital Transformation）…… 16
04 RPA
RPA（Robotic Process Automation）…… 18
05 5G
5G（5th Generation）…… 20
COLUMN 1
なぜITトレンドを知る必要があるのか …… 22

Chapter 2 IT開発＆技術の基礎用語

01 AI
機械学習 …… 24
02 AI
ニューラルネットワーク …… 26
03 AI
ディープラーニング（深層学習）…… 28
04 AI
シンギュラリティ …… 30
05 AI
チャットボット …… 32
06 AI
自然言語処理（Natural Language Processing：NLP）…… 34
07 IoT
M2M（Machine to Machine）…… 36
08 IoT
コネクテッドカー …… 38

09 IoT
自動運転車 …… 40
10 IoT
MaaS（Mobility as a Service） …… 42
11 IoT
ドローン …… 44
12 IT開発
バーコードと2次元コード …… 46
13 IT開発
RFID（Radio Frequency Identification） …… 48
14 IT開発
GPS（Global Positioning System：全地球測位システム） …… 50
15 IT開発
ビッグデータ …… 52
16 IT開発
データサイエンス …… 54
17 IT開発
顔認証 …… 56
18 IT開発
AR／VR／MR …… 58
19 IT開発
スマートファクトリー …… 60
20 IT開発
量子コンピューター …… 62

COLUMN 2
テクノロジーは連携させて考える …… 64

Chapter 3 Web＆ネットワークの用語

01 ネットワーク
プロトコル …… 66
02 ネットワーク
WAN／SD-WAN …… 68
03 クラウド
クラウド …… 70

04 クラウド
IaaS／PaaS／SaaS ･･････ 72

05 クラウド
エッジコンピューティング ･･････ 74

06 クラウド
オンプレミス ･･････ 76

07 クラウド
サーバーレス ･･････ 78

08 ネットワーク
IPv6（Internet Protocol Version 6） ･･････ 80

09 ネットワーク
無線LAN ･･････ 82

10 ネットワーク
Wi-Fi 6 ･･････ 84

11 ネットワーク
WPA（Wi-Fi Protected Access） ･･････ 86

12 ネットワーク
ローカル5G ･･････ 88

13 ネットワーク
LPWA（Low Power Wide Area） ･･････ 90

14 デジタルマーケティング
SEO／SEM ･･････ 92

15 デジタルマーケティング
検索連動型広告 ･･････ 94

16 デジタルマーケティング
CMS（Contents Management System） ･･････ 96

17 デジタルマーケティング
ソーシャルリスニング ･･････ 98

18 デジタルマーケティング
DMP（Data Management Platform） ･･････ 100

19 デジタルマーケティング
MA（Marketing Automation） ･･････ 102

20 デジタルマーケティング
行動ターゲティング／リターゲティング ･･････ 104

21 デジタルマーケティング
レコメンデーション ･･････ 106

22 デジタルマーケティング
アドネットワーク／アドエクスチェンジ ･･････ 108

23 デジタルマーケティング
スクレイピング ･･････ 110

24 セキュリティ
２段階認証 …… 112
25 セキュリティ
CSIRT（Computer Security Incident Response Team）…… 114
26 セキュリティ
CSMA/CA（Carrier Sense Multiple Access/Collision Avoidance）
…… 116
27 セキュリティ
マルウェア …… 118
28 セキュリティ
シングルサインオン …… 120
29 セキュリティ
SSL/TLS（Secure Sockets Layer/Transport Layer Security）
…… 122
30 セキュリティ
フォレンジック …… 124
31 セキュリティ
ソーシャルエンジニアリング …… 126
32 ゲーム
eスポーツ …… 128

COLUMN 3
情報セキュリティ10大脅威 …… 130

Chapter 4 ビジネス＆経済のIT用語

01 ビジネス関連
テレワーク …… 132
02 ビジネス関連
サブスクリプション …… 134
03 ビジネス関連
インダストリー4.0 …… 136
04 X-Tech（クロステック）
FinTech …… 138
05 X-Tech（クロステック）
Health Tech …… 140
06 X-Tech（クロステック）
HR Tech …… 142
07 X-Tech（クロステック）
InsurTech …… 144

08 ビジネス関連
キャッシュレス決済 …… 146
09 ビジネス関連
クラウドファンディング …… 148
10 ビジネス関連
オムニチャネル …… 150
11 ビジネス関連
仮想通貨（暗号資産） …… 152
12 ビジネス関連
ブロックチェーン …… 154
13 ビジネス関連
シェアリング …… 156
14 ビジネス関連
フリーミアム …… 158
15 ビジネス関連
サイバーフィジカルシステム（Cyber Physical System：CPS） …… 160
16 ビジネス関連
Society 5.0 …… 162
17 ビジネス関連
ロジスティクス4.0 …… 164
18 ビジネス関連
SDGs（Sustainable Development Goals：持続可能な開発目標） …… 166
19 AI
信用スコア …… 168
20 セキュリティ
シャドーIT …… 170
21 セキュリティ
電子署名／電子印鑑 …… 172
COLUMN 4
新たな商流を支えるロジスティクス …… 174

Chapter 5 開発関連で知っておきたいIT用語

01 開発
フレームワーク …… 176
02 開発
オブジェクト指向 …… 178

03 開発
ソースコード …… 180
04 開発
ライブラリ …… 182
05 開発
アルゴリズム …… 184
06 開発
バグ／デバッグ …… 186
07 開発
テスト／レビュー …… 188
08 開発
ストレージ …… 190
09 開発
オープンソース …… 192
10 開発
クライアントサーバーシステム（C/S） …… 194
11 開発
API（Application Programming Interface） …… 196
12 開発
SDK（Software Development Kit） …… 198
13 開発
MVC（Model View Controller） …… 200
14 開発
データベース …… 202
15 開発
SQL（Structured Query Language） …… 204
16 開発
データマイニング …… 206
17 開発
ERP（Enterprise Resource Planning） …… 208
18 開発
ローコード開発 …… 210
19 開発
仮想化 …… 212
20 開発
ネットワーク仮想化 …… 214
21 開発
コンテナ …… 216
22 開発
DevOps …… 218

23 開発
Python …… 220

COLUMN 5
適切な開発環境を整える …… 222

Chapter 6 IT & Web業界で使われる用語

01 システム開発
SIer／SE …… 224

02 システム開発
デファクトスタンダード …… 226

03 システム開発
デフォルト …… 228

04 システム開発
工数／人月 …… 230

05 システム開発
KPI（Key Performance Indicator）／CV（Conversion）…… 232

06 システム開発
PDCAサイクル／OODAループ …… 234

07 システム開発
ウォーターフォール／アジャイル …… 236

08 システム開発
要求定義／要件定義 …… 238

09 システム開発
デプロイ …… 240

10 システム開発
リソース …… 242

11 設計・仕様
アクセシビリティ …… 244

12 設計・仕様
ユーザビリティ …… 246

13 設計・仕様
UI／UX …… 248

14 設計・仕様
レスポンシブ …… 250

索引 …… 252

第1章

話題のIT用語

技術革新の基本ともいえるAI、IoT、DX、RPA、5Gの5語を取り上げます。開発者や技術者だけではなく、ビジネスパーソンにも必須の用語です。
まずはこの5つの言葉を押さえておきましょう。

AI（Artificial Intelligence）

AI（人工知能）の学術的な定義や合意などは確立していませんが、AIは「人間と同じような知的処理をコンピューターで行う技術」と考えられます。これまでに3回のブームを経て技術が進歩してきています。

☑ 人間に代わり思考や検討を行うAI

AIは人工知能とも呼ばれ、人間と同じような知的処理をコンピューターで行う技術のことを指します。AIの明確な定義はありませんが、AIを「汎用型人工知能」と「特化型人工知能」に分類する方法があります。

汎用型人工知能とは、さまざまな思考・検討を行うことができ、初めて直面する状況にも対応できる人工知能のことです。たとえば、炊事や掃除、洗濯などの複数のことに柔軟に対応でき、想定外の状況にも対処できます。

これに対し、特化型人工知能は、特定の内容に特化した思考・検討に優れている人工知能です。炊事や掃除、あるいは将棋などの1つのことに限定して対応できるものであり、現在実現しているAIは大半が特化型人工知能にあたります。

これ以外にも「強い人工知能」と「弱い人工知能」という分類方法もあります。

「強い人工知能」と「弱い人工知能」
強い人工知能とは、人間同様の感性を持つAIのこと。弱い人工知能は、人間としての自意識を備えていないAIである。「強い人工知能＝汎用型人工知能」と考えることもある。

☑ 3回目のブームを迎えたAIの歴史

AIはこれまでに3回のブームを迎えています。1950年代から1960年代にかけての汎用コンピューターの登場によって起こった「第1次AIブーム」では、オセロなどのゲームを推論や探索によってクリアする方法が研究されました。1980年代に起こった「第2次AIブーム」では、膨大な知識をコンピューターに集積することにより、人間のような知識を持たせることがテーマになりました。その代表例がエキスパートシステムです。そして2010年代には、機械学習やディープラーニングを中心とする「第3次AIブーム」が起こり、現在に至っています。

エキスパートシステム
事前に専門家の知識を大量に入力しておき、現在の状況を示すデータをもとに推論結果を導くシステム。

汎用型人工知能と特化型人工知能

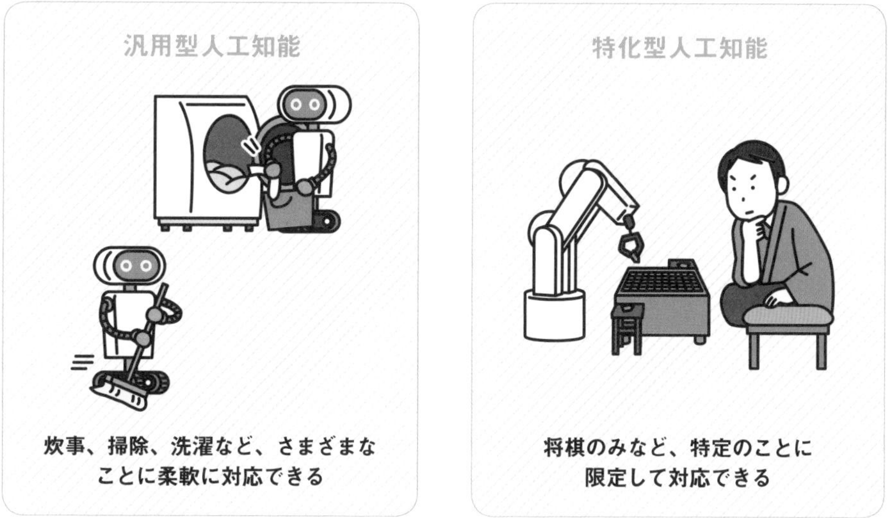
汎用型人工知能
炊事、掃除、洗濯など、さまざまなことに柔軟に対応できる
特化型人工知能
将棋のみなど、特定のことに限定して対応できる

3回目のブームを迎えているAI

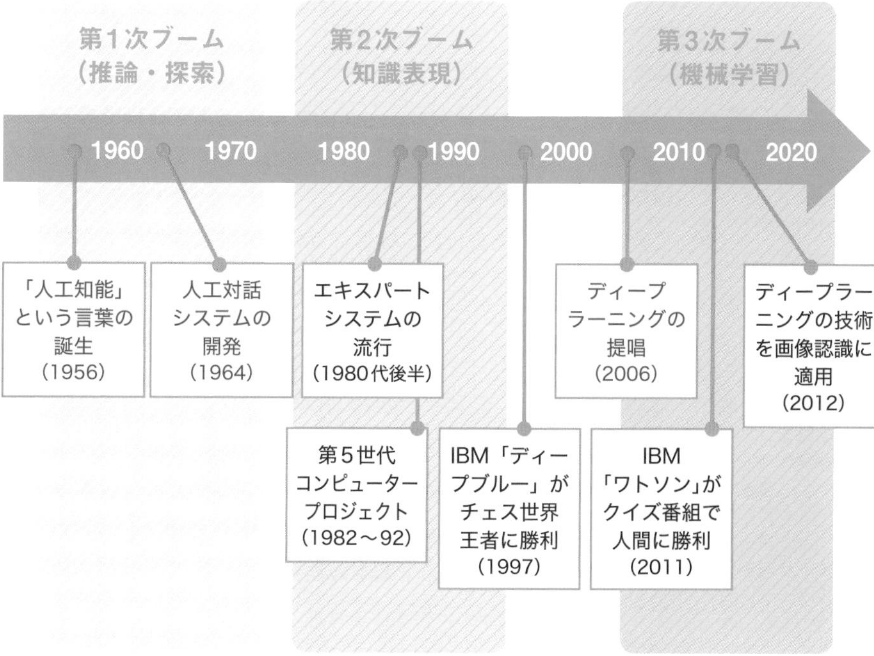
第1次ブーム（推論・探索）
第2次ブーム（知識表現）
第3次ブーム（機械学習）
1960
1970
1980
1990
2000
2010
2020
「人工知能」という言葉の誕生（1956）
人工対話システムの開発（1964）
エキスパートシステムの流行（1980代後半）
第5世代コンピュータープロジェクト（1982〜92）
IBM「ディープブルー」がチェス世界王者に勝利（1997）
ディープラーニングの提唱（2006）
IBM「ワトソン」がクイズ番組で人間に勝利（2011）
ディープラーニングの技術を画像認識に適用（2012）

関連用語 機械学習（P.24）、ニューラルネットワーク（P.26）、ディープラーニング（P.28）、シンギュラリティ（P.30）、チャットボット（P.32）、自然言語処理（P.34）

02 IoT（Internet of Things）

アイオーティー

モノがインターネットにつながるIoTは、家電、製造、医療、流通など、さまざまな分野に拡大しています。今後、自動運転車や街全体をIoT化するスマートシティなど、新たな製品やサービスの登場が期待されています。

☑ 家電製品などをインターネットに接続

IoTは、モノ（機器）がインターネットにつながることで、情報の収集・共有、遠隔制御などを可能にするしくみです。現在、パソコンやスマートフォンだけではなく、家電や自動車、医療機器などがインターネットにつながるようになっています。

IoTで実現できる機能には、「監視」「予防・予知保全」「制御」「連携」などがあります。「監視」は、遠隔地にあるモノの動きや周囲の環境などの情報を収集する機能です。「予防・予知保全」は、モノの稼働状況などを分析し、トラブルの予防などを行う機能です。これらを組み合わせることで、工場内の設備を監視し、異常を検知してすばやく点検・修理を行うことなどができます。

「制御」は、遠隔地からモノをコントロールする機能です。身近なところでは、外出先からエアコンを制御して室内温度を最適に保つことなどに使われています。「連携」は、モノとモノの間でデータの送受信を行い、機器を動作させる機能です。日本で間もなく実用化される自動運転バスは、車両と遠隔管理システムが連携し、道路情報などを収集しながら自動運転を行います。

スマートシティ
IoTなどの先端技術を活用して都市環境データや消費者関連データなどを収集・分析し、都市全体の省資源化、施設運営業務の最適化、企業の持続的成長、住民の利便性向上などを目指す新しい都市像のこと。

☑ IoTによる省人化で人手不足を解消

IoTはさまざまな分野に拡大し、物流では、搬送ロボット、ドローン、自動運転車の活用などが実現しつつあります。農業では、水田の水位・水温管理、ハウスの温度・空調管理などが実現しています。交通では、バスや電車の運行情報、高速道路の遅延情報などがリアルタイムに確認できるようになりました。また、医療では、医師同士の放射線画像のやり取りによる遠隔診断や、医師と患者間のオンライン診療なども現実化しています。

IoTプラットフォーム
機器から収集したデータの保存、加工、分析を行い、必要に応じて機器に指示を出すプラットフォームのこと。機器から収集したデータは広域ネットワークを通じて、IoTプラットフォームに送信される。

IoTで実現できる主な機能

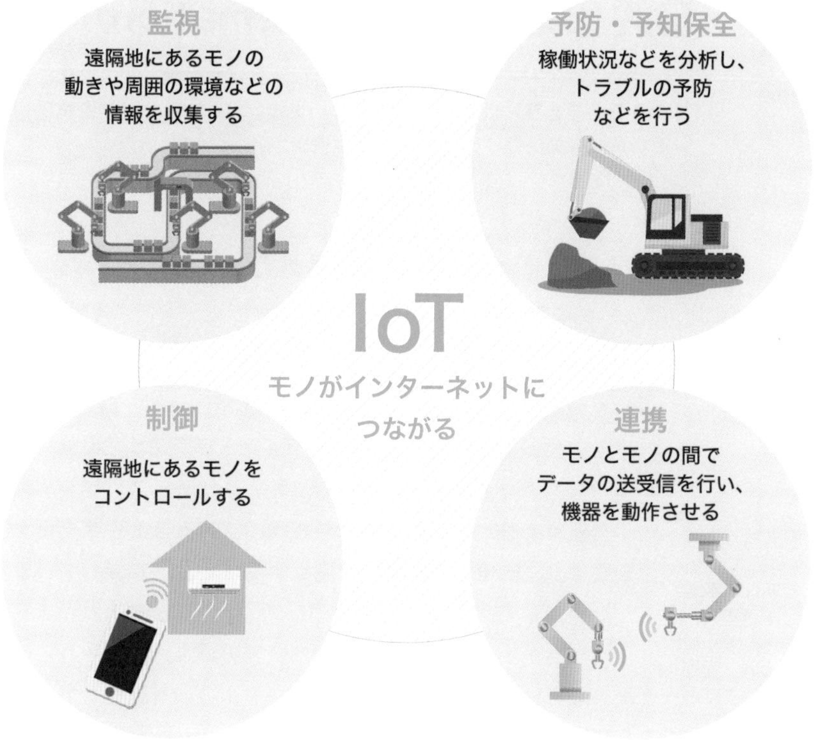
監視
遠隔地にあるモノの動きや周囲の環境などの情報を収集する
予防・予知保全
稼働状況などを分析し、トラブルの予防などを行う
IoT
モノがインターネットにつながる
制御
遠隔地にあるモノをコントロールする
連携
モノとモノの間でデータの送受信を行い、機器を動作させる

さまざまな分野に拡大するIoT

農業

水田の水位・水温管理、ハウスの温度・空調管理など

交通

バスや電車の運行情報、高速道路の遅延情報など

医療

遠隔診断や、医師と患者間のオンライン診療など

関連用語 M2M（P.36）、コネクテッドカー（P.38）、自動運転車（P.40）、MaaS（P.42）、ドローン（P.44）、RFID（P.48）、GPS（P.50）、ビッグデータ（P.52）、データサイエンス（P.54）、顔認証（P.56）、スマートファクトリー（P.60）

DX（Digital Transformation）

デジタル　トランスフォーメーション

DXとは、データやデジタル技術を活用し、業務や組織、企業文化などを変革することであり、近年、注目されています。DXに取り組む企業は増えていますが、成果に差が出ているのが実情です。

☑ デジタル技術によりビジネスを変革

DXは、スウェーデンのエリック・ストルターマンが提唱した「ITの浸透が、人々の生活をあらゆる面でよりよい方向に変化させる」という概念です。経済産業省は2018年、日本企業のDX推進を後押しするためにガイドラインを策定し、DXを「企業がデータとデジタル技術を活用し、製品やサービス、ビジネスモデルを変革するとともに、業務や組織、プロセス、企業文化・風土を変革し、競争上の優位性を確立すること」と定義しています。

近年、DXが注目されているのは、既存のITシステムが老朽化・ブラックボックス化することで、企業の成長が妨げられる懸念が高まっているからです。また、デジタル技術を駆使して革新的なビジネスモデルを展開する企業の登場により、既存の市場が破壊される「デジタルディスラプション」という現象が起こるようになりました。これを引き起こした企業の代表例としてはAmazon（アマゾン）が知られています。データとデジタル技術を駆使する同社により、既存の書店やCDショップは壊滅的な打撃を受けました。

ブラックボックス化
ITシステムが事業部門ごとに構築され、さまざまな改変が加えられた結果、全社横断的なデータ活用が困難になる状態。また、システム担当者の退職により、古いプログラミング言語を知る人材が不足し、保守・運用が困難になる事態も生じている。

☑ トップダウンでDXに取り組む企業

デジタルディスラプションを回避するために、多くの企業がDXに取り組み始めています。しかし、DXをうまく進展できない企業もあります。その理由には、「デジタル技術を活用するビジョン・戦略不足」「スタッフの準備不足」「時間と費用の制約」などが挙げられます。逆に、成果を出している企業は、企業のトップがリーダーシップを発揮して積極的にDXに取り組み、スキルを持つ人材を育成したり、ビジネスパートナーとエコシステムを構築したりしていることが調査により判明しています。

エコシステム
複数の企業が事業などでパートナーシップを組み、互いの技術や資本を生かし、関連業者なども巻き込みながら、業界の枠や国境を超えて共存共栄するしくみ。

ビジネスにおけるDX

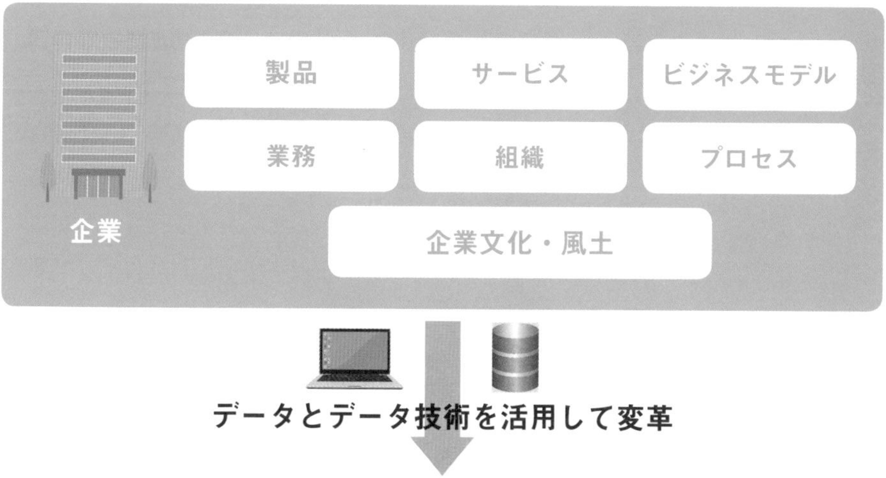
企業
製品
サービス
ビジネスモデル
業務
組織
プロセス
企業文化・風土
データとデータ技術を活用して変革

事例① 稼働率の向上

タクシー会社では、さまざまな情報をAIが解析し、乗車の需要が多い場所を予測するAI配車を実現。タクシーの稼働率を上げることに成功した。

事例② 製品・サービスの変革

化粧品メーカーでは、利用者の肌データに基づき、IoTを活用し、適切なスキンケアを個別に提案できるサービスを開始。新たなビジネスモデルを開拓している。

事例③ 業務プロセスの改善

金型部品メーカーでは、CADデータのみで高精度な精密機械部品を発注できる見積りサービスを開始。紙の図面による指示などが不要になり、設計から納品までの業務プロセスが大きく改善した。

事例④ 新ビジネスの創出

建設機械メーカーでは、測量から設計、施工、検査まで、あらゆる要素をデジタル化し、IoTプラットフォームで管理するサービスを開始。建設機械にとらわれない新たなビジネスを創出した。

ONE POINT

インターネットで承認を完結させるのもDXの一環

アメリカの調査会社の予測では、2020年のDXの世界市場は約1兆3,000億ドルに達する見込みです。新型コロナウィルスの感染拡大によりテレワークが増え、たとえば印鑑などの古い承認プロセスを廃止し、インターネットで承認を完結できる体制に移行する企業が増えています。このような流れもDXの一環といえます。

関連用語 インダストリー4.0（P.136）

RPA（Robotic Process Automation）

オフィスなどの定型作業を自動化する手法がRPAです。さまざまな業務をRPAに代行させることにより、人材不足の解消やコスト削減、生産性の向上、人的ミスの防止などが期待されています。

☑ オフィス業務などの定型作業を自動化

オフィスで行うデスクワークには、データの入力・照合、ファイルのコピー＆ペーストなど、さまざまな作業があります。このような定型作業を、ソフトウェアのロボットに代行させ、業務の自動化を図る手法がRPAです。ロボットといっても人型ロボットや産業用ロボットなどのハードウェアではなく、パソコン上で動作するソフトウェアであり、「デジタルレイバー」や「デジタルワーカー（仮想知的労働者）」と呼ばれることもあります。

デジタルレイバー
人間の代わりに事務作業などの知的労働を代行するソフトウェア全般を指す用語。

デジタルワーカー（仮想知的労働者）
RPAの機能にAIなどを組み合わせることで、さらに複雑な業務を自動化できるようにしたソフトウェア。

☑ プログラミングの知識がなくても自動化が可能

RPA導入のメリットには、①人材不足の解消、②コスト削減、③生産性の向上、④人的ミスの防止、などが挙げられます。定型作業をソフトウェアに代行させることで、担当者はほかの業務に時間を割けるようになり、生産性の向上が期待できます。また、人は集中力の持続時間が限られており、反復作業などではミスが生じやすくなります。しかし、RPAであれば集中力が下がることはなく、時間や曜日に関係なく作業をすることも可能です。

さらにRPAには、導入や利用がかんたんという特徴があります。RPAでは、代行させたい操作を、ロボットに記憶させて自動化させるしくみになっています。この記憶させるプロセスでは、記憶させたい操作をパソコンで順次行っていくだけなので、プログラミングの知識などが不要です。また、複数のソフトウェアを連携させることもできます。ERPなどの業務システムに比べると、導入までのスピードが速く、低価格で導入できます。RPAは、機能や作業難易度に応じて、①定型作業の自動化、②非定型作業の自動化、③高度な自立化、の３つのクラスに分類されます。

ERP
Enterprise Resource Planningの略。企業の資源（人、モノ、資金、情報）を有効活用するコンセプトや、基幹系情報システムのこと（P.208参照）。

さまざまな定型作業を代行するRPA

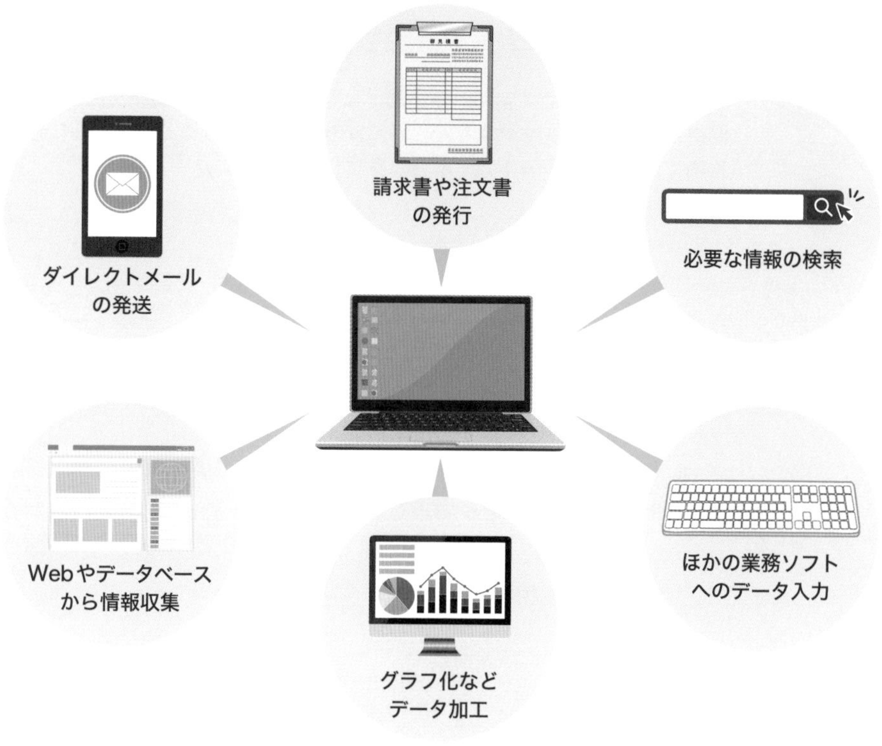
請求書や注文書
の発行
ダイレクトメール
の発送
必要な情報の検索
Webやデータベース
から情報収集
ほかの業務ソフト
へのデータ入力
グラフ化など
データ加工

機能によって3クラスに分類できるRPAの自動化レベル

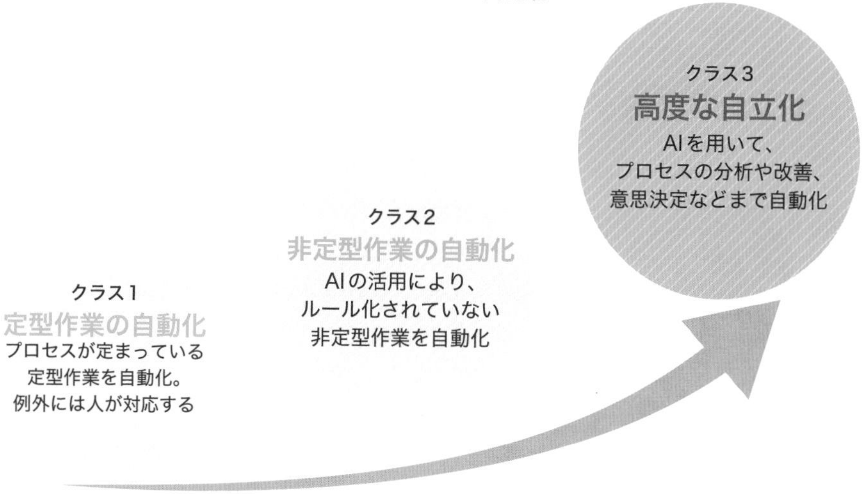
クラス3
高度な自立化
AIを用いて、
プロセスの分析や改善、
意思決定などまで自動化
クラス2
非定型作業の自動化
AIの活用により、
ルール化されていない
非定型作業を自動化
クラス1
定型作業の自動化
プロセスが定まっている
定型作業を自動化。
例外には人が対応する

関連用語 ERP (P.208)

5G（5th Generation）

ファイブジー

スマートフォンなどで使われる高速・大容量の次世代通信規格である5Gの商用サービスが開始されました。高画質の動画配信、インターネットに常時接続できるコネクテッドカーなどが実現していきます。

☑ 高速・大容量通信ができる移動通信システム

5Gとは「5th Generation（第５世代移動通信システム）」の略で、携帯電話やスマートフォンなどの通信規格のことです。移動通信システムは、アナログ方式の1Gからデジタル方式の2Gへと進化し、メールの送受信やWebページの閲覧などのデータ通信やパケット通信ができるようになりました。その後、3Gから4Gへと高速化・大容量化の進化を遂げ、2020年春に5Gの商用サービスが開始されました。

パケット通信
データの通信方式の1つで、データを小さく分割して送信する方式。

☑ 5Gの３つの特徴

5Gの特徴は３つあります。１つめは「高速・大容量」です。通信速度は目標値で最大20Gbps、実効速度で最大4Gbps前後と、4Gの数倍の高速化が実現されることになります。今後、動画配信サービスで4Kなどの高解像度データが増えてきても、5Gの環境であればストレスなく楽しめるはずです。

２つめは「低遅延」です。低遅延とは、通信での遅延が小さくなることを意味します。5Gでは、基地局からスマートフォンまでの通信タイムラグを従来の10分の１程度に抑えられるといわれており、さまざまな機器を遅延なく動作させることが可能です。

３つめは「多数同時接続」です。5Gでは、同時接続できる機器数が4Gの30～40倍、1km^{2}あたり100万台もの機器を接続できるといわれています。これにより、インターネットに接続して使うスマート家電やウェアラブルデバイス、コネクテッドカーなど、IoTの活用もより広がっていくはずです。

まだ利用エリアが少ないなどの課題がありますが、2023年頃には本格的に普及し、これらの機能が最大限に使える予定です。

通信速度
2Gは2.4Kbps～28.8Kbpsで、何とかWebページを表示できるレベル。3Gは最大14Mbpsにまで上がり、パソコンでインターネットをするのと同程度。4Gでは50Mbps～1Gbpsで、動画のストリーミングなどがストレスなく可能。

ストリーミング
映像や音声などのデータをダウンロードしながら逐次再生する方式。

》5Gの特徴

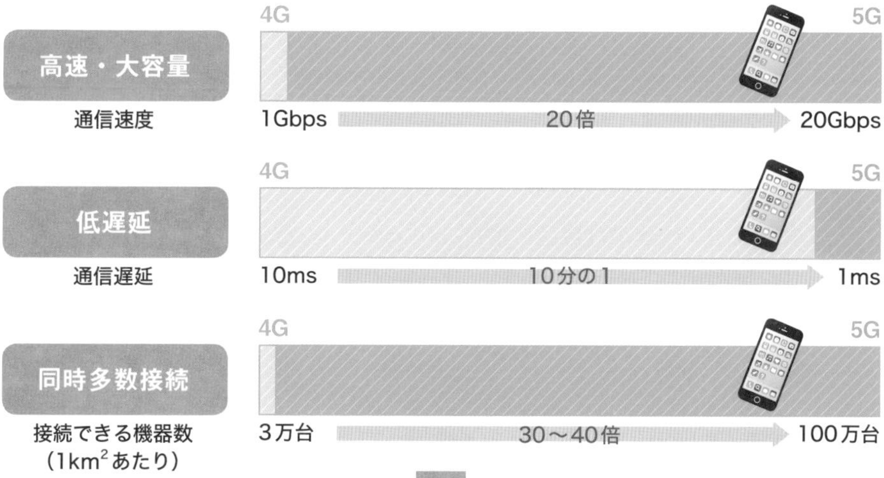

高速・大容量
通信速度
4G
5G
1Gbps
20倍
20Gbps
低遅延
通信遅延
4G
5G
10ms
10分の1
1ms
同時多数接続
接続できる機器数（1km²あたり）
4G
5G
3万台
30〜40倍
100万台

具体例① 自動運転車の実現

走行する大量の自動車に搭載されたセンサーからの情報をリアルタイムに収集・解析するには、5Gの高速・大容量、低遅延、同時多数接続という要件がすべて必要です。

具体例② キャッシュレス決済の高速化

10
100

スマートフォンを利用した決済で課題となるのが認証方式です。5Gの活用により、来店客と購入商品を結び付けるなどの方法で、レジでの決済が不要になるしくみが構築されつつあります。

ONE POINT

bps（bit per second）

（ビーピーエス）

1秒間に送受信可能なデータ量を表す単位（bit）で、数字が大きいほど通信速度が速くなります。データの転送速度はMB/s（MB/Sec）で表記されることもありますが、これは1秒間に何メガバイト（Byte）のデータを転送できるかを表す単位で、主にハードディスクなどの転送速度を表す際に用いられます。8ビットは1バイトなので、たとえば8Mbpsは1MB/sになります。

関連用語 IoT（P.14）、コネクテッドカー（P.38）、自動運転車（P.40）、ローカル5G（P.88）

COLUMN 1

なぜITトレンドを知る必要があるのか

本書では115個のIT用語を紹介しています。これらを読むと、次第にITのトレンドが理解できるようになってきます。ITトレンドを理解することは、ビジネスパーソンにとって非常に重要です。その理由を説明したいと思います。

ビジネスの世界で生き残る

理由の１つは、IT業界で働く人は基本的なIT用語を理解していないと業務に支障をきたします。このような業務における必要性からITトレンドを理解しておくことは大切です。もう１つの理由は、ITが既存の業界を変えたり新しい産業を生み出したりする革新的テクノロジーだからです。

ITは業界構造を一変させる力を持っています。たとえばAmazonの登場により、出版社や取次、書店を含む従来の出版業界は大きな打撃を受けました。あらゆる企業は、登場しつつある革新的なITを的確に理解し、そのトレンドを考え、自社および業界にどのように影響するのかを判断していく必要があるのです。これができない企業は生き残ることができません。

ITを理解して共存する時代へ

これはビジネスパーソンも同様です。ある調査でAIによる代替可能性が高い労働人口の割合は、日本では50％弱に達するという試算が出ました。今後はAIがオフィスを自動化し、一般事務だけではなく、行政書士や公認会計士などの士業でさえコンピューター化が可能と考えられています。このようにITは、個人の職業さえも大きく変貌させていきます。

業務のコンピューター化の例でいえば、AIをきちんと理解し、それを脅威として考えるのではなく、共存していくことを考えるべきです。そしてAI時代に通用する人材として、自己の価値やスキルセットを考えていく必要があります。

このように、ITトレンドを確実に理解することで、新しい市場の創出や市場の転換予測が可能になり、企業および個人の優位性が生まれるのです。

（小宮紳一）

第2章

IT開発＆技術の基礎用語

AIとIoTに関連する用語を中心に取り上げます。AIの基礎知識やAIを活用したシステム、IoTを実現する技術や製品などは、今後のIT開発の主流となるものです。周辺知識と連携させて覚えておきましょう。

機械学習

事例となるデータをコンピューターに反復的に学ばせる技術を機械学習といいます。この学習により、データから新しい特徴やパターンなどを見つけ出すことが可能となり、それを活用してデータ分析や予測などができます。

☑ 事例となるデータを学ばせて特徴などを検出

AI（人工知能）の開発技術の1つに機械学習（Machine Learning：マシンラーニング）があります。機械学習とは、事例となるデータをコンピューターに反復的に学ばせることにより、そこに含まれる特徴やパターンなどを見つけ出させる技術です。見つけた特徴を新しいデータに適用することで、データの分析や予測などを行うことが可能となります。機械学習の分類には「教師あり学習」「教師なし学習」「強化学習」があります。

☑ 機械学習の3つの分類

教師あり学習とは、正解に相当するデータを学習させる方法です。たとえば、「猫」というラベル（教師データ）が付けられた大量の写真をコンピューターに学習させることで、ラベルのない写真が与えられても猫を検出できるようになります。

ラベル
学習させるデータに付けられる正解に相当する情報のこと。教師あり学習を行う場合、それぞれのデータにあらかじめ正解情報を付けておく必要がある。

教師なし学習は、正解に相当するデータが与えられない機械学習です。この方法では、正解を用意せず、学習データのみを使い、データの中からコンピューターに特徴や定義を発見させるものです。たとえば、ラベル（教師データ）のない画像であっても大量の画像をコンピューターに学習させれば、大きさ、色、形状などの特徴からグループ分けや情報の要約などが可能となります。

強化学習とは、正解を与えなくても、試行錯誤を繰り返して最適な行動や選択などができるように学習させる方法です。教師あり学習には正解がありましたが、強化学習には正解がなく、代わりに報酬が設定され、行動に対する評価として与えられます。こうすることで、報酬が高くなるような最適な行動をするように仕向けていきます。

教師あり学習のイメージ

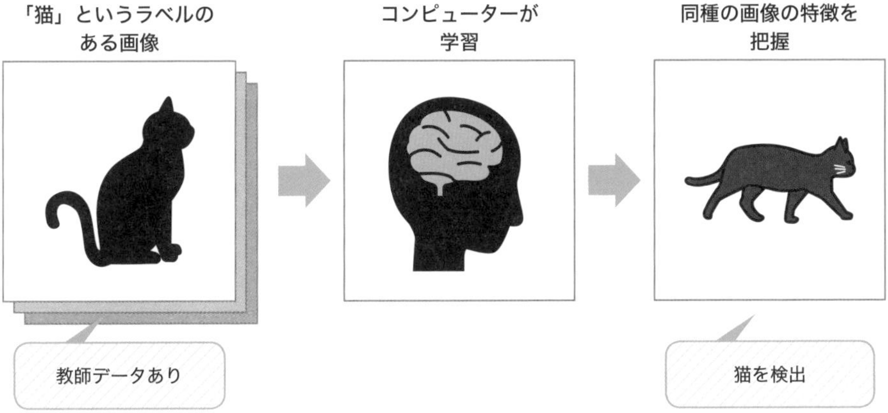
「猫」というラベルのある画像
コンピューターが学習
同種の画像の特徴を把握
教師データあり
猫を検出

教師なし学習のイメージ

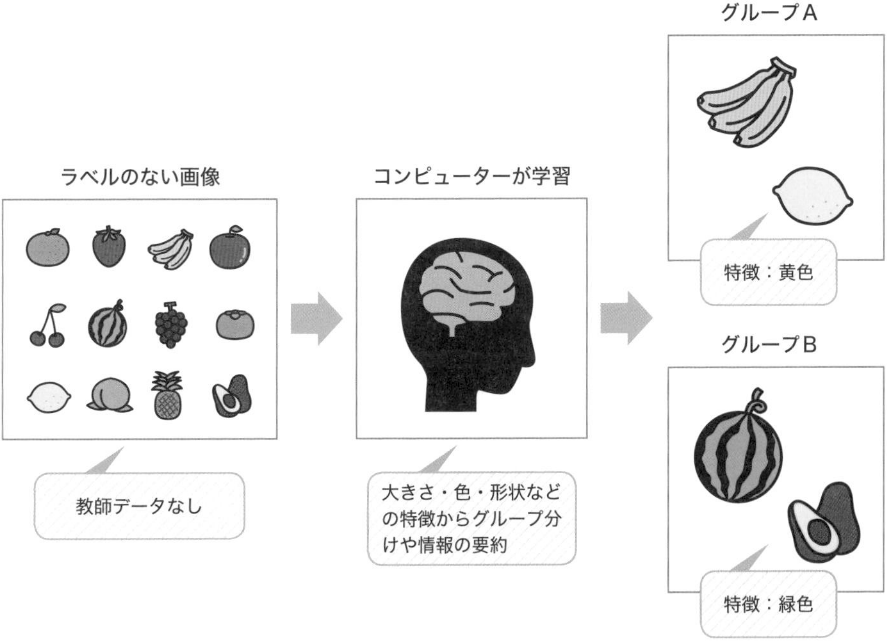
ラベルのない画像
コンピューターが学習
グループA
グループB
教師データなし
大きさ・色・形状などの特徴からグループ分けや情報の要約
特徴：黄色
特徴：緑色

関連用語 AI (P.12)、ニューラルネットワーク (P.26)、ディープラーニング (P.28)、シンギュラリティ (P.30)、チャットボット (P.32)、自然言語処理 (P.34)

ニューラルネットワーク

人間の脳を構成する神経細胞であるニューロンをもとに発想されたニューラルネットワークは、AIにおける機械学習の進化とともに注目度が高まり、現在のディープラーニングの中心的なコンセプトになっています。

☑ 人間の脳を構成するニューロンから発想

パーセプトロン
複数のニューロンをネットワーク状に接続したもの。現在ではこれらのパーセプトロンを多数（3層以上）組み合わせた多層パーセプトロンが主流となっている。

ニューラルネットワークは、人間の脳を構成する神経細胞（ニューロン）の構造を数式的なモデルで表現したものです（**パーセプトロン**）。個々のニューロンは単純なしくみですが、これらを多数組み合わせることにより、複雑な処理を可能にしています。

ニューラルネットワークは、入力層、中間層（隠れ層）、出力層の3層から構成されます。中間層（隠れ層）では、1つ前の層から受け取ったデータに対し、「重み付け」と「変換」を行い、次の層へ渡します。入力層と出力層は直接観察できますが、中間層は直接観察できないため「隠れ層」とも呼ばれます。

☑ 進歩と停滞のニューラルネットワーク研究

ニューラルネットワークの研究は、1943年に理論が提唱され、進歩と停滞を繰り返しながら続けられてきました。1957年には単一のニューロンをモデル化したパーセプトロンが考案され、第一次の人工知能ブームが起こります。しかし、層が1つのパーセプトロンでは、複雑な問題に適用できないことが明らかになります。その後、入力層と出力層の間に隠れ層を入れて多層化することで複雑な処理が可能になっていきます。

ニューラルネットワークで各層の「重み」を少しずつ調整し、誤差を小さくすることを「学習」といいますが、この学習方法として「誤差逆伝播法（ごさぎゃくでんぱほう）」（P.29）もこの時期に確立されました。しかし、誤差がコンピューターの認識を超えてしまうと判断できなくなるなどの課題が発見されました。その後、2000年代に入り、層を複数にすることで効率的な学習が行える手法が提案され、本格的なディープランニング時代の幕開けにつながっていきます。

» パーセプトロンのイメージ

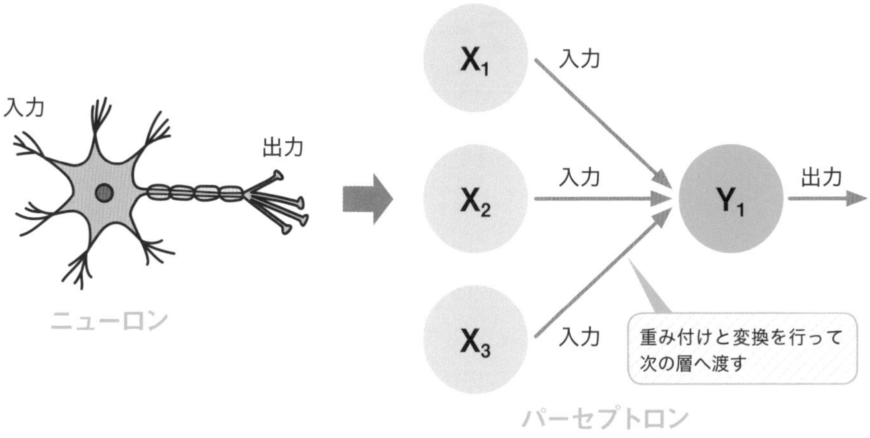
入力
出力
ニューロン
X_1
X_2
X_3
入力
入力
入力
Y_1
出力
重み付けと変換を行って次の層へ渡す
パーセプトロン

» ニューラルネットワークのイメージ

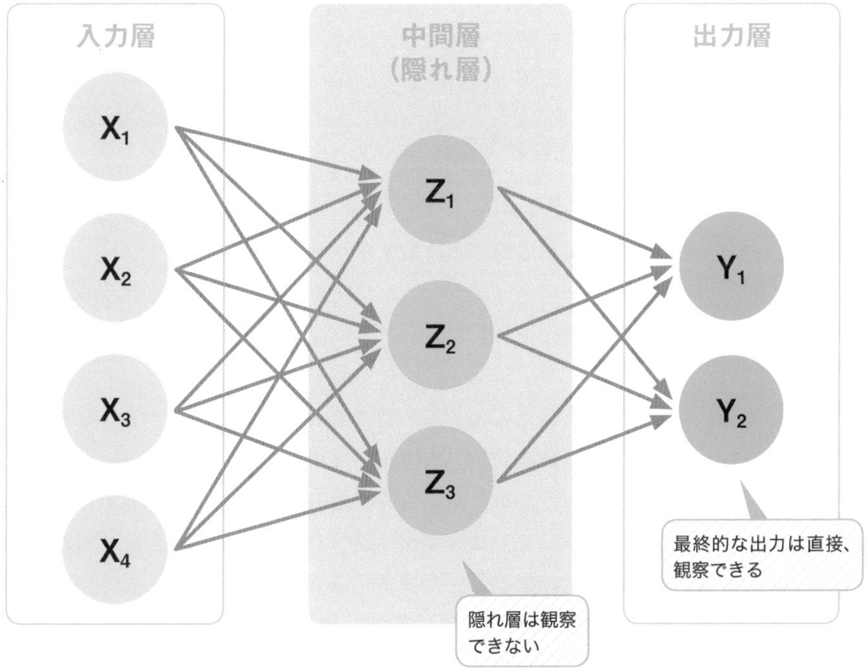
入力層
中間層（隠れ層）
出力層
X_1
X_2
X_3
X_4
Z_1
Z_2
Z_3
Y_1
Y_2
最終的な出力は直接、観察できる
隠れ層は観察できない

関連用語 AI（P.12）、機械学習（P.24）、ディープラーニング（P.28）

03 ディープラーニング（深層学習）

機械学習で難しいとされるのが特徴量の設計です。ディープラーニングでは、学習の過程において中間層を多層化することにより、最適な特徴量を自動的に算出できるようになるという特性を持っています。

☑ ニューラルネットワークを利用した機械学習

特徴量
対象の特徴を数値にして表したもの。何を重視してパターンを見つけ出すかの指標となる。たとえば、果物の特徴には色、形状、味などがあるが、それらを数値として示すことで、コンピューターは果物の特徴を把握できるようになる。

機械学習の課題として、収集したデータをそのまま使うことができず、加工しなければならないことが挙げられます。データの特徴を数値化して強弱を表したものを「**特徴量**」といいますが、この設計が難しく、設定次第でアルゴリズムの性能が変わってしまいます。そこで注目されるようになったのが、ディープラーニング（深層学習）です。

ディープラーニングは、P.26でも紹介した脳の神経回路のしくみを模した「ニューラルネットワーク」と呼ばれる学習モデルを利用する機械学習です。

☑ 中間層を多層化したディープラーニング

ニューラルネットワークは、入力層、中間層（隠れ層）、出力層の３層から構成されますが、中間層を複数に増やして多層化したものがディープラーニングです。データ処理を行うポイントを「ノード」、ノードとノードをつなぐものを「エッジ」といいます。ディープラーニングは、入力層で入力された情報に、中間層で複雑な計算が施され、出力層で判断結果として出力されるという過程で行われますが、中間層が複数あることで判断の精度が向上します。機械学習において特徴量の設計は難しいのですが、ディープラーニングでは、学習の過程で最適な特徴量を自動的に算出できるようになるという特性があります。

ディープラーニングを利用したAIのサービスとしては、画像認識、音声認識、音声合成、テキストデータの内容要約などを行う自然言語処理などがあります。

» ディープラーニングのイメージ

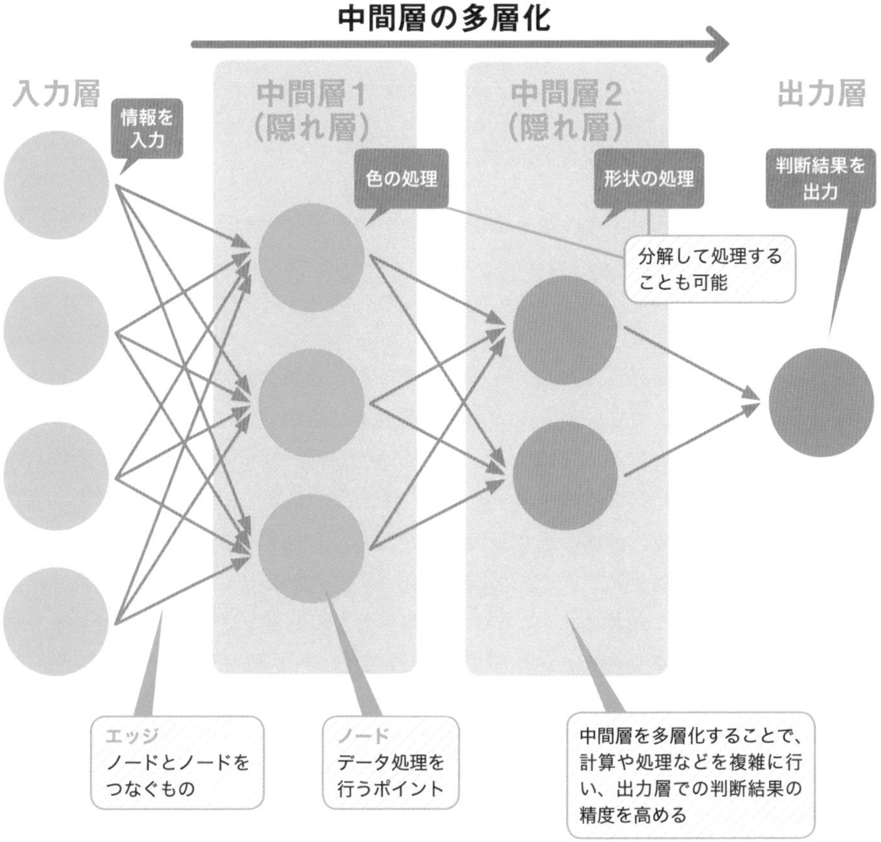
中間層の多層化
入力層
情報を入力
中間層1
（隠れ層）
色の処理
中間層2
（隠れ層）
形状の処理
分解して処理することも可能
出力層
判断結果を出力
エッジ
ノードとノードをつなぐもの
ノード
データ処理を行うポイント
中間層を多層化することで、計算や処理などを複雑に行い、出力層での判断結果の精度を高める

ONE POINT

学習の修正のしくみ

ニューラルネットワークの学習において、出力結果と正答データを比較し、「重み」などを修正する方法に「誤差逆伝播法（ごさぎゃくでんぱほう）」があります。入力されたデータは、中間層の各ノードに設定された「重み」により、さまざまな計算や処理がなされ、出力層で判断結果が出力されます。誤差逆伝播法は、ニューラルネットワークの出力結果と正答データの誤差を逆方向（出力層から入力層）に伝え、重みを調整する方法です。ディープラーニングでは、こうした学習を繰り返すことで、それぞれのノードの重みの値を自動的に調整していきます。

関連用語 AI (P.12)、機械学習 (P.24)、ニューラルネットワーク (P.26)、アルゴリズム (P.184)

Chapter2

04 AI

シンギュラリティ

AIが進化していくと、人間の知能を超える転換点が訪れ、これまで人間にしかできなかったことがAIによって代替され、人間の生活が劇的に変わるという考え方が提唱されています。

☑ AIが進化して人間の知能を超える時点

シンギュラリティ（Singularity）とは、AI（人工知能）が加速度的に進化し、人間の知能を超える転換点（技術的特異点）のことです。アメリカの人工知能の研究者であるレイ・カーツワイルが提唱した概念で、同氏はその時期の到来を**2045年**と予想しました。その根拠として挙げたのが「収穫加速の法則」です。これは、技術の進化は直線的ではなく、１つの発明がほかの発明と結び付くことで指数関数的に進化していくという考え方であり、ここから2045年という時期を導き出しています。シンギュラリティに到達すると、人間が行ってきた高度で複雑な知的作業もAIで代替できるようになり、経済や社会に大きな変革をもたらすと考えられています。

2045年問題
AIが人間の知能を超えて進化を遂げ、AI自身がより優れたAIを生み出すという連鎖が起こると、人類では制御できなくなる可能性がある。これは「2045年問題」とも呼ばれる。

☑ 強いAIがシンギュラリティを生み出す

AIとは、人間の脳の働きをコンピューターに置き換えることで、人間と同じような認知能力を持ち、総合的な判断ができるようにした人工知能です。このような能力を持つAIは、シンギュラリティを引き起こすと考えられており、「強いAI」と呼ばれます。一方、「弱いAI」は、人間の能力の一部分をコンピューターに置き換えたもので、**特化型人工知能**とも呼ばれます。与えられた仕事は処理できますが、想定外の事態に対応できません。

シンギュラリティは肯定派と否定派に分かれており、実際に到来するかどうか定かではありません。しかし、AIはすでに医療、金融、情報通信など、幅広い分野への応用が進んでおり、さまざまな恩恵をもたらすことが期待される反面、雇用を奪われたり、軍事利用が進んだりすることへの懸念も生まれています。

特化型人工知能
特定の用途に関する思考や対応にだけ優れている人工知能。これに対し、さまざまな分野の思考や対応ができるものは「汎用型人工知能」という（P.12参照）。

シンギュラリティへの展望

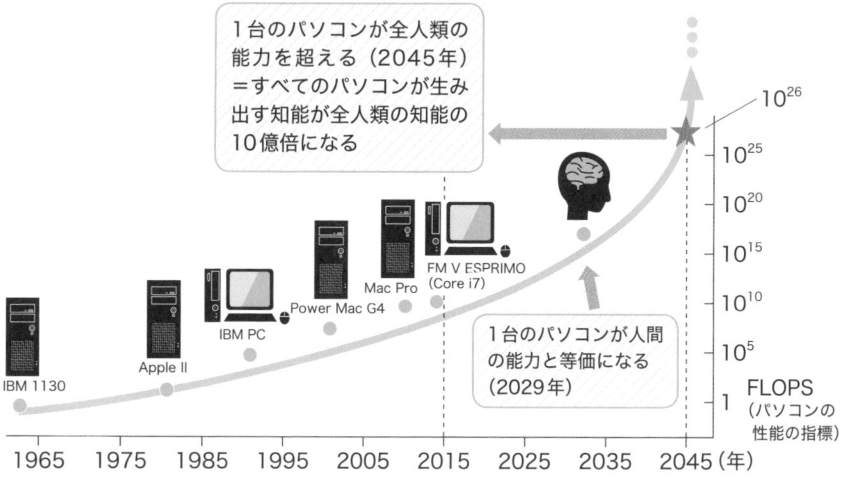

1台のパソコンが全人類の能力を超える（2045年）＝すべてのパソコンが生み出す知能が全人類の知能の10億倍になる
1台のパソコンが人間の能力と等価になる（2029年）
IBM 1130
Apple II
IBM PC
Power Mac G4
Mac Pro
FM V ESPRIMO (Core i7)
10^{26}
10^{25}
10^{20}
10^{15}
10^{10}
10^{5}
1
FLOPS（パソコンの性能の指標）
1965 1975 1985 1995 2005 2015 2025 2035 2045（年）

出典：総務省「インテリジェント化が加速するICTの未来像に関する研究会　報告書2015」をもとに作成

幅広い分野への応用が進むAI

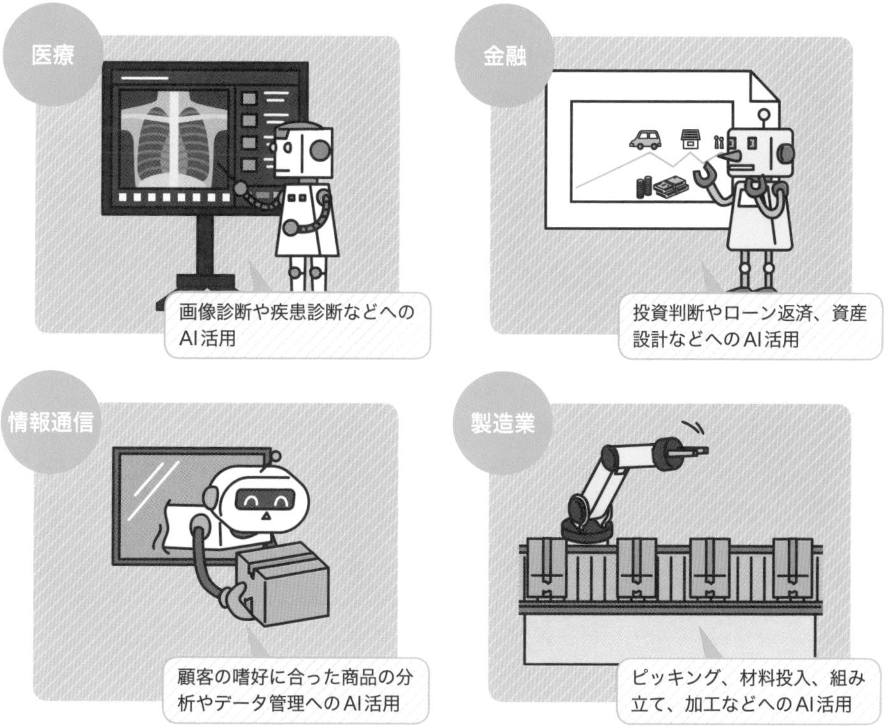

医療
画像診断や疾患診断などへのAI活用
金融
投資判断やローン返済、資産設計などへのAI活用
情報通信
顧客の嗜好に合った商品の分析やデータ管理へのAI活用
製造業
ピッキング、材料投入、組み立て、加工などへのAI活用

関連用語 AI (p.12)、機械学習 (P.24)、ニューラルネットワーク (P.26)、ディープラーニング (P.28)

チャットボット

自動会話プログラムであるチャットボットは、Webサイトのカスタマーサポートや SNSなどに活用されています。24時間稼働させることができ、人件費の削減にもつながるため、導入が急速に進んでいます。

☑ 質問への返答や雑談などを自動で行う

チャットボット（Chatbot）とは、「Chat」（会話）と「bot」（自動化するプログラム）を組み合わせた造語であり、利用者が入力した文章や音声などに対し、自動で返答する自動会話プログラムのことです。事前に登録した単語や文章、音声などを利用し、人間どうしの会話のようにやり取りすることが可能です。

チャットボットは、会話の内容により、「質問応答型」と「**雑談型**」の2種類に分類できます。質問応答型は、利用者が特定の目的でシステムに質問すると返答を行うタイプです。一方、雑談型は、特定の目的のない利用者の問いかけにも応答するタイプで、雑談的な会話を続けることができます。

☑ システムのしくみによる3つの分類

チャットボットは、システムのしくみによっても分けることができ、「ルールベース型」「機械学習型」「複合型」の3種類があります。ルールベース型は、想定される質問に対する回答や単語などをあらかじめ入力しておき、ルール（パターン）に従って応答することで、会話が成立しているように見せるタイプです。FAQなどの単純な問い合わせや注文などの対応に適しています。機械学習型は、あらかじめ登録したデータや利用者が入力したデータなどを大量に収集し、統計的に処理することで、正解の確率の高い回答を導き出すタイプです。ルールの決まっていない応答などに対応でき、雑談型のような会話に向いています。複合型は、ルールベース型と機械学習型を組み合わせたタイプで、質問や回答などのパターンは事前に入力しておき、細かな会話文や表記ゆれなどはチューニングを重ねて精度を上げていきます。

》活用が広がるチャットボット

SNSでの自動返答
ECサイトでの
カスタマーサポート
コンビニエンスストア
のマーケティング
保険
保険会社の自動応対

》チャットボットのしくみ

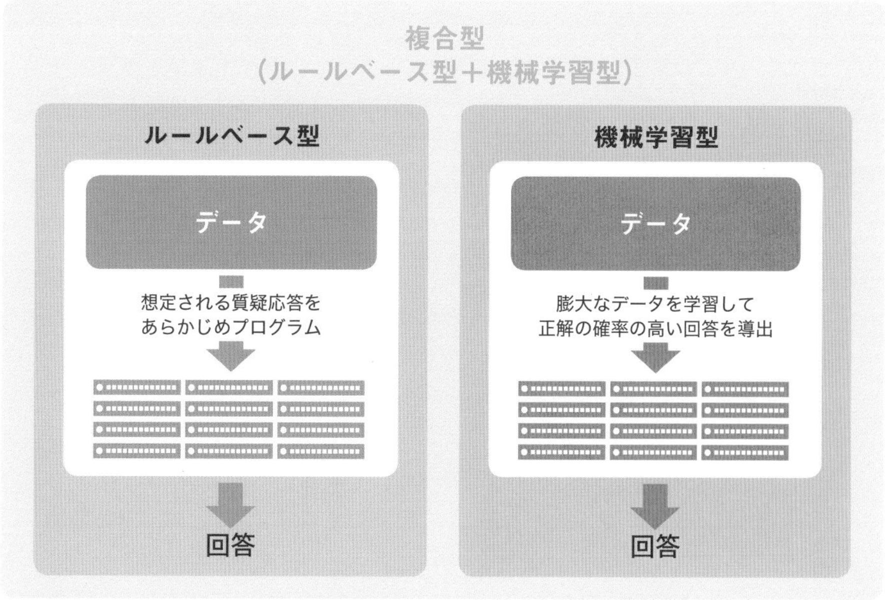
複合型
（ルールベース型＋機械学習型）
ルールベース型
データ
想定される質疑応答を
あらかじめプログラム
回答
機械学習型
データ
膨大なデータを学習して
正解の確率の高い回答を導出
回答

関連用語 AI（P.12）、機械学習（P.24）、アルゴリズム（P.184）

自然言語処理(Natural Language Processing：NLP)

自然言語処理は、人間の言語をコンピューターに処理させる技術であり、その手法は進化を続けています。また、ディープラーニングなどと組み合わせることで、より精度の高い翻訳技術などが実現できるようになりました。

☑ 人間の使う言語を処理させる技術

自然言語処理とは、人間が普段使っている言語をコンピューターに処理させる一連の技術をいいます。コンピューターの分野で「言語」というと「プログラミング言語」を指すことが多いため、「自然言語」と呼ばれています。

自然言語処理は主に、①形態素解析、②構文解析、③意味解析、④文脈解析、の４つの工程で処理されます。①形態素解析は、文章を形態素（意味を持つ最小単位）に分割し、品詞などの情報に振り分ける工程です。日本語の場合は、単語と単語の間にスペースがないため、この工程は重要です。英語などの言語では、比較的単純な処理で済みます。②構文解析は、形態素解析で得られた単語の関係性を解析する工程です。主に文節間の係り受け構造を発見し、図式化（構文木）します。③意味解析は、辞書に基づく意味を利用し、正しい文を解析していく工程です。④文脈解析は、複数の文を通して、形態素解析と意味解析を行う工程です。これらの工程を経て、コンピューターは自然言語処理を完了します。

係り受け構造
主語と述語のように係る語句と受ける語句が、文章全体でどのような構造になっているかを示すもの。

構文木
構文解析の経過や結果を木構造で表したもの。階層的な関係を表現するのに用いられる。

☑ 翻訳や情報の発掘などにも活用される

自然言語処理の事例としては、機械翻訳やテキストマイニング、対話システムなどが挙げられます。機械翻訳は、初期段階では、単語ごとに翻訳し、文法に沿って並べ替えるという処理を行っていました。このため、翻訳精度の低いものでしたが、近年ではディープラーニングを利用した機械翻訳が主流になり、精度の高い翻訳を実現しています。テキストマイニングとは、自由形式で記述された文章を解析するための手法であり、文章の解析により有益な情報を見つけ出すために自然言語処理が活用されています。

形態素解析のイメージ

私は友人とレストランへ行った。

↓ 形態素解析

私	は	友人	と	レストラン	へ	行っ	た	。
名詞	助詞	名詞	助詞	名詞	助詞	動詞	助動詞	記号

自然言語処理で利用される技術と適用例

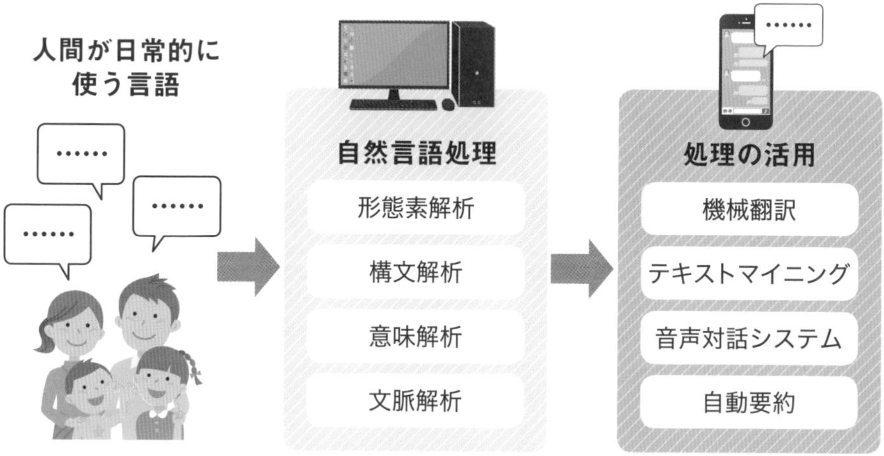
人間が日常的に使う言語
自然言語処理
形態素解析
構文解析
意味解析
文脈解析
処理の活用
機械翻訳
テキストマイニング
音声対話システム
自動要約

ONE POINT

Google翻訳の精度の向上

Googleの翻訳サービスである「Google翻訳」は、ディープラーニングを利用した機械翻訳を採用することにより、劇的に精度が向上しました。これまでは、フレーズごとの統計的機械翻訳で、単語の意味をつなげただけのような翻訳でしたが、一般的な文章と変わらない自然な翻訳が可能となっています。

関連用語 AI (P.12)、機械学習 (P.24)、ディープラーニング (P.28)、データマイニング (P.206)

M2M（Machine to Machine）

エムツーエム

次世代の技術としてIoTが注目されていますが、IoTに似たコンセプトにM2Mがあります。機械と機械がつながるM2Mは、IoTの登場前からあるしくみであり、ビジネスの分野でさまざまなサービスがあります。

☑ 機械と機械が情報を直接やり取りする

M2Mは、Machine to Machineの略で、機械と機械がネットワークで通信し、情報を直接やり取りするしくみのことです。M2Mは、IoTの登場前からある技術であり、さまざまな分野で活用されています。

M2Mの活用方法は、①機械からの情報収集、②機械のコントロール、の2つに大別できます。①の情報収集は、エレベーターの遠隔監視、高速道路の渋滞情報の収集、電気・ガスメーターの自動検針、自動販売機の在庫管理、建設機械の位置情報監視など、広範に利用されています。②のコントロールは、ビルの照明や空調などの制御システムなどが実用化されています。

H2H
Human to Humanの略で、直訳すると「人から人へ」「人間どうし」の意味。人間どうしがパソコンやスマートフォンなどを使って通信することを指す。

H2M
Human to Machineの略で、直訳すると「人から機械へ」の意味。人間が機械と情報をやり取りすることを指す。M2Hともいう。

☑ IoTとの違いはつながる対象・目的・方法

M2Mは、さまざまなモノがインターネットでつながるIoTと類似していますが、いくつか違いがあります。

まず、M2Mは機械どうしがつながることですが、IoTはさまざまなモノがインターネットを介して別の装置や設備、あるいは人間とつながることです。また、M2Mでは、個々の機械は必ずしもインターネットに接続されている必要はなく、機械どうしを有線でつなげることもあります。活用目的としては、IoTは、機器から収集した情報を活用し、単一の用途だけではなく、市場分析や新製品開発などへの利用も想定しています。このため、IoTにより収集される膨大なデータ（ビッグデータ）の利活用もテーマとなります。これに対し、M2Mはあくまで機械からの情報収集と機械のコントロールが主目的であり、機械どうしで自動制御が行える自動化されたシステムの構築を目指しています。

≫ M2Mの領域とIoTの領域

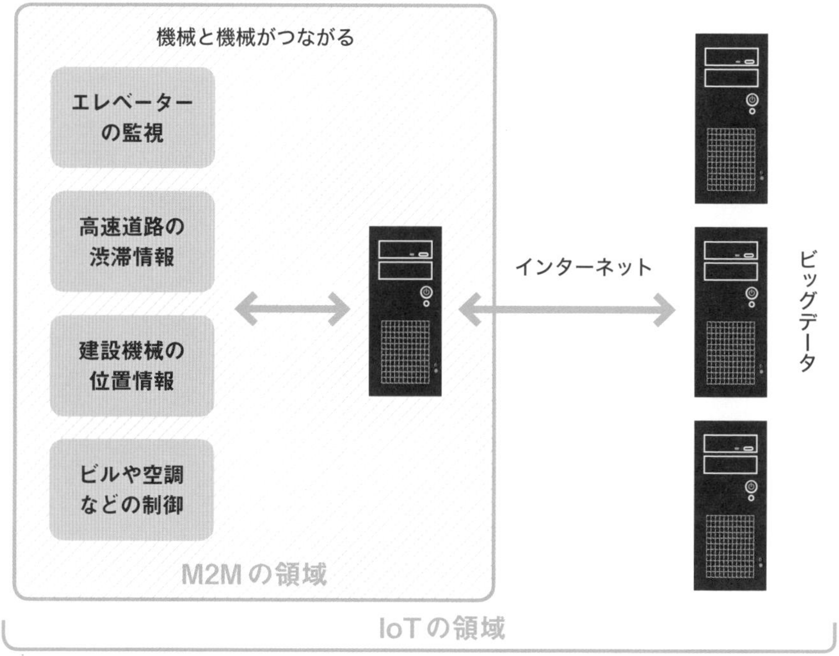

機械と機械がつながる
エレベーターの監視
高速道路の渋滞情報
建設機械の位置情報
ビルや空調などの制御
インターネット
ビッグデータ
M2Mの領域
IoTの領域

≫ M2MとIoTの違い

	M2M	IoT
目的	機械からの情報収集 機械のコントロール	機器からの情報の活用
ネットワーク	クローズドなネットワークの利用もある	インターネットを利用
つながる対象	モノとモノ	モノとモノ、モノと人、モノと設備など多様
機器の数	限定的	非常に多い
データの活用方法	制御情報の取得など	人へのサービスの提供など

関連用語 IoT (P.14)、ビッグデータ (P.52)

コネクテッドカー

自動車がインターネットに接続されるコネクテッドカーは、新しい機能の実現はもちろん、保険などのサービスも生み出しています。コネクテッドカーをプラットフォームにした新たなビジネスが数多く創出されています。

☑ 自動車がネットにつながって新しい機能を実現

コネクテッドカーとは、インターネットの通信機能を備えた自動車のことです。IoTの普及に伴い、自動車も情報端末の1つとして捉えられるようになりました。インターネットに接続されることで、車両の状態や周囲の道路状況などのデータをセンサーから取得し、ネットワークを介して集積・分析することにより、さまざまなサービスが実現しつつあります。たとえば、事故発生時に自動的に緊急通報を行うシステムや、走行実績に応じて保険料が変動するテレマティクス保険、盗難時に車両の位置を追跡するシステムなどが実用化されています。

☑ 無線通信の高速・大容量化が実用化を促進

自動車には、これまでカーナビやETC車載器などの通信機器が搭載されていましたが、コネクテッドカーが注目されている背景としては、次の3つが挙げられます。第1に、無線通信の高速・大容量化により、リアルタイムに大容量のデータを送受信できるようになったこと。第2に、**車載通信端末（DCM）**の低価格化、同等の機能を搭載したスマートフォンなどによる代替化が進んでいること。第3に、クラウドの普及でデータを高速・大容量に収集したり分析したりすることが可能になり、**ビッグデータ**の活用が一般化してきたことです。コネクテッドカーに必要な技術としては、OTA（Over The Air）ソフトウェア更新技術などがあります。OTAとは、無線通信でデータを送受信することをいいます。これを利用して車載コンピューターのソフトウェア更新を行えば、スマートフォンのOS更新のように車載プログラムの更新が行えるようになり、時間や労力の大幅な節約につながります。

車載通信端末（DCM）
DCMはData Communication Moduleの略で、自動車に搭載された情報通信端末のこと。

ビッグデータ
インターネットやスマートフォンの利用などにより生み出される、多様で膨大なデジタルデータ（P.52参照）。

コネクテッドカーの具体的なサービスイメージ

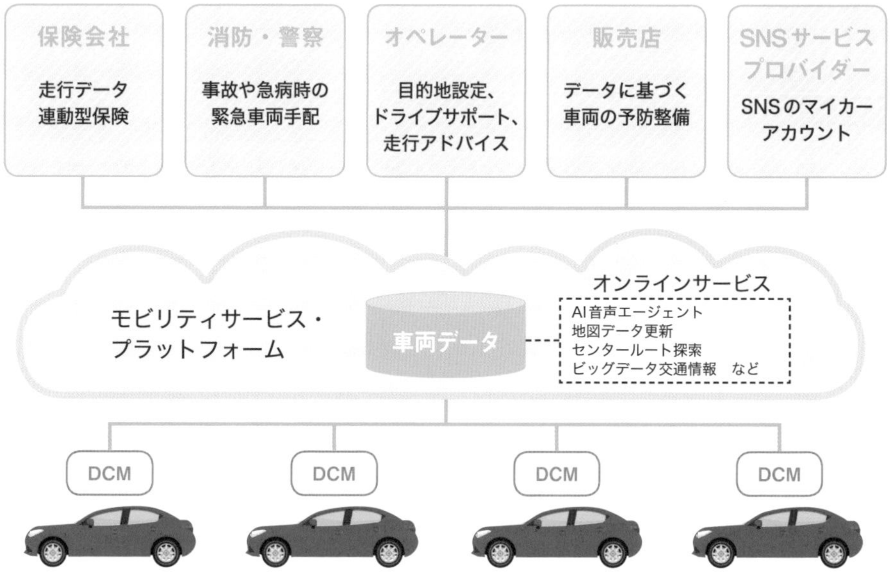

保険会社
走行データ連動型保険
消防・警察
事故や急病時の緊急車両手配
オペレーター
目的地設定、ドライブサポート、走行アドバイス
販売店
データに基づく車両の予防整備
SNSサービスプロバイダー
SNSのマイカーアカウント
モビリティサービス・プラットフォーム
車両データ
オンラインサービス
AI音声エージェント
地図データ更新
センタールート探索
ビッグデータ交通情報　など
DCM
DCM
DCM
DCM

出典：トヨタ自動車 発表資料をもとに作成

コネクテッドカーが注目される背景

①無線通信の高速・大容量化
②車載通信端末（DCM）の低価格化・スマートフォンなどの代替化
③ビッグデータ活用の一般化
コネクテッドカーへの注目

関連用語 IoT（P.14）、自動運転車（P.40）、ビッグデータ（P.52）

09 自動運転車

運転操作を行わなくても走行する自動運転車は、実用化段階に到達しつつあります。交通事故の削減や交通渋滞の減少、物流効率性の改善、運転負担軽減などに貢献する技術で、新たな交通サービスの創出も期待されています。

☑ 条件付き運転自動化の段階まで到達

自動運転車は、人間が運転操作を行わなくても自動で走行する自動車のことです。自動運転には明確な定義があり、日本ではアメリカのSAEが策定した定義に合わせています。この定義によれば、自動運転は以下の５段階にレベル分けされます。

SAE
SAEはSociety of Automotive Engineersの略で、モビリティの専門家を会員とするアメリカの非営利団体。

》 自動運転のレベル分け

レベル1	運転支援
レベル2	部分運転自動化
レベル3	条件付き運転自動化
レベル4	高度運転自動化
レベル5	完全運転自動化

2021年時点で、日本はレベル３の実用化段階まで到達しつつあります。この段階では、限定領域において、システムが操舵、加速、制動を行い、ドライバーは緊急時などを除き、ハンドルを保持する必要がありません。2020年４月には道路交通法が改正され、レベル３の自動運転車が公道を走ることが可能になりました。

市販の自動運転車
日産自動車の「プロパイロット2.0」や、SUBARUの「アイサイトX」に対応している車種では、レベル２に相当する自動運転が可能。

☑ 運転操作をシステムに任せる自動運転車が登場

レベル４になると、特定の条件下であれば、運転操作の主体が完全にシステムになります。これは2025年を目標に、高速道路での実現を目指しています。公共交通機関ではレベル４の実用化を先行させる予定であり、2020年から各地で自動運転の公共バスなどが登場しています（写真）。レベル５は、センサー類やAIなどの技術の進化、法整備、交通インフラ整備など、解決すべき課題が多く、実現までにはまだ時間がかかりそうです。

自動運転のレベル

レベル	運転自動化技術を搭載した車両の概要	運転操作の主体
レベル0	加減速やステアリング操作、すべての操作をドライバーの判断で行う	運転者
レベル1	アクセル・ブレーキ操作またはハンドル操作のどちらかを、部分的に自動化する技術を搭載した車両	運転者
レベル2	アクセル・ブレーキ操作およびハンドル操作の両方を、部分的に自動化する技術を搭載した高度運転支援車両	運転者
レベル3	一定の条件下で、すべての運転操作を自動化する技術を搭載した車両。ただし運転自動化システム作動中もシステムからの要請でドライバーはいつでも運転に戻れなければならない	システムの作動が困難な場合は運転者
レベル4	一定条件下で、すべての運転操作を自動化する技術を搭載した車両	システム
レベル5	条件なしで、すべての運転操作を自動化する技術を搭載した車両	システム

出典：内閣府「SIP café～自動運転～」をもとに作成

自動運転の公共バスの例

2020年11月に茨城県ひたち市で、市内の移動手段として自動運行バスの走行実証実験が実施された

画像提供：BOLDLY

関連用語 IoT（P.14）、コネクテッドカー（P.38）

MaaS（Mobility as a Service）

マース

IoTの一種であるMaaSは、インターネットによりさまざまな交通手段を結び付け、快適な移動を促すサービスです。MaaSは、利便性が高く、環境規制への対応手段としても注目されています。

☑ 異なる交通手段を結び付けるMaaS

ライドシェア
自動車の相乗りのこと。または相乗りする相手をスマートフォンなどで引き合わせるサービスを指す。このようなサービスを介して、運転者と相乗り希望者の間で運賃や目的地などの交渉がなされる。

MaaSとは、鉄道、バス、タクシーからライドシェア、シェアサイクルまで、多様な交通手段をITで結び付け、ルート検索・予約・決済などを一元化してシームレスな移動を提供するサービスです。

「Mobility」（モビリティ）は従来、交通手段となる自動車や鉄道などの乗り物を指していましたが、近年ではカーシェアリングやライドシェアなど、新しいサービスも登場しています。MaaSはこれらの交通手段を統合し、ルート検索・予約・決済まで提供することで、利用者の移動時間や費用を最適化するサービスです。

現在、世界各国でMaaSへの取り組みが活発化しています。活発になった背景として、交通分野でも情報や技術などのデジタル化が進み、異なる交通機関を連携させ、新たなネットワークサービスを構築しやすくなったことが挙げられます。また欧州では、自動車の環境規制を厳格化しており、渋滞の緩和やマイカーを減らすことなどを目的に官民で推進しているケースもあります。

☑ 交通事業者やIT事業者が協力して作るサービス

MaaSのサービスを提供するためには、交通情報や地図情報、ルート検索・予約・決済などの各種機能を統合し、データを連携させるMaaSプラットフォームが必要になります。プラットフォームの各種機能は、スマートフォンのMaaSアプリによって利用者に提供されます。

MaaSはさまざまな交通事業者やIT事業者が協働で作り上げていくものであり、事業者間で積極的にデータを公開し、共有していく姿勢が重要になります。

» MaaSのしくみ

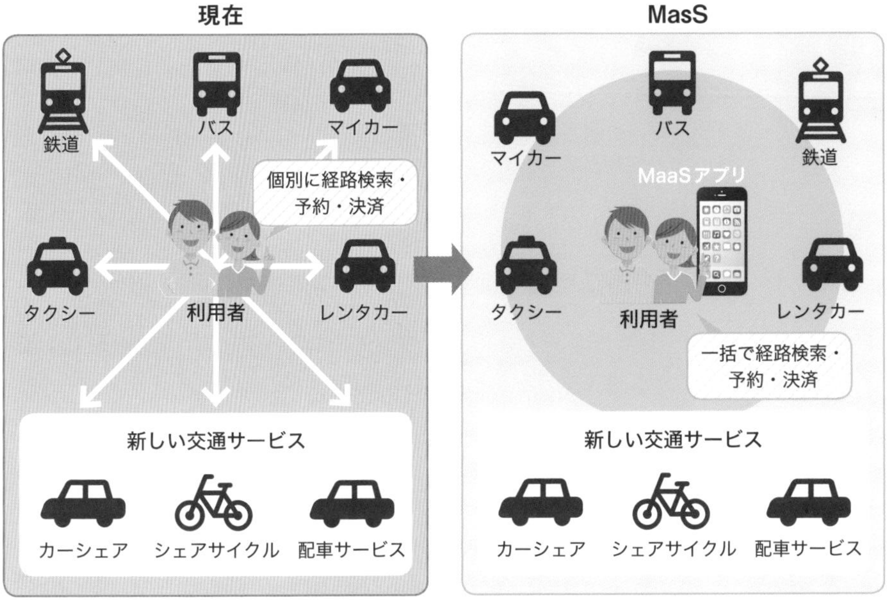
現在
鉄道
バス
マイカー
個別に経路検索・予約・決済
タクシー
利用者
レンタカー
新しい交通サービス
カーシェア
シェアサイクル
配車サービス
MasS
マイカー
バス
鉄道
MaaSアプリ
タクシー
利用者
レンタカー
一括で経路検索・予約・決済
新しい交通サービス
カーシェア
シェアサイクル
配車サービス

出典：SBクリエイティブ「ビジネス＋IT ～MaaS（マース）とは？ 移動の何が変わるのか、目的やメリットをわかりやすく解説～」をもとに作成

» MaaSのプラットフォーム

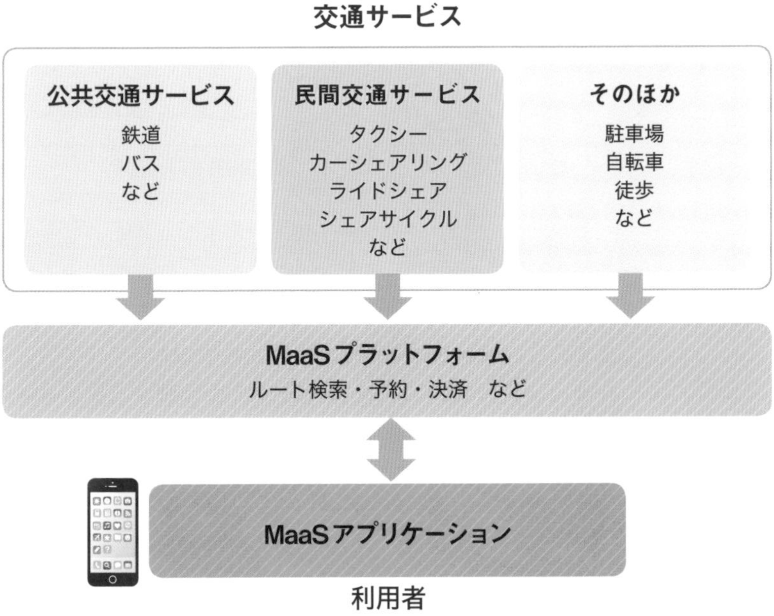
交通サービス
公共交通サービス
鉄道
バス
など
民間交通サービス
タクシー
カーシェアリング
ライドシェア
シェアサイクル
など
そのほか
駐車場
自転車
徒歩
など
MaaSプラットフォーム
ルート検索・予約・決済　など
MaaSアプリケーション
利用者

関連用語 IoT (P.14)、コネクテッドカー (P.38)

11 ドローン

国内のドローンビジネスの市場規模は拡大を続けており、2021年度には2,000億円を超える規模になると予測されています。ドローンの運用にはさまざまな規制がありますが、今後の規制緩和も期待されています。

☑ 農薬散布や測量などの業務用途で市場が拡大

自律飛行
ドローンが自ら障害物の回避などを判断しながら飛行すること。事前のプログラミングをもとにGPS（全地球測位システム）の情報を使って位置を把握するものが多い。

ドローンとは、リモコンなどで遠隔操作したり自律飛行したりする無人航空機のことです。複数の回転翼が付いたドローンは、回転翼の回転数を調整することで、ホバリング（空中での停止）や前進、後退ができます。また、安定飛行のために、機体の傾きや角度などを検出するジャイロセンサーや、回転翼の出力調整を行うプロセッサーなどの機器を搭載しています。

近年、スマートフォンの大量生産による電池やセンサーの低コスト化、コンピューターによる自動制御技術の発展などにより、民間の業務用ドローンの市場が拡大しています。たとえば、Amazonはドローンを利用した宅配サービスの実用化を進めています。物流以外でも、建設における測量・検査、防犯・警備、災害時の物資の輸送や危険地域の調査、農薬の散布など農作業全般、点検業務、空中撮影など、さまざまな用途で活用されています。

☑ 今後期待されるドローン関連の規制緩和

ドローン技術は急激に進歩していますが、課題となるのは運用ルールの整備です。日本は国土が狭く、住宅が密集する地域もあり、墜落時の安全確保やプライバシーの侵害など、解決しなければならない運用上の課題がたくさんあります。

ドローンの飛行には、航空法などでさまざまな規制が設けられています。航空法では、空港周辺や150m以上の上空、人家の集中地域などは飛行禁止区域に定められています。また、飛行は日中に目視の範囲内とされ、人や建造物からの30m以上の距離の確保などが規定されています。現在、都市部での物流や警備などにドローンを活用するため、新たな法整備が検討されています。

さまざまな分野でのドローンの活用

建設における
測量・検査

オフィス内の
警備や点検

iStock.com/Victoria Labadie - Fotonomada

災害時の
物資の輸送

iStock.com/helivideo

農薬の散布など
農作業全般

承認が必要となるドローンの飛行

- 夜間の飛行
- 目視外の飛行
- 上空30m未満の飛行
- イベント上空の飛行
- 危険物の輸送
- 物件の投下

ONE POINT

5Gドローン

高速・大容量の通信規格である5G（P.20参照）の進展により、ドローンもより広範なエリアでの利用が進むことが予測されます。また、高画質な撮影と、スピーディーなデータ転送などが実現することが期待されています。

関連用語 IoT (P.14)、GPS (P.50)

12 バーコードと2次元コード

バーコードはさまざまな商品に印刷され、広く活用されています。このバーコードより情報量や密度を高めたものが2次元コードです。最近ではキャッシュレス決済でも活用されるようになり、とても身近になっています。

☑ 情報量などに優れる2次元コード

スーパーやコンビニエンスストアなどで買い物をすると、ほとんどの商品にバーコードが付けられていることに気付きます。バーコードとは、黒いバーと白いスペースの組み合わせにより、機械が読み取れる形で数字や文字などを表現したものです。バーコードは、バーコードスキャナーという光学認識装置で読み取ります。バーコードは1方向にだけ情報を持たせたものですが、縦・横2方向に情報を持たせたものが2次元コードです。

2次元コードは、情報密度が高いという特徴があります。バーコードに比べ、10分の1から100分の1に高密度化して同じ桁数を表現できるため、バーコードでは不可能だった極小スペースでの利用が可能になりました。また、最大情報量もバーコードの10～100倍で、カナや漢字も使えます。誤り訂正機能を持つため、汚れや傷などの障害に強く、読み取りの方向や角度に対する柔軟性に優れています。

☑ キャッシュレス決済で脚光を浴びるQRコード

2次元コードには、**QRコード**や**DataMatrix**（データマトリックス）など、さまざまな種類があり、それぞれに違いがあります。なかでも近年、スマートフォンを利用したQRコード決済が世界的に普及したことにより、日本で開発されたQRコードが注目されています。QRコード決済は、店舗側が提示するQRコードを専用アプリで読み取るか、自分のスマートフォンにQRコードを表示して店舗側に読み取ってもらうことで完了します。この手軽さが支持され、中国や韓国ではデパートやレストラン、屋台に至るまでQRコード決済があたりまえになっています。

QRコード
デンソーウェーブが1994年に開発した2次元コード。読み取り速度が速く、大容量データを収納できる。日本で開発されたコードであり、漢字なども効率よく表現可能。このため、アジアの漢字圏でも広く普及した。

DataMatrix
アメリカで作られた2次元コード。正方形や長方形のパターンで配置された白黒のセルやドットで構成されている。

» バーコードと２次元コード

バーコード
情報を持たない
1 234567 890123
情報を持つ
2次元コード（QRコード）
情報を持つ
情報を持つ

» ２次元コードの構造

ファインダパターン
（切り出しシンボル）
アライメントパターン

ONE POINT

ファインダパターンとアライメントパターン

QRコードの形状は、上図のように、３つのファインダパターン（切り出しシンボル）と、１つのアライメントパターンで構成されています。ファインダパターンは、位置を検出したり、歪んだコードをチェックしたりする役割があります。スマートフォンのカメラでQRコードを読み取るときは、ファインダパターンによりQRコードであることを認識しています。アライメントパターンは、カメラを斜めにかざしたときに各セルに生じるズレや歪みを補正する役割があります。

関連用語 キャッシュレス決済（P.146）

アールエフアイディー
RFID（Radio Frequency Identification）

バーコードに比べ、読み取り速度が高速で、箱の中に入っていても読み取れるRFIDはさまざまなメリットを備えています。RFIDは店舗や倉庫における検品や棚卸しなどで幅広く活用されています。

☑ RFタグに記録された情報を機器で読み取る

RFIDは、情報が記録された**RFタグ**を商品などに付け、**リーダーライター**という読み取り機との間で、無線通信により情報をやり取りする技術です。RFタグは、内部に電源を持つアクティブタグと、電源を持たないパッシブタグに大別されます。アクティブタグは内蔵した電池を電源とするタイプで、パッシブタグはリーダーライターからの電波を電源とするタイプです。パッシブタグの小さなものは数ミリメートル程度で、記録容量や通信距離は短いものの、壊れなければ半永久的に使うことができます。

RFタグはバーコードと比較すると、読み取り速度が高速です。また、箱の中に入っていたり汚れたりしていてもリーダーライターを近づければ読み取り可能であり、近くにある複数のRFタグをまとめて読み取ることもできます。デメリットとしては、RFタグは電子機器なので、印刷可能なバーコードに比べると高コストになること、曲げや圧力、高温、湿気などで破損しやすいこと、金属や水分で電波が遮蔽されやすいことなどが挙げられます。

RFタグ
半導体メモリ（ICチップ）が内蔵されたタグ。カード型、ラベル型、ボタン型、スティック型、リストバンド型、モジュール型などのさまざまな形状がある。

リーダーライター
タグに記録された情報を読み書きする専用機器。形状はハンディ型、据置き型、ゲート型などがある。

☑ RFIDで在庫管理の時間や手間を節約できる

RFIDは、店舗や倉庫における検品や棚卸しなど、在庫管理の作業で広く利用されています。複数の商品が入った段ボール箱を検品する際、バーコードでは商品を個別に取り出す必要があります。一方、RFIDでは、箱の外側からまとめて読み取ることができ、時間や手間の節約になるため、アパレル業界などを中心に導入が進んでいます。また、RFIDは、移動履歴の把握（トレーサビリティ）にも活用でき、販売後の商品の管理や追跡などの利用も期待されています。

RFIDの情報の流れ

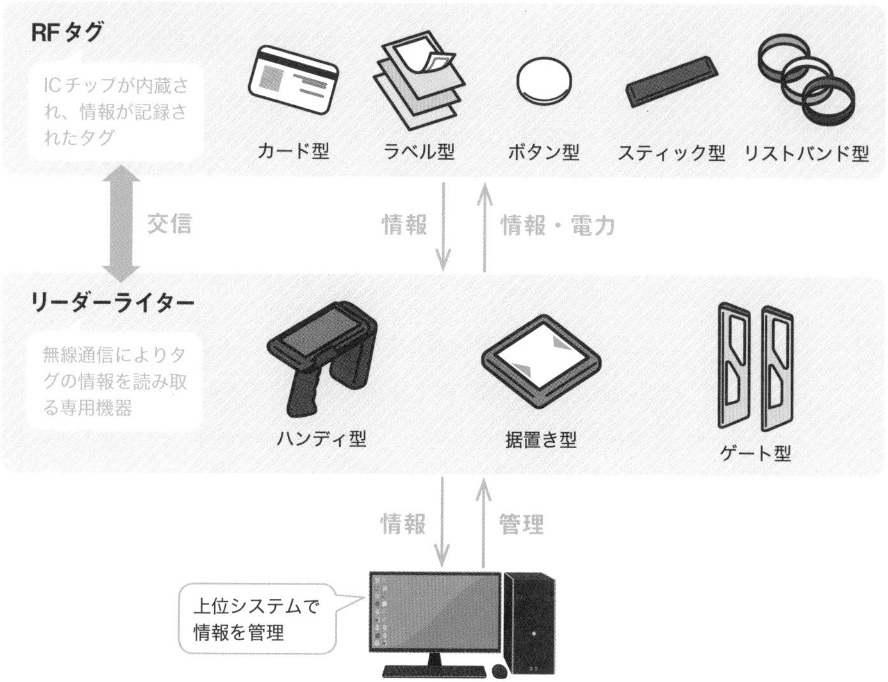
RFタグ
ICチップが内蔵され、情報が記録されたタグ
カード型
ラベル型
ボタン型
スティック型
リストバンド型
交信
情報
情報・電力
リーダーライター
無線通信によりタグの情報を読み取る専用機器
ハンディ型
据置き型
ゲート型
情報
管理
上位システムで情報を管理

バーコードとRFIDの比較

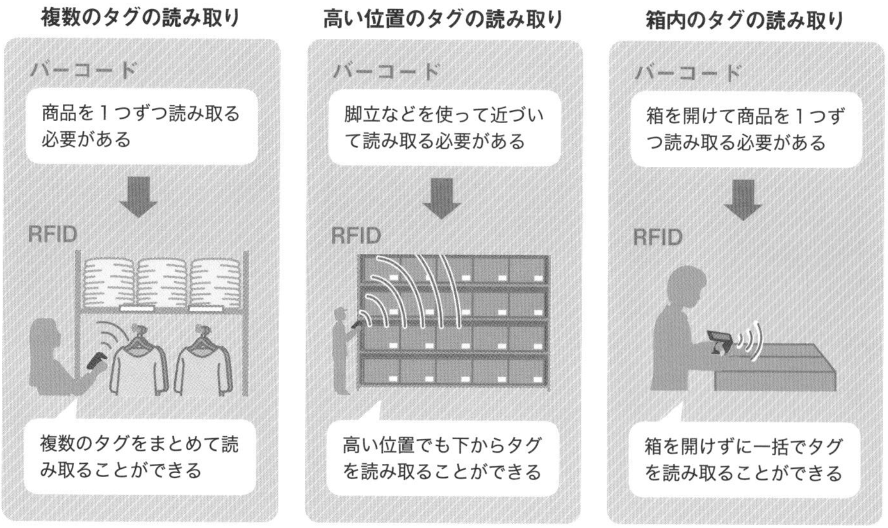
複数のタグの読み取り
バーコード
商品を1つずつ読み取る必要がある
RFID
複数のタグをまとめて読み取ることができる
高い位置のタグの読み取り
バーコード
脚立などを使って近づいて読み取る必要がある
RFID
高い位置でも下からタグを読み取ることができる
箱内のタグの読み取り
バーコード
箱を開けて商品を1つずつ読み取る必要がある
RFID
箱を開けずに一括でタグを読み取ることができる

関連用語 IoT (P.14)、2次元コード (P.46)

14 GPS（Global Positioning System：全地球測位システム）

ジーピーエス

GPSは地球を周回する衛星を利用した位置情報を特定する技術です。GPSを活用したサービスは、カーナビやスマートフォンの地図アプリなどで身近なものになり、ドローンや農業、建設などにも幅広く活用されています。

☑ 衛星を利用して位置情報を特定する

GPSは地球を回るGPS用の衛星を使い、端末の地球上の緯度や経度などの位置情報を特定する技術です。GPSはアメリカ国防省が軍事利用を目的として開発したものでしたが、その後、民間での利用も可能になりました。GPSは現在、カーナビやスマートフォンの地図アプリなど、さまざまなサービスで活用されているため、とても身近なものになっています。

地球を周回しているGPS衛星からは、常に受信機に対して現在位置と現在時刻が送信されています。受信機はこの情報をもとに利用者の位置情報を特定します。位置情報を特定するしくみとして、まず受信機が衛星からの電波信号を受信したときに、信号が届くまでにかかった時間（電波伝送時間）に電波の速度を掛け、衛星との距離を測定します。この測定は4機以上の衛星を用いて行われ、4つの距離が交差する点を算出し、位置情報を割り出します。3つの距離情報があれば位置の特定は可能ですが、時刻の誤差を補正するために4機以上の衛星の情報が用いられます。

☑ 現在では各国が衛星システムを開発・運用

現在、アメリカ以外の国でも位置情報の精度を上げるために独自の衛星システムを保持するようになっています。ロシアのGLONASS（グロナス）、EUのGalileo（ガリレオ）、中国のBeiDou（ベイドゥ）、インドのNAVIC（ナブアイシー）などがあります。日本も準天頂衛星システム・みちびきを運用しています(QZSS：Quasi-Zenith Satellite)。みちびきは、より安定した測位衛星システムを実現するために、日本上空付近に長く留まることを目的とした衛星です。

各衛星に対応した機器
独自の衛星システムの位置情報を利用するには、それに対応した機器が必要になる。みちびきの場合は、みちびきもしくはQZSS対応とあれば利用可能。

4機の衛星により位置情報を特定

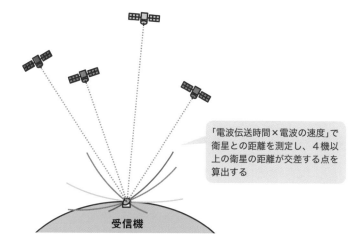

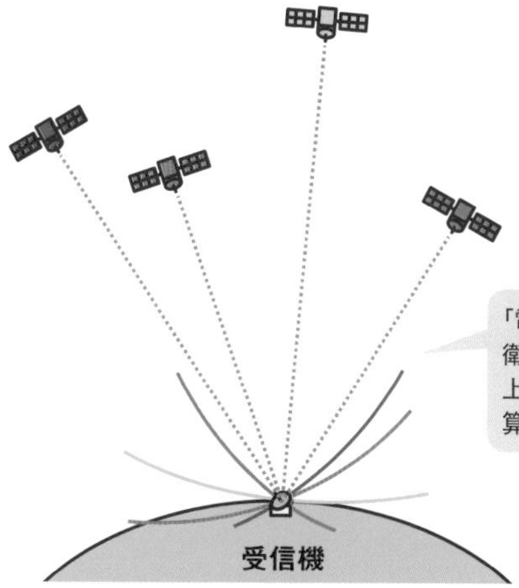
「電波伝送時間×電波の速度」で衛星との距離を測定し、4機以上の衛星の距離が交差する点を算出する
受信機

みちびきの準天頂軌道

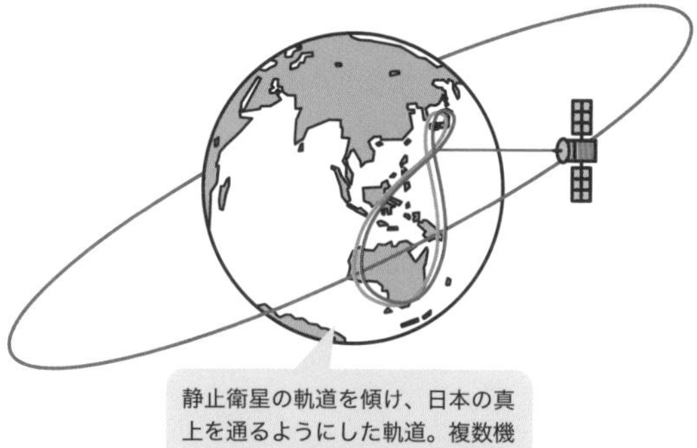
静止衛星の軌道を傾け、日本の真上を通るようにした軌道。複数機を時間差で入れ替え、常に1機を日本の上空に滞在させている

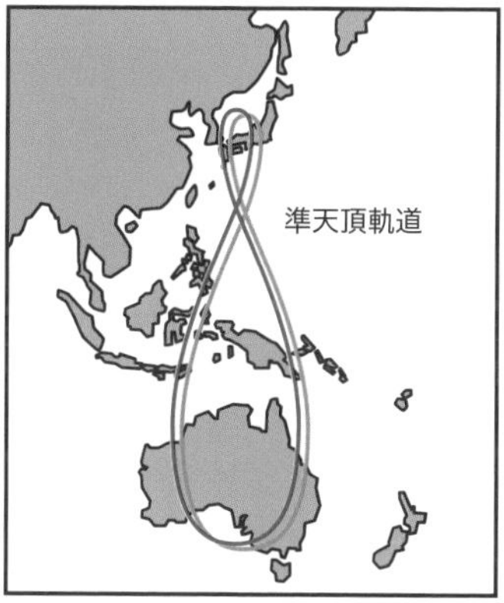
準天頂軌道

出典：内閣府 Webページ「みちびき（準天頂衛星システム）」をもとに作成

ONE POINT

準天頂衛星システム

準天頂衛星システムとは、準天頂軌道の衛星が主体となって構成される日本の測位衛星システムです。通常の静止衛星は赤道上に位置しますが、準天頂軌道とは、その軌道を斜めに傾け、日本の真上を通る軌道にしたものです。1機の人工衛星が日本の上空に滞在できる時間は7～9時間程度のため、複数機を時間差で入れ替えることで、常に1機を日本の上空に滞在させるようにしています。

15 ビッグデータ

インターネットの普及により、さまざまな種類の膨大なデータが日々、生み出されています。このようなデータをビジネスや公共政策などに生かしていこうという取り組みが、さまざまな分野で進んでいます。

☑ ビッグデータの4つの大きな特徴

ビッグデータとは、インターネットの普及やITの進化などに伴い、取得可能になった大容量のデジタルデータのことを指します。ビッグデータは、データの量（Volume）、種類（Variety）、速度（Velocity）、正確性（Veracity）において、従来とは異なる特徴を持つといわれています。データ量に関しては、ソーシャルメディアやEコマース、IoTなどの普及により、大量のデータが収集・蓄積されるようになりました。データの種類も豊富であり、基幹システムなどで扱われる数値や記号などの**構造化データ**だけではなく、文字や音声、動画といった非構造化データも含まれます。

また、データが生成・収集される速度も大きく変化しました。スマートフォンやWeb上の動作などは常時記録されており、センサーや機器などから発せられる頻度が非常に高いデータも収集されるようになっています。正確性（Veracity）とは、ビッグデータには天候や経済、ソーシャルメディアで作成される情報など、本質的に不確実なデータが混在することを意味します。

4つのV
ビッグデータの特徴の英字の頭文字をとって「4つのV」と呼ばれる。

構造化データ
Excelファイルのように「列」と「行」の概念を持ち、定型的に扱えるデータ。データベースを利用してデータの整理や検索が可能。これに対し、非構造化データは写真や動画、音声など定型的に扱えないデータのこと。

☑ 小売や製造、金融などの各分野で活用が進む

ビッグデータの潜在価値に気付き、積極的に活用し、自社の競争力強化に役立てる企業が増えています。Eコマースや動画・音楽配信サービスでは、蓄積される購入履歴や閲覧履歴などを利用し、ほかのお勧め商品やコンテンツを表示するレコメンデーションが普及しました。そのほか、小売業や製造業における商品の需給予測や価格設計、医療分野での病気の予測・早期発見や新薬開発、金融分野における金融商品の開発など、さまざまな業界でビッグデータの活用が進んでいます。

»構造化データと非構造化データの伸び（イメージ）

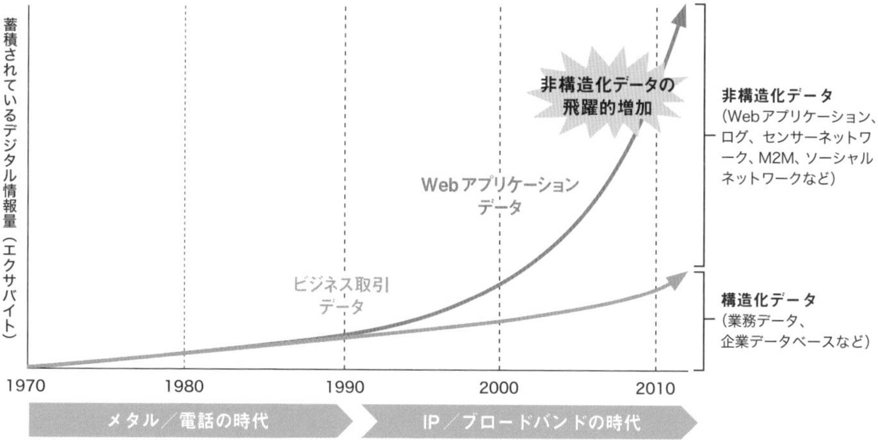

蓄積されているデジタル情報量（エクサバイト）
非構造化データの飛躍的増加
Webアプリケーションデータ
ビジネス取引データ
非構造化データ
（Webアプリケーション、ログ、センサーネットワーク、M2M、ソーシャルネットワークなど）
構造化データ
（業務データ、企業データベースなど）
1970
1980
1990
2000
2010
メタル／電話の時代
IP／ブロードバンドの時代

出典：総務省「ビッグデータ時代における情報量の計測に係る調査研究報告書」（2014年3月）をもとに作成

»ビッグデータを構成する多様なデータ

ソーシャルメディアデータ
ソーシャルメディアにおいて参加者が書き込むプロフィールやコメントなど
マルチメディアデータ
Web上の配信サイトなどにおいて提供される音声や動画など
Webサイトデータ
ECサイトやブログなどにおいて蓄積される購入履歴やブログエントリーなど
ビッグデータ
カスタマーデータ
CRMシステムにおいて管理されるDM販促データや会員カードデータなど
センサーデータ
GPS、ICカード、RFIDなどにおいて検知される位置、乗車履歴、温度、加速度など
オフィスデータ
オフィスのパソコンなどにおいて作成されるオフィス文書やEメールなど
ログデータ
Webサーバーなどにおいて自動的に生成されるアクセスログやエラーログなど
オペレーションデータ
販売管理などの業務システムにおいて生成されるPOSデータや取引明細データなど

出典：情報通信審議会 ICT 基本戦略ボード「ビッグデータの活用に関するアドホックグループ」資料をもとに作成

関連用語 IoT（P.14）、データサイエンス（P.54）

データサイエンス

スマートフォンやSNSなどの普及により、日々、大量のデータが生成されるようになりました。この膨大なデータを活用するための学問として注目されているのがデータサイエンスです。

☑ データを分析して価値を導き出す

データサイエンティスト
社内や社外などに蓄積されている膨大なデータを収集し、ビジネスで活用できるデータに整形して分析を行う。分析結果は、市場の動向分析や、顧客への販売促進、企業の経営戦略など、さまざまな用途に利用される。

データサイエンスは、統計学や情報科学など、複数の分野の知識や技術を駆使してデータから価値を導き出し、ビジネスへの活用や社会的課題の解決などにつなげる学問です。今後、モノがインターネットにつながるIoTの普及により、データの爆発的な増加が予想されています。そのため、データを処理・分析し、価値を導き出すデータサイエンスが注目されるようになりました。

データを分析し、そこからビジネスなどに活用できる知見を導き出す職業をデータサイエンティストといいます。データサイエンティストには、統計解析やITなどのスキルに加え、ビジネスや市場のトレンドなどに対する幅広い知識が求められます。

☑ データ分析から課題解決への流れ

データサイエンスを実施する流れは、以下のようになります。

①**仮説の立案**：解決すべき課題を明確化するとともに、課題解決のための仮説を立案します。この段階で目標を達成するためにどのような手段をとるべきかなどを明確化します。

②**データの収集**：課題解決に必要なデータ収集や調査を開始します。この段階で分析手法についても検討を行うとともに、データの保管場所などの環境も構築します。

③**データの分析**：目的に適した分析手法でデータを分析し、問題解決に役立つ知見を導き出します。有用な情報を取り出すには、データをチェックし、整形する必要があります。

④**課題解決への提言**：データ分析から得られた課題解決のための知見を、意思決定に役立つようにまとめます。

現在、データサイエンスはさまざまな業種で活用されています。

》データサイエンス実施の流れ

仮説の立案
データの収集
データの分析
課題解決への提言
PLAN

》データサイエンティストに求められる知識

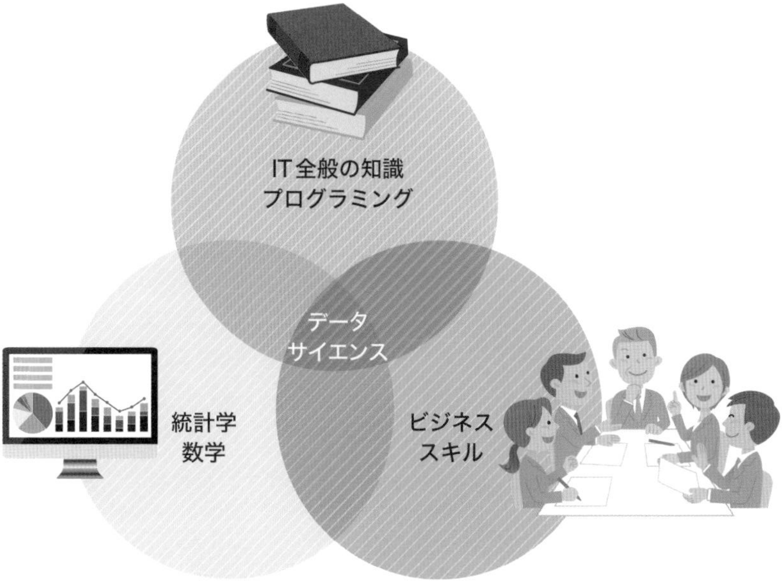

IT全般の知識
プログラミング
データ
サイエンス
統計学
数学
ビジネス
スキル

ONE POINT

データサイエンスの活用例

データサイエンスの活用例として、たとえば物流分野では、交通パターンや気象条件、曜日などの要因を分析し、配送の迅速化や効率化などを図っています。また医療分野でも、検査データや報告を分析して診断や予防に役立てる試みが始まっています。

関連用語 IoT（P.14）、ビッグデータ（P.52）

顔認証

iPhoneのユーザー認証やロック解除に採用されたことで、身近なものになった顔認証技術。AIやカメラ技術などの発展により、今後はより広範な活用が期待されています。

☑ 画像認識技術の向上でより精度が向上

顔認証は、人間が相手の顔を識別・認証するしくみをシステム化した、個人を特定する**生体認証**方式です。目、鼻、口などの特徴点の形や位置、顔の輪郭や大きさなどから、本人かどうかを照合します。指紋認証などに比べ、登録や認証の心理的な抵抗感が少なく、物理的なキーやICカードを持ったり、パスワードを設定したりする必要がないため、利便性に優れています。従来は髪型や経年による風貌の変化などにより、本人を識別しにくいという問題がありましたが、近年はカメラの精度や画像認識技術、顔認証エンジンの向上などにより、精度の高い認証が可能です。

顔認証が注目される背景には、テロ犯罪防止など、社会的なセキュリティ対策に対応しやすい点があります。近年、空港では顔認証ゲートの導入が進んでいます。国際線の出入国審査で利用され、**ICパスポート**（旅券）内の顔画像と、顔認証ゲートのカメラで撮影された顔画像を照合して本人確認が行われます。このシステムにより精度の高いセキュリティを実現するだけではなく、出入国手続きの効率化も実現しています。

生体認証
指紋や静脈、声など、体の一部を使って本人を特定するしくみ。あらかじめ個人を特定できる特徴を登録しておき、認証時に照合して本人かどうかを判別する。

ICパスポート
IC（集積回路）を搭載し、旅券番号、国籍や氏名、生年月日など旅券面の身分事項のほか、顔写真を電磁的に記録している。ICパスポートは従来と同じく冊子型だが、冊子中央にICチップや通信を行うためのアンテナを格納したカードが組み込まれている。

☑ さまざまな用途が広がる顔認証技術

現在、顔認証技術は、さまざまなシーンで活用されています。たとえば、コンサートやテーマパークなどでは、入場者がチケットを買った本人かどうかを顔認証システムで確認するようになってきました。また、顔認証によるスマートフォンのユーザー認証やロック解除も実用化されています。今後は、ディープラーニングを組み合わせたより精度の高い顔認証技術や、インテリジェントカメラ技術の発達で、より広範な活用が見込まれています。

出入国審査で利用される顔認証ゲートの構造

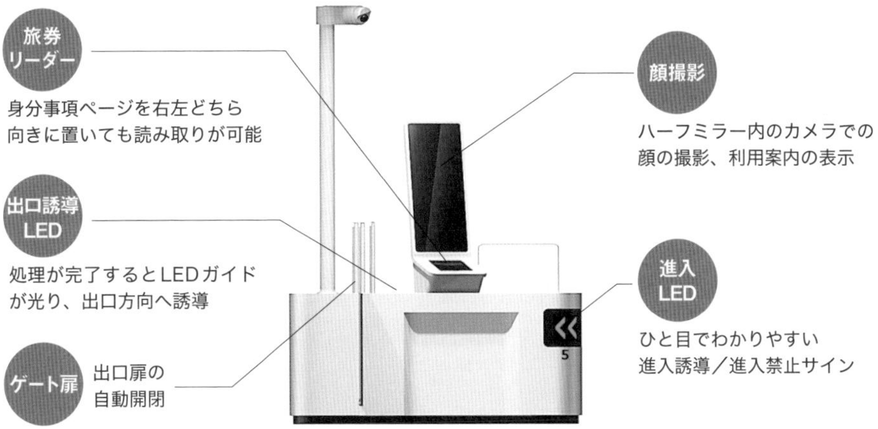
旅券リーダー
身分事項ページを右左どちら向きに置いても読み取りが可能
出口誘導LED
処理が完了するとLEDガイドが光り、出口方向へ誘導
ゲート扉
出口扉の自動開閉
顔撮影
ハーフミラー内のカメラでの顔の撮影、利用案内の表示
進入LED
ひと目でわかりやすい進入誘導／進入禁止サイン

出典：法務省 出入国在留管理庁 Webページ「顔認証ゲートの更なる活用について（お知らせ）」をもとに作成
画像提供：パナソニック

さまざまな分野に広がる顔認証技術

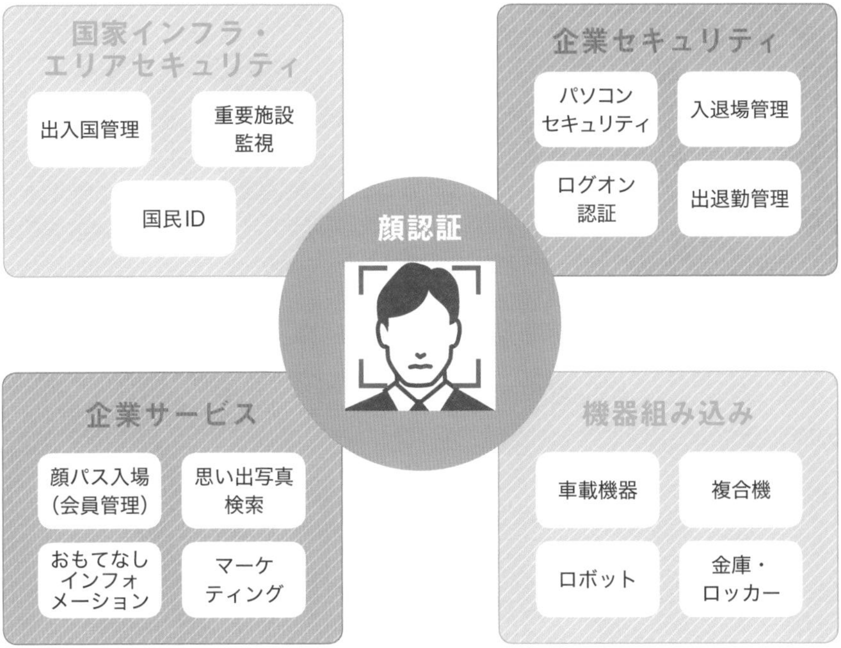
国家インフラ・エリアセキュリティ
出入国管理
重要施設監視
国民ID
企業セキュリティ
パソコンセキュリティ
入退場管理
ログオン認証
出退勤管理
顔認証
企業サービス
顔パス入場（会員管理）
思い出写真検索
おもてなしインフォメーション
マーケティング
機器組み込み
車載機器
複合機
ロボット
金庫・ロッカー

出典：日本電気（NEC）Webページ「顔認証とは」をもとに作成

関連用語 ディープラーニング（P.28）

AR／VR／MR

現実世界には存在しないものを表現したり体験したりできる技術がAR、VR、MRです。ゲームではおなじみになりつつありますが、家具の配置確認、実現が困難なイベントの体験、建設現場の研修などにも活用されています。

☑ 現実世界に情報を付加するAR

現実世界には存在しないものを表現したり体験したりするための技術を総称して「xR（エックスアール）」といいます。現在、実現している技術としては、AR（Augmented Reality：拡張現実）、VR（Virtual Reality：仮想現実）、MR（Mixed Reality：複合現実）があります。

AR（拡張現実）は、ITを活用し、現実世界にさまざまな情報を付加する技術です。スマートフォンなどを利用し、カメラから入力された実際の映像の手前に、コンピューター画像などの情報を表示します。ARの実用例としては、スマートフォン用ゲーム「ポケモンGO」がよく知られています。スマートフォンに搭載されたセンサーの技術により、現実の背景とコンピューター画像であるポケットモンスターを合成させています。そのほか、モノを3Dコンテンツ化することで、購入予定の家具などの商品を実際の部屋に合成して表示させ、設置したイメージを確認するような用途でも利用されています。

☑ VRは仮想空間、MRは現実と仮想のミックス

VR（仮想現実）は、コンピューターによって作り出された仮想世界を、視界全体を覆うヘッドマウントディスプレイなどを使って体験する技術であり、ゲームなどで利用されています。VRで体験できる空間は上下左右に広く、立体感があり、テレビやパソコンのモニターで観る映像より没入感が高いとされています。

MR（複合現実）は、仮想世界と現実世界を重ね合わせる技術です。ARが現実世界に部分的に仮想情報を付加するのに対し、MRは現実世界に仮想空間を表示できます。また複数名での同時体験も可能で、建設現場における研修などに活用されています。

ヘッドマウントディスプレイ
左右の目の視差を利用した立体映像によるVRの表示装置。ゴーグルのように両眼を覆って装着するものなどがある。

» AR、MR、VRの違い

現実世界 ⟷ 仮想世界

AR（拡張現実）	MR（複合現実）	VR（仮想現実）
現実世界にデジタル画像などの情報を付加	仮想世界と現実世界を重ね合わせる	現実世界と切り離された仮想世界の体験

» ARの活用例

家具の配置イメージの確認 iStock.com/ipopba

Transit
1:30min 120m
Hotel
40m
Grocery Store
30m
Restaurant
25m

地図上でのお店などの案内 iStock.com/NicoElNino

MAINTENANCE
VERIFICATION IN PROGRESS
VERIFICATION IN PROGRESS
VERIFICATION IN PROGRESS
VERIFICATION IN PROGRESS

製造や工場の効率化 iStock.com/NanoStockk

スマートファクトリー

スマートファクトリーは、工場内の機器や設備などのデータ、従業員の作業データなどを集約・管理し、品質の向上やコストの削減などを実現することが目的です。人材不足が深刻化する日本において、注目される取り組みです。

☑ 工場内のデータを一元的に集約・管理

スマートファクトリーとは、工場内の機器や設備などのデータ、工場内で働く従業員の作業データなどを収集・分析し、データを活用して設備の稼働状況や品質を管理したり、新たな付加価値を生み出したりする工場のことをいいます。

工場内のデータを一元的に集約・管理することは、さまざまなメリットがあります。たとえば、稼働中の設備や従業員の作業内容などの製造に関するデータを収集・分析することで、無駄な作業を削減したり、生産ラインの設備故障を予知したりすることが可能になります。在庫管理では、計画と実績のデータから需給予測を立てることで、生産計画や出荷計画の最適化が図れます。また、IoTを利用すれば、設備の遠隔管理なども実現します。

☑ スマート化のレベルは3段階で設定

日本でスマートファクトリーが注目される背景としては、深刻な人手不足があります。ただし、ノウハウやコストなどのさまざまな課題があり、かんたんに導入できるものではありません。そこで、経済産業省では、**ものづくりにおけるスマート化（データ活用）**のロードマップを策定しています。

ロードマップでは、スマート化の目的として、①品質の向上、②コストの削減、③生産性の向上、④製品化・量産化の期間短縮、⑤人材不足・育成への対応、⑥新たな付加価値の提供・提供価値の向上、などが挙げられています。併せて、スマート化のレベルは3段階に設定され、レベル1はデータの収集・蓄積、レベル2はデータによる分析・予測、レベル3はデータによる制御・最適化、と上記の目的に合わせて計画できるようになっています。

ものづくりにおけるスマート化（データ活用）
ロードマップの先行事例として、工作機械にIoTを導入して加工状況の把握や加工条件の最適化を行う事例や、金属背面からも読み取り可能なRFID金属タグの事例などがある。

»スマートファクトリーの主なメリット

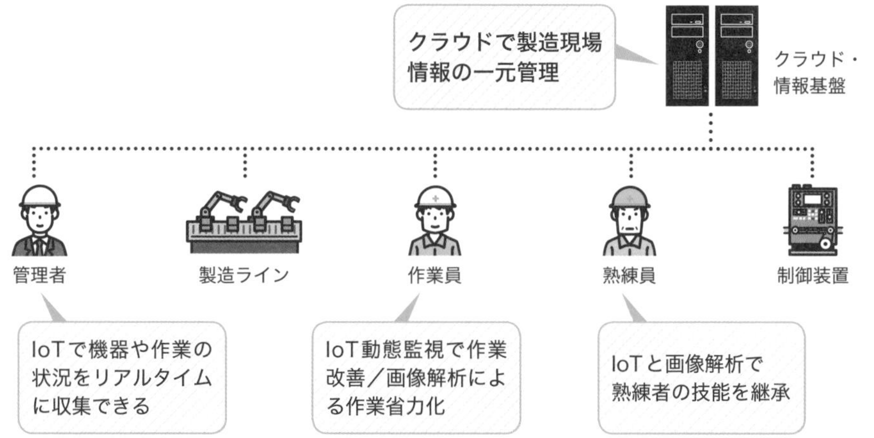
クラウドで製造現場情報の一元管理
クラウド・情報基盤
管理者
製造ライン
作業員
熟練員
制御装置
IoTで機器や作業の状況をリアルタイムに収集できる
IoT動態監視で作業改善／画像解析による作業省力化
IoTと画像解析で熟練者の技能を継承

出典：日立ソリューションズ Webページ「スマートファクトリー」をもとに作成

»スマート化（データ活用）のレベルの例

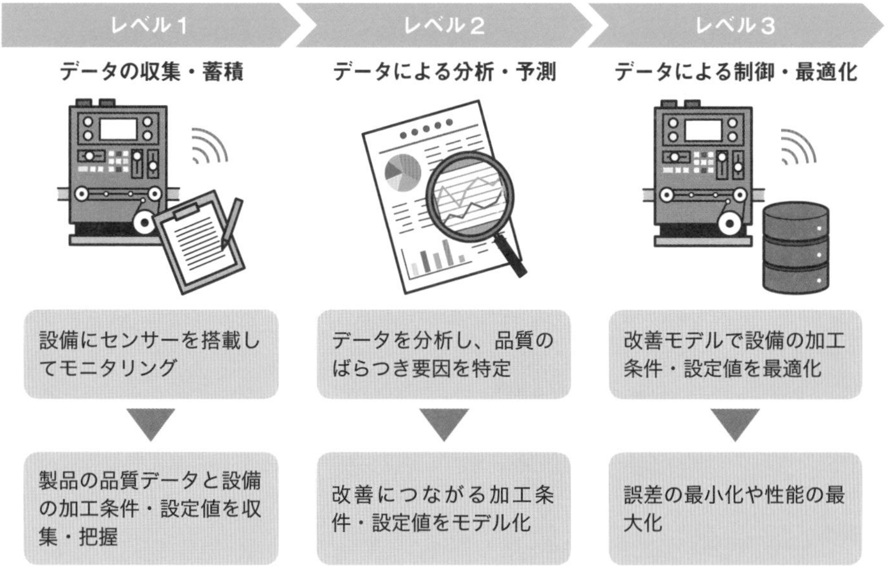
レベル1
データの収集・蓄積
設備にセンサーを搭載してモニタリング
製品の品質データと設備の加工条件・設定値を収集・把握
レベル2
データによる分析・予測
データを分析し、品質のばらつき要因を特定
改善につながる加工条件・設定値をモデル化
レベル3
データによる制御・最適化
改善モデルで設備の加工条件・設定値を最適化
誤差の最小化や性能の最大化

出典：経済産業省「スマートファクトリーロードマップ」（2017年5月31日）をもとに作成

関連用語 インダストリー4.0（P.136）、サイバーフィジカルシステム（P.160）

量子コンピューター

従来のコンピューターは、半導体技術などの進歩により性能を向上させてきましたが、技術的な限界に近づいています。そこで期待されているのが、従来のコンピューターとは異なるしくみで動作する量子コンピューターです。

☑ 量子の特性を生かしたコンピューター

量子コンピューター
量子コンピューターはまだ研究段階で、実用化には10年から20年かかるともいわれている。

量子コンピューターとは、量子力学を計算過程に用いることで、超高速な処理を実現するコンピューターのことです。量子とは、粒子と波の性質を併せもった原子や電子などの極小の物質やエネルギーの単位のことであり、量子特有の法則を扱うのが量子力学です。量子コンピューターは、従来のコンピューターとは全く異なるしくみで動作するため、スーパーコンピューターで数千年かかるような課題も高速に解決できるといわれています。これは従来型のコンピューターが０か１の２進数で演算処理を行っているのに対し、量子コンピューターは０と１を同時に表せるため、並列処理が可能になるからです。

量子の世界で０と１を同時に表せることを「重ね合わせ」といいます。重ね合わせにより、１つの量子で２通りの状態を表すことができ、２つの量子であれば４通りの状態を表すことが可能になります。このように内部で大量のデータが重なり合った状態をつくり出すことで、大量の計算を一度に行うしくみです。

☑ 量子コンピューターは２種類に大別できる

量子コンピューターは、ゲート型とアニーリング型に大別できます。ゲート型は汎用型量子コンピューターとも呼ばれ、現在のコンピューターの処理単位であるビットを「量子ビット」に置き換えたものです。アニーリング型は組み合わせ最適化問題に特化したものです。組み合わせ最適化問題とは、膨大な選択肢から最適な選択肢を選び出す処理をいいます。量子の重ね合わせにより、最適な組み合わせを探す試行回数を圧倒的に増やせるという利点があり、実用化が見える段階まできています。

従来コンピューターと量子コンピューターの処理イメージ

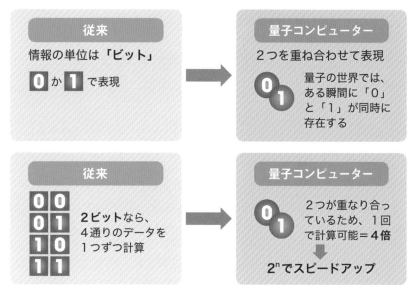

従来

情報の単位は**「ビット」**

0 か 1 で表現

→

量子コンピューター

2つを重ね合わせて表現

0 1 量子の世界では、ある瞬間に「0」と「1」が同時に存在する

従来

00 01 10 11 **2ビット**なら、4通りのデータを1つずつ計算

→

量子コンピューター

0 1 2つが重なり合っているため、1回で計算可能＝**4倍**

↓

2^nでスピードアップ

ゲート型とアニーリング型の特徴

	ゲート型	アニーリング型
概要	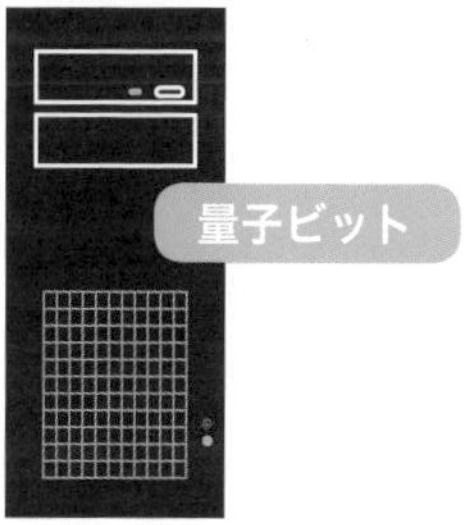量子ビット 従来のコンピューターの処理単位を**量子ビット**に置き換えた量子コンピューター	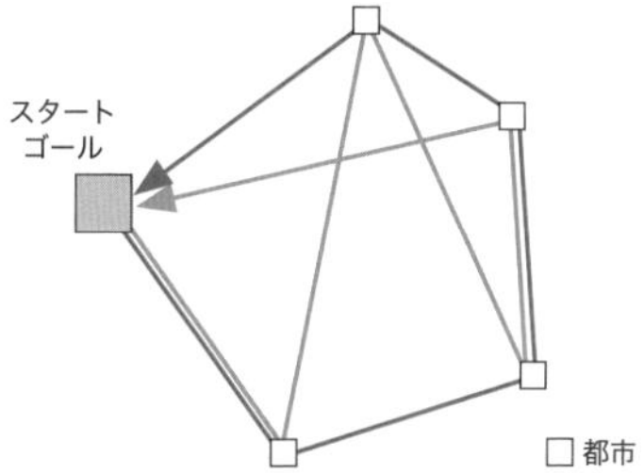スタート ゴール 都市 **組み合わせの最適化問題**※に特化した量子コンピューター
特徴	量子の性質を利用したアルゴリズムを利用して高速処理	格子状に並べた量子ビット間の相互作用で量子ビット群のエネルギー状態を探る
用途	暗号解読など	組み合わせの最適化問題など

※営業担当者が巡回する都市を与えられたとき、すべての都市を巡回して元の場所に戻ってくるまでの最短ルートを求める問題

COLUMN 2

テクノロジーは連携させて考える

IT用語を個別にみていくと、その有用性がよくわからないものがあります。たとえば5Gなどがその典型です。まだ通信網が十分に整備されておらず、性能を満足に体感できないという理由もありますが、「必要性がわからない」という方が多いのではないでしょうか。

実はITは、単独ではなく、連携して理解するほうが、その必要性や将来性を考えやすくなるのです。

AI、IoT、ビッグデータの関連性

本書で取り上げているAI、IoT、5G、ビッグデータ、自動運転車などは明確な関連性があります。

SNSの世界的な普及により、インターネット上に画像や音声、テキストなどの大量のデータが氾濫するようになり、加えてIoTデバイスの増加でリアルな世界の多様なデータも大量に収集できるようになりました。このような膨大なデータはビッグデータと呼ばれます。現代は、大量かつ多様なデータが、高速で流通しているのです。これをどう保管し、活用していくかは大きな課題でした。

しかし現在、IoTで収集される膨大なデータは、コンピューターの処理能力の向上やデータベース技術の進歩などにより、有用なデータとして管理・分析が可能になっています。

また、AIを活用した分析では、とくに機械学習においては大量のデータが必要となります。このため、IoTで収集される膨大なデータをAIで分析し、必要な情報をフィードバックするという構造が生まれています。

5Gは自動運転車に重要な技術

自動運転車の実現には、車載のセンサーや道路の監視カメラ（IoT）などから大量の情報を収集する必要があります。このためには、高速・大容量の通信や応答速度の速い5Gの通信システムが必須です。この収集されたデータを解析し、道路状況に合わせ、即応性のある指示を出していくには、AIを利用する必要があります。このように、ITは連携させて考えると理解しやすくなるのです。

（小宮紳一）

第3章

Web＆ネットワークの用語

ネットワークの基本からクラウド、デジタルマーケティング、セキュリティまで幅広く取り上げます。システム設計やソフトウェア開発、Web開発などを行う際に必ず登場する用語です。

Chapter3 ネットワーク

01 プロトコル

コンピューターやスマートフォンなどがネットワーク上でさまざまなデータをやり取りするためには、共通の約束事や手順などが必要です。このような約束事がプロトコルです。

☑ 通信を行う際の約束事がプロトコル

コンピューターや通信機器などが通信を行う際の約束事をプロトコルといいます。ネットワーク上のコンピューターや通信機器はプロトコルに対応することで、機器間でデータをやり取りできます。

プロトコルは「フォーマット」と「プロシージャー」で構成されています。フォーマットは、情報構造ともいわれ、やり取りするデータ構成の決まり事です。プロシージャーは、データをやり取りするための通信手順です。

たとえば、インターネットなどで使われているプロトコルはTCP/IPです。TCP/IPはアプリケーション層、トランスポート層、インターネット層、ネットワークインターフェイス層の4層で構成されています。TCP/IPのプロトコルとしては、HTTP、FTP、SMTP、POPなどがあります。

TCP/IP
Transmission Control Protocol/Internet Protocolの略。「TCP」と「IP」という2つのプロトコルを中心に複数のプロトコルで構成されているため、プロトコル群と呼ばれることもある。

☑ パケットという単位でデータをやり取り

ネットワークでやり取りされるデータは、「パケット」という小さな単位に分割されて送信されます。パケットに分割することにより、1つのコンピューターのデータが回線を占有することを防ぐとともに、データの一部が届かなかったときにも、該当するパケットだけを再送すれば済むようになります。パケットには、宛先や送信元情報などが書き込まれた「ヘッダー」という情報が付けられています。パケットを荷物にたとえると、ヘッダーは荷物に付けられた荷札に相当します。パケットに分割されて送信されたデータは、受信したコンピューターが元通りにパケットを組み立て、データを復元します。

» プロトコルのイメージ

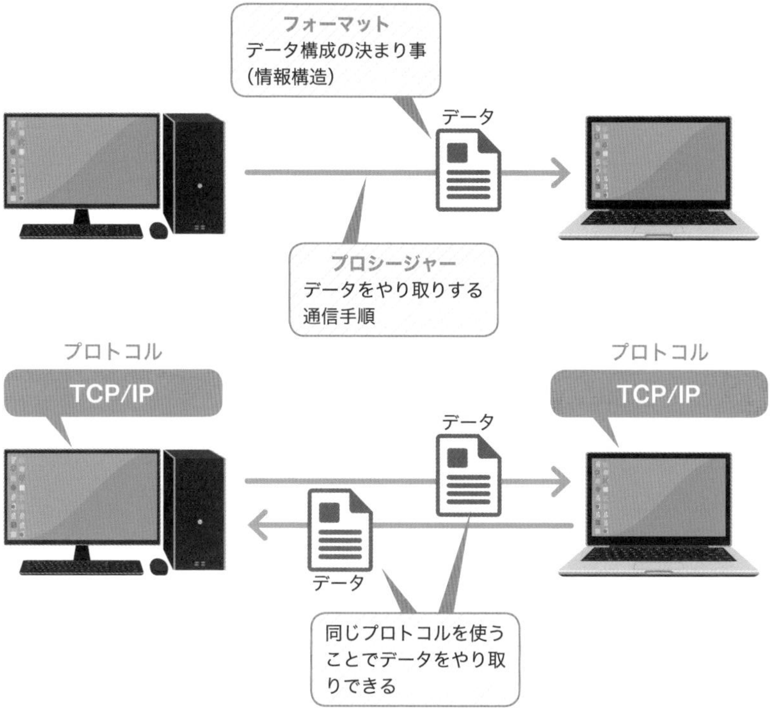
フォーマット
データ構成の決まり事
(情報構造)
データ
プロシージャー
データをやり取りする
通信手順
プロトコル
TCP/IP
プロトコル
TCP/IP
データ
データ
同じプロトコルを使う
ことでデータをやり取
りできる

» TCP/IPを構成するプロトコル

アプリケーション層	HTTP	Hyper Text Transfer Protocol WebサーバーとWebブラウザ間でデータを送受信するときに使われるプロトコル
	FTP	File Transfer Protocol ファイルを転送するときに使われるプロトコル
	SMTP	Simple Mail Transfer Protocol メールの送信に使われるプロトコル
	POP	Post Office Protocol メールの受信に使われるプロトコル
	そのほか、Telnetなど	
トランスポート層	TCP、UDP	
インターネット層	IP	
ネットワーク インターフェイス層	PPP、イーサネットなど	

関連用語 IPv6 (P.80)

02 WAN（ワン）／SD-WAN（エスディーワン）

サーバーやネットワークを仮想化することで、管理や変更などをより柔軟に行おうという動きが活発になっています。SD-WANは企業の拠点間をつなぐ広域ネットワークに仮想化の技術を活用するものです。

☑ 広域ネットワークに仮想化の技術を活用

LAN（ラン）（Local Area Network）とは、同じ建物内や家庭内などの限定された範囲をつなぐネットワークのことです。一方、WAN（Wide Area Network）は、遠く離れた場所をつなぐ広域ネットワークのことをいいます。WANは、LANとLANをつなぐ巨大なネットワークのことであり、インターネットもWANの1つといえます。

物理的にではなくソフトウェアの制御によりネットワークを構築することをネットワーク仮想化といいますが、この技術をWANに適用したものがSD-WAN（Software Defined WAN）です。

☑ 拠点間をつなぐWANを統合・管理

近年、東京や大阪などに複数の拠点を持つ企業が、拠点間をつなぐ方法としてVPN（ブイピーエヌ）（Virtual Private Network：仮想専用線）接続を利用することが増えています。VPN接続には、インターネット上に仮想の専用線を設定し、社員などの特定の人のみが利用できるネットワークを構築する方法があります。比較的低コストで普及していますが、データ量の増大に対応しきれず、通信が遅くなる場合があります。最近では、企業によるクラウドサービスや携帯端末などの利用が増加しているため、データ量は増加する一方であり、拠点間の通信速度の低下が問題になっています。そこで拠点間をつなぐWANをソフトウェアによって一括管理するSD-WANが利用されるようになりました。

VPN
VPNは、拠点の距離により費用が変わることはなく、リモートで社内のネットワークへアクセスすることもでき、セキュリティや安定性を確保できる。

SD-WANにより、ネットワーク上の通信量をリアルタイムで把握でき、遅延などに対策が講じられるようになります。また、拠点の新設や移転などの際にも、回線種別を気にせずに仮想的なネットワークを構築するので、スピーディーな対応が可能です。

» LANとWANのイメージ

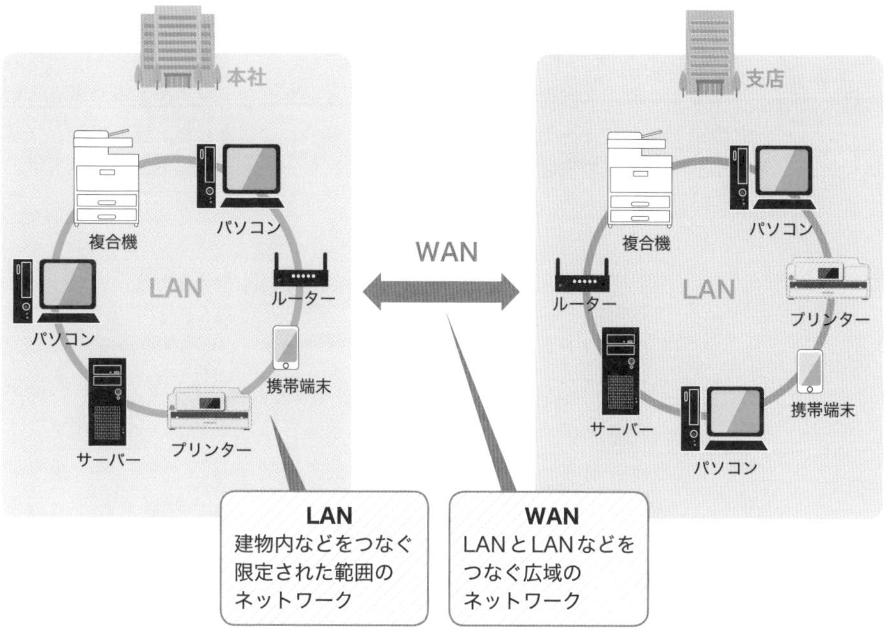

本社
複合機
パソコン
パソコン
ルーター
携帯端末
サーバー
プリンター
LAN
WAN
支店
複合機
パソコン
ルーター
LAN
プリンター
携帯端末
サーバー
パソコン
LAN
建物内などをつなぐ
限定された範囲の
ネットワーク
WAN
LANとLANなどを
つなぐ広域の
ネットワーク

» SD-WANのイメージ

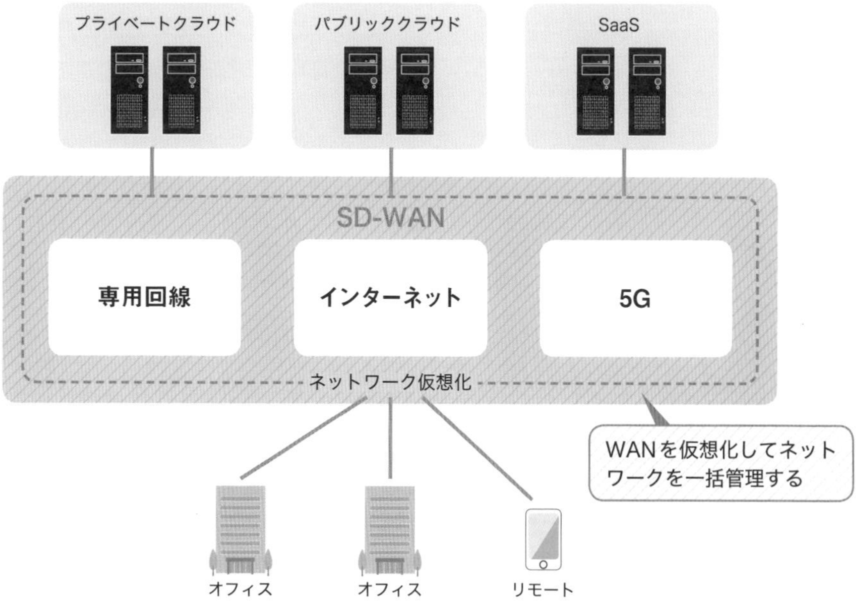

プライベートクラウド
パブリッククラウド
SaaS
SD-WAN
専用回線
インターネット
5G
ネットワーク仮想化
WANを仮想化してネットワークを一括管理する
オフィス
オフィス
リモート

関連用語 5G (P.20)、SaaS (P.72)、仮想化 (P.212)、ネットワーク仮想化 (P.214)

03 クラウド

インターネット経由でソフトウェアやサービスなどを利用するクラウド（クラウドコンピューティング）は一般的なものとなりました。現在では、ソフトウェア開発の環境やインフラなどもインターネットで提供されています。

☑ インターネットでサービスを利用する環境

クラウドとは、クラウドコンピューティングの略称です。パソコンでのメールのやり取りは日常的に行っていますが、これはデータセンターと呼ばれる施設に設置されたサーバーや各種ソフトウェアなどにインターネット経由で接続することで、メールサービスを利用しているのです。インターネットで接続されたパソコンやスマートフォンに、さまざまなソフトウェアやプラットフォームなどのサービスを提供する環境をクラウドといいます。

データセンター
インターネット上で通信を行うためのサーバーやネットワーク機器などを設置し、さまざまなサービスを運用するための施設の総称。

コンピューターの歴史は、メインフレーム時代（1960年代）、クライアントサーバー時代（1980年代）、クラウド時代（2000年代）と、3つの時代に分けることができます。メインフレームとは大型コンピューターのことであり、すべての機能を大型コンピューターが保持し、利用者が同時にそれを使う形式でした。クライアントサーバーとは、機能を提供するサーバーと利用者が操作するクライアントにコンピューターを分け、役割分担して使う形式をいいます。その後、インターネットの高速・大容量化が進むと、ソフトウェア開発の環境やインフラまでインターネット経由で利用するクラウド時代が本格化します。

☑ 迅速で安価にサービスを利用できる

クラウドで提供されるサービスは増加し続けています。従来はハードウェアやソフトウェアを購入しなければ利用できなかったサービスが、契約すればすぐに利用できるようになりました。この迅速性や簡便性はクラウドの大きなメリットです。また、自社でシステムを構築・運用する形式に比べ、異なる地域へのサーバーの分散などが容易なため、障害対応などでメリットがあります。

»クラウドのイメージ

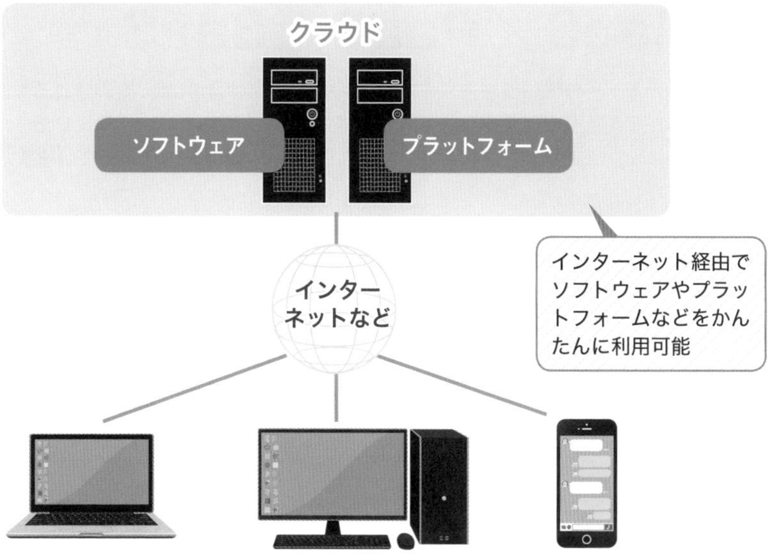

クラウド
ソフトウェア
プラットフォーム
インターネット経由でソフトウェアやプラットフォームなどをかんたんに利用可能
インターネットなど

»コンピューター利用の歴史

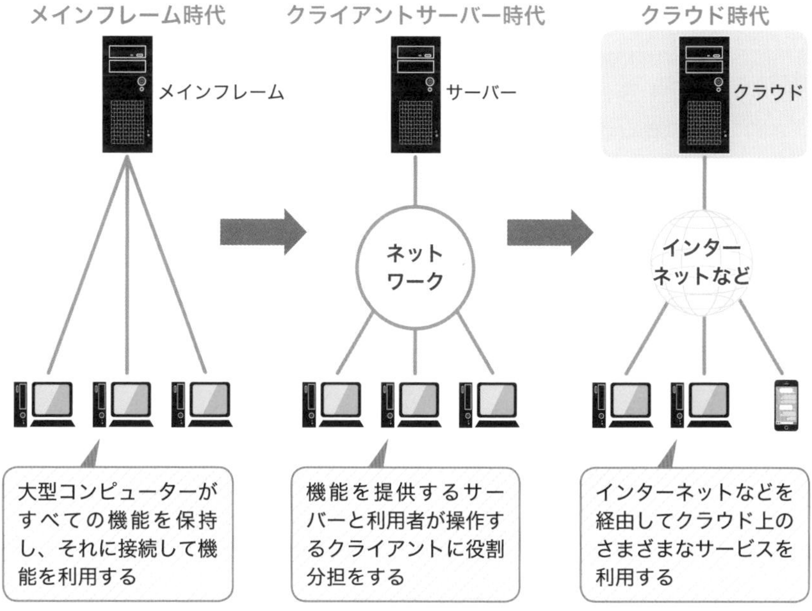

メインフレーム時代
クライアントサーバー時代
クラウド時代
メインフレーム
サーバー
クラウド
ネットワーク
インターネットなど
大型コンピューターがすべての機能を保持し、それに接続して機能を利用する
機能を提供するサーバーと利用者が操作するクライアントに役割分担をする
インターネットなどを経由してクラウド上のさまざまなサービスを利用する

関連用語 IaaS (P.72)、エッジコンピューティング (P.74)、オンプレミス (P.76)、サーバーレス (P.78)、クライアントサーバーシステム (P.194)

IaaS（イアース）／PaaS（パース）／SaaS（サース）

クラウドの種類はさまざまな切り口で分類できますが、提供されるサービスの構成要素で分類する方法があります。構成要素がインフラ、プラットフォーム、サービスなどにより、IaaS、PaaS、SaaSに分かれています。

☑ クラウドの種類を構成要素で分類

インターネットを介してソフトウェアやサービスを提供する形態をクラウド（クラウドコンピューティング）といいます。クラウドが提供するサービスは、その構成要素から、①IaaS（Infrastructure as a Service：イアースまたはアイアース）、②PaaS（Platform as a Service：パース）、③SaaS（Software as a Service：サースまたはサーズ）に大別できます。

IaaSは、サーバー、**ストレージ**、ネットワークなどのハードウェアやインフラなどの機能を提供するサービスです。これを可能にしているのが、サーバーやストレージなどの物理的なコンピューター機器を疑似的に分割したり統合したりする「仮想化」の技術です。仮想化により、利用者の要求に応じてコンピューター資源を増減することが可能になります。主な利用者はITサービスの運営者です。

ストレージ
データを保存するシステムや装置などのこと（P.190参照）。

☑ PaaSは開発環境、SaaSはアプリケーションの提供

PaaSはアプリケーションを開発・実行するためのツールや環境（プラットフォーム）などを提供するサービスです。開発に必要な**OS**、データベース、プログラミング言語などがインターネット経由で提供されます。PaaSのメリットは、開発に際して、複雑で面倒な開発環境を整える手間がなく、アプリケーション開発に集中できることです。主な利用者はアプリケーションの開発者や実装者です。SaaSは、アプリケーションを提供するサービスです。会計などの業種・業務別アプリケーションから、SNS（Social Networking Service）やメールなどのようなコミュニケーションツールなど、さまざまなアプリケーションが提供されています。

OS（Operating System）
コンピューターを動作させる基盤のプログラム。パソコン向けのOSとしてはWindows、macOSなどがある。

» IaaS、PaaS、SaaSの分類

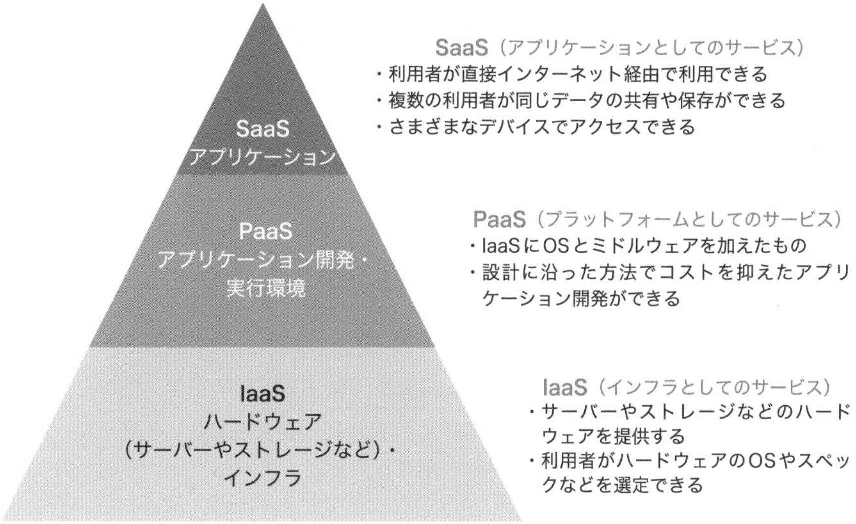
SaaS
アプリケーション
PaaS
アプリケーション開発・
実行環境
IaaS
ハードウェア
（サーバーやストレージなど）・
インフラ
SaaS（アプリケーションとしてのサービス）
・利用者が直接インターネット経由で利用できる
・複数の利用者が同じデータの共有や保存ができる
・さまざまなデバイスでアクセスできる
PaaS（プラットフォームとしてのサービス）
・IaaSにOSとミドルウェアを加えたもの
・設計に沿った方法でコストを抑えたアプリケーション開発ができる
IaaS（インフラとしてのサービス）
・サーバーやストレージなどのハードウェアを提供する
・利用者がハードウェアのOSやスペックなどを選定できる

» サービスの例

	サービス例
IaaS	Amazon EC2（AWS）、Google Compute Engine（Google Cloud）、Azure Virtual Machine（Microsoft Azure）など
PaaS	Amazon Elastic Beanstalk（AWS）、Google App Engine（Google Cloud）、Azure App Service（Microsoft Azure）など
SaaS	メールサービス、ストレージサービス、SNS、会計ソフト、名刺管理、プロジェクト管理、グループウェアなど

ONE POINT

クラウドの配置場所による分類

クラウドの種類はシステムの配置場所によっても分類され、①パブリッククラウド、②プライベートクラウド、③ハイブリッドクラウド、の３つに大別されます。①はクラウドサービスを不特定多数の利用者が共同で使う形態、②はクラウド上に自社専用の環境を構築して自社の各部署や個人に向けてサービスを提供する形態、③はパブリックとプライベートの両方を統合して利用する形態をいいます。

関連用語 クラウド（P.70）、オンプレミス（P.76）

エッジコンピューティング

エッジコンピューティングは、端末の近くにサーバーを分散配置してデータを処理する方法です。これにより、通信遅延の防止などを図ることができ、IoTなどでデータを大量にやり取りする時代に活用が期待されています。

☑ 端末の近くでデータ処理を行う方法

エッジコンピューティングとは、パソコンやスマートフォンなどの端末の近くにサーバーを分散して配置するネットワークの利用方法です。これに対し、インターネット上のサーバーにデータを集約する方法がクラウドコンピューティングです。

近年、クラウドコンピューティングが急激に普及しました。ただし、モノがインターネットにつながるIoTの拡大に伴い、多くのモノからインターネット上のサーバーにデータが送信されるようになると、通信遅延や障害などが発生する可能性があります。たとえば、複数の機械が同期して動作する製造現場や、インターネットに接続されているコネクテッドカーなど、リアルタイム性が求められる環境では、通信遅延は致命的な問題となります。そこで、インターネット上のサーバーにデータを集中させずに、端末に近いサーバーでデータを分散して処理し、必要なデータのみインターネット上のサーバーに送信するエッジコンピューティングの方法が考え出されました。

☑ エッジコンピューティングの活用分野

エッジコンピューティングでは、利用者や端末の近くでデータ処理することで、上位のシステムへの負荷や通信遅延などを解消できます。また、データを１箇所に集中させないことは、データのセキュリティや**BCP対策**においてもメリットがあります。

今後は、リアルタイム性が求められる自動運転車、工作機械や生産ラインなどの設備をネットワーク接続して連携を図るスマートファクトリー、自律飛行システムを搭載するドローンなど、さまざまな分野での活用が期待されています。

BCP対策
BCP（Business Continuity Plan：事業継続計画）対策とは、企業が地震や津波、大雨、大雪などの自然災害、事故、停電など、予測不可能な緊急事態に見舞われた際にとるための施策。重要業務の被害を最小限に抑え、企業運営を滞らせないための行動指針である。

» クラウドコンピューティングとエッジコンピューティング

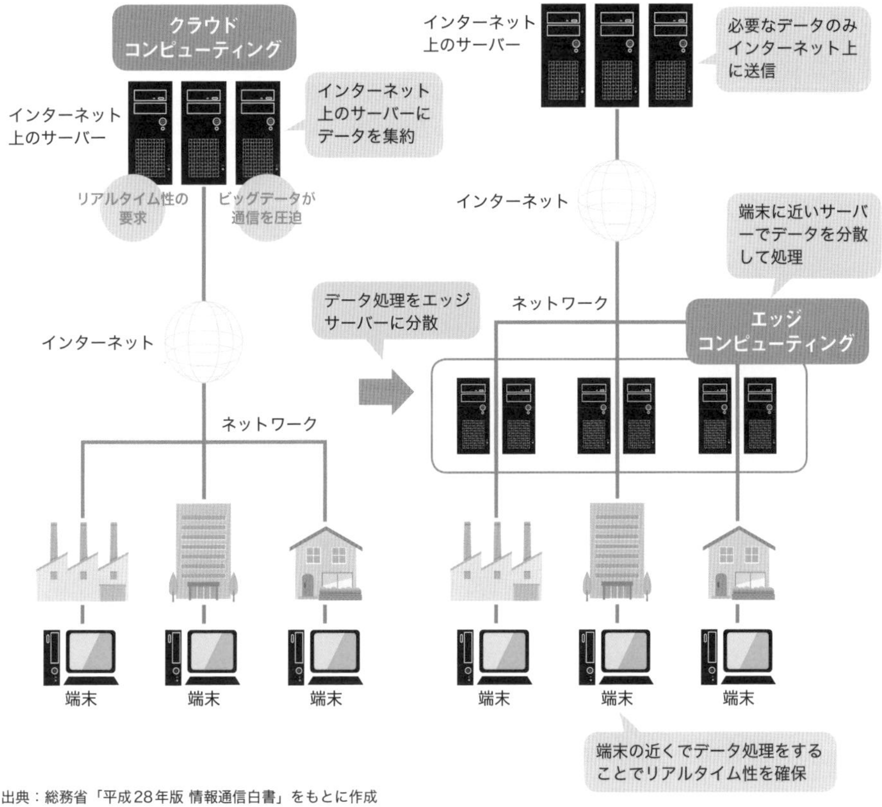
クラウド
コンピューティング
インターネット
上のサーバー
インターネット
上のサーバーに
データを集約
リアルタイム性の
要求
ビッグデータが
通信を圧迫
インターネット
ネットワーク
端末
端末
端末
データ処理をエッジ
サーバーに分散
インターネット
上のサーバー
必要なデータのみ
インターネット上
に送信
インターネット
端末に近いサーバ
ーでデータを分散
して処理
ネットワーク
エッジ
コンピューティング
端末
端末
端末
端末の近くでデータ処理をする
ことでリアルタイム性を確保

出典：総務省「平成28年版 情報通信白書」をもとに作成

ONE POINT

集中型コンピューティングと分散型コンピューティング

企業のネットワークの利用方法は、情報を集中的に処理する「集中処理」と、端末側で分散的に処理する「分散処理」の間を行き来してきました。1960年代から70年代は汎用機（メインフレーム）が中心となり情報を処理していましたが、1980年代から1990年代はパソコンの普及によりクライアントサーバー型の情報処理が主流となります。2000年代から2010年代にかけてはクラウドコンピューティングが普及しました。しかし、データの送信量が増加したこと、より低遅延の処理に対するニーズが増加したことなどにより、2010年代からエッジコンピューティングを活用する流れが生まれつつあります。

関連用語 IoT (P.14)、コネクテッドカー (P.38)、ビッグデータ (P.52)、クラウド (P.70)、クライアントサーバーシステム (P.194)

オンプレミス

自社でサーバーや通信回線などを揃え，情報システムを運用する形態をオンプレミスといいます。クラウドが普及するまでは一般的な方法でしたが、クラウドの普及に伴い、オンプレミスを見直す動きも増えています。

☑ 自社内でシステムを構築して運用

クラウド（クラウドコンピューティング）は、インターネットなどを経由し、他社が提供するサーバーやソフトウェアなどを利用する形態です。これに対し、企業が自社内にサーバーなどのシステムを設置して運用する形態をオンプレミスといいます。クラウドが普及するまでは、自社でシステムを運用することが一般的でしたが、クラウドの登場により、それと区別するため、「オンプレミス」と呼ばれるようになりました。

オンプレミスのメリットとしては、自社でシステムを管理するため、事業内容などに合わせてシステムを自由にカスタマイズできることが挙げられます。また自社内で複数のシステムを運用している場合、連携や統合なども柔軟に行えます。

☑ オンプレミスとクラウドの比較

オンプレミスでは、サーバーやネットワーク機器、ソフトウェアなどを自社で用意するため、初期費用がかかり、利用までの労力と時間がかかります。一方で、クラウドは従量課金制であることが多く、利用者数や使用量が増えると運用費が高額になることがあります。セキュリティ対策も、クラウドは基本機能として提供されますが、オンプレミスでは自社で構築する必要があります。また、OSのバージョンアップや**セキュリティプログラム**の適用なども自社で行う必要があり、運用や保守の負担も大きくなります。新技術などへの対応も自社で行うことが求められます。

費用や運用・保守の手間などを考えると、クラウドのほうがメリットが高いこともあり、現在、中小企業などではクラウドの採用が増えています。

セキュリティプログラム
マルウェアへの対策やソフトウェアの脆弱性の修正などを目的に配布されるプログラムのこと。定期的に最新プログラムを適用しないと、システムが危険にさらされる可能性がある。

オンプレミスのイメージ

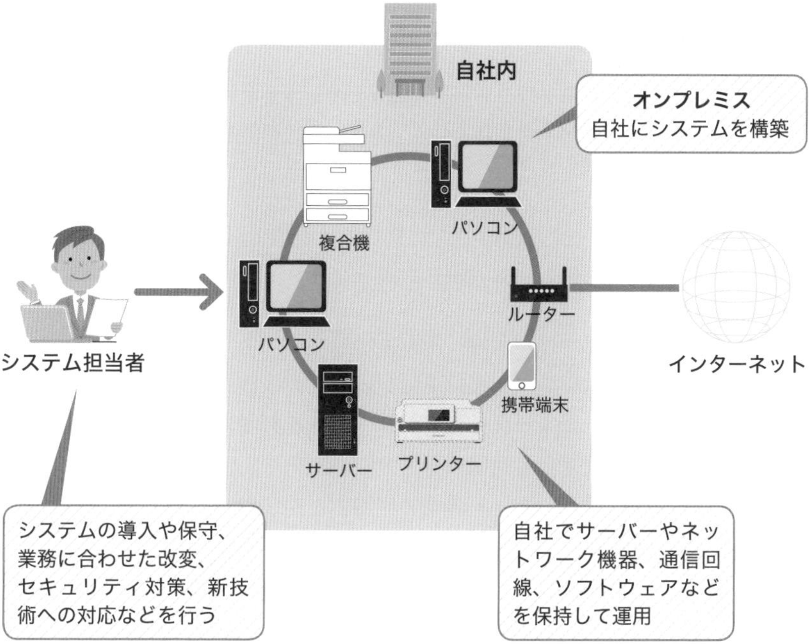
自社内
オンプレミス
自社にシステムを構築
複合機
パソコン
パソコン
ルーター
インターネット
携帯端末
サーバー
プリンター
システム担当者
システムの導入や保守、業務に合わせた改変、セキュリティ対策、新技術への対応などを行う
自社でサーバーやネットワーク機器、通信回線、ソフトウェアなどを保持して運用

オンプレミスとクラウドの比較

	オンプレミス	クラウド
ハードウェアへの初期投資	サーバーやネットワーク機器、通信回線などの準備が必要	インターネット環境があれば不要（ライセンス料などのみ）利用者数や使用量が増えると高額になることがある
導入期間	時間がかかる	スピーディー
運用管理の負担	負担がかかる	軽減される
社内システムとの連携	柔軟に対応可能	制限がある
セキュリティ対策	時間がかかる	スピーディー
新技術への対応	時間がかかる	スピーディー

関連用語 クラウド (P.70)、エッジコンピューティング (P.74)、サーバーレス (P.78)

サーバーレス

企業におけるクラウド活用は拡大していますが、サーバー管理を必要としないサーバーレスが注目されています。サーバーレスにより、利用者によるサーバー管理の労力や時間などが不要となり、コスト削減も実現できます。

☑ サーバー管理を行わずにシステムを運用

サーバーとは、業務データやソフトウェアなどを、ネットワークでつながっているほかのコンピューターに提供する役割を持つコンピューターです。サーバーの利用方法は、自社内にサーバーを設置して利用するオンプレミスや、他社の保持するサーバーをインターネット経由で利用するクラウドなどの形態がありますが、クラウドの普及により生まれたサービスがサーバーレスです。サーバーレスとは、サーバー管理の負担がなく、システムを運用できるしくみのことをいいます。

インターネットに接続して利用するシステムは、基本的にクラウド上のサーバーが常時稼働していることが前提となっています。しかしサーバーレスでは、**イベント駆動**という形態で利用します。これは、サーバーを常時稼働させず、データベースにデータが追加されたりファイルがアップロードされたりなど、何らかのイベントが発生したときに初めて機能が実行されるしくみです。これにより、利用者はクラウド利用料の削減を図ることができます。また、サーバー管理に時間を費やす必要もなくなります。

イベント駆動
プログラミング言語において、利用者やOSなどから入出力などの要求が発生した時点で、実際の処理を実行するプログラムの動作方法。

☑ クラウドサービス事業者がサーバーレスを提供

近年、サーバーレスが注目されるようになったのは、大手のクラウドサービス事業者が、使いやすい形態でサーバーレスを提供するようになったからです。たとえば、Amazonが提供するAWS Lambda（ラムダ）は、サーバー管理が不要なことに加え、従量課金制であることや自動スケーリングなどの特徴があります。自動スケーリングとは、Webサイトやアプリケーションなどのサーバー負荷に応じて、自動的にサーバーの台数を調節する機能のことです。

サーバーレスとほかの運用方法との違い

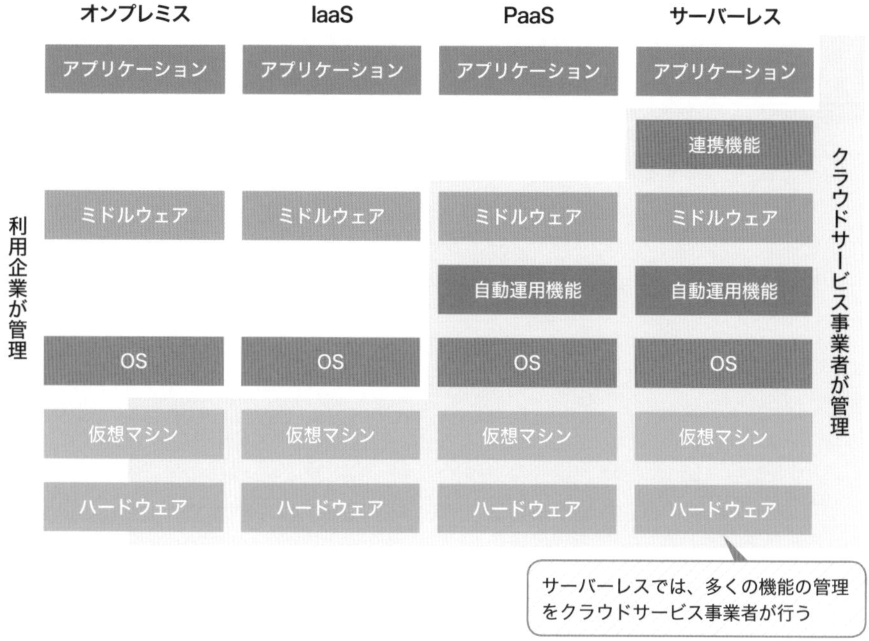
オンプレミス
IaaS
PaaS
サーバーレス
アプリケーション
連携機能
ミドルウェア
自動運用機能
OS
仮想マシン
ハードウェア
利用企業が管理
クラウドサービス事業者が管理
サーバーレスでは、多くの機能の管理をクラウドサービス事業者が行う

出典：アイティメディア Webページ「コレ1枚で分かる「サーバレスとFaaS」」をもとに作成

サーバーレスの費用のイメージ

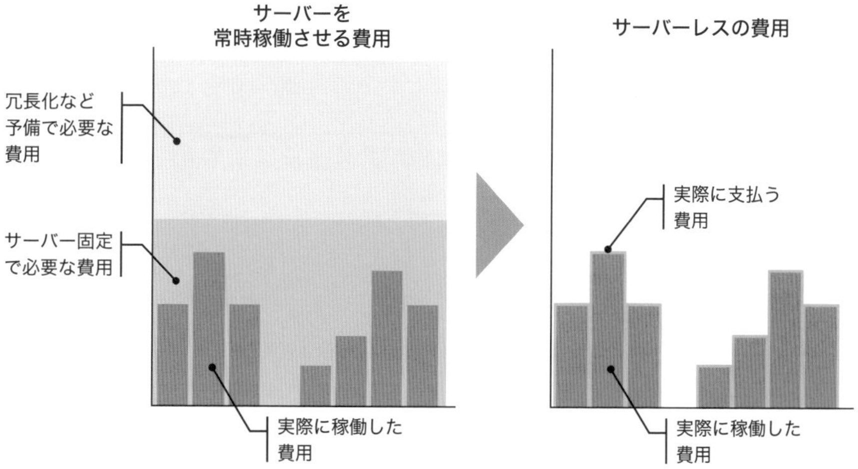
サーバーを
常時稼働させる費用
サーバーレスの費用
冗長化など
予備で必要な
費用
サーバー固定
で必要な費用
実際に稼働した
費用
実際に支払う
費用
実際に稼働した
費用

出典：Quiita「サーバーレスの理解とメリット・デメリット」（2020年版）をもとに作成

関連用語 クラウド（P.70）、IaaS（P.72）、オンプレミス（P.76）、コンテナ（P.216）

08 IPv6（Internet Protocol Version 6）

アイピーブイシックス

スマートフォンの世界的な普及に加え、IoTの発展により、パソコンやスマートフォンなどの住所ともいえるIPアドレスの不足が現実化してきました。これを解消するためにIPv6が策定されています。

☑ IPアドレス不足への対策として生まれた規約

IPアドレス（Internet Protocol Address）は、パソコンやスマートフォンなどのネットワーク上の機器に割り当てられる住所のようなものです。インターネットでWebページを閲覧したりメールを送受信したりするためには、データの送信元や送信先を識別する必要がありますが、IPアドレスはこの識別に使われています。

従来のIPアドレスは、IPv4というプロトコル（通信規約）を採用してきました。IPアドレスには通信機器を識別するために固有の番号を割り当てますが、IPv4ではIPアドレスを32ビットのデータで表しており、最大約43億個を割り振ることが可能です。しかし、スマートフォンやIoTなどが急速に普及した結果、IPアドレスが不足する状況になってきました（IPアドレスの枯渇問題）。そこで新たに策定されたプロトコルがIPv6です。IPv6はIPアドレスを128ビットで表すため、43^4億（43億の４乗）個まで割り振ることが可能であり、ほぼ無限であるといわれています。

☑ 利用のための制約があり普及は緩やか

IPアドレスの枯渇問題を解消するといわれているIPv6ですが、それ以外にも利点があります。家庭内ネットワークなどに付与されるIPv6アドレスは、MAC（マック）アドレス（各機器に割り当てられた識別番号）をもとに自動設定されるので、IPv6の設定などが基本的に不要になります。ただし、IPv6のアドレスを利用するためには、インターネット回線がIPv6に対応していること、**インターネットサービスプロバイダー（ISP）**が提供していることに加え、ルーターも対応している必要があるなどの制約があります。このため、普及速度は緩やかなものになっています。

インターネットサービスプロバイダー(ISP)
個人や企業などに対して、インターネットに接続するためのサービスを提供する事業者。

IPv4とIPv6のアドレス

IPv4アドレスの例 192.168.000.001

IPv4のアドレスは「XXX.XXX.XXX.XXX」のように0〜255の数字4組で表記される

IPv6アドレスの例 2001:0db8:0000:0000:0012:0000:0000:0001

IPv6のアドレスは4桁の英数字8組で表記する

プライベートIPアドレス

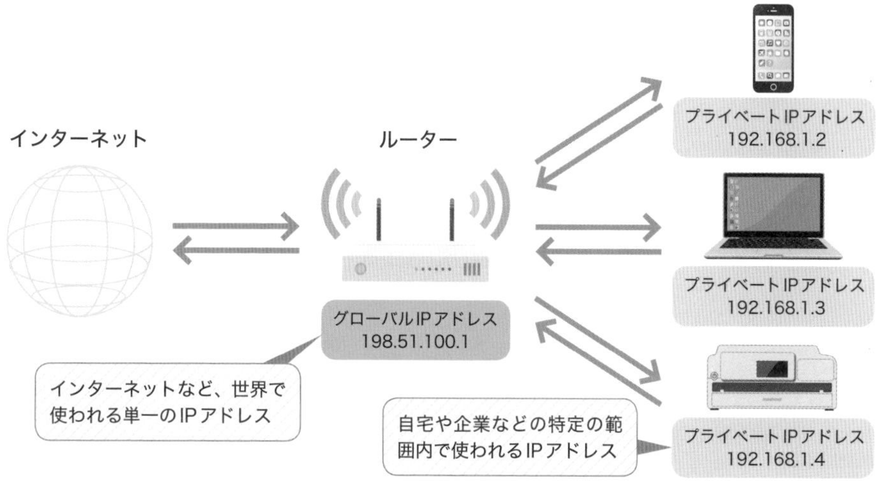

インターネット
ルーター
グローバルIPアドレス
198.51.100.1
インターネットなど、世界で使われる単一のIPアドレス
プライベートIPアドレス
192.168.1.2
プライベートIPアドレス
192.168.1.3
プライベートIPアドレス
192.168.1.4
自宅や企業などの特定の範囲内で使われるIPアドレス

出典：KDDI TIME & SPACE「『IPアドレス』とは？ わかりやすく仕組みや確認方法、個人特定のリスクなど解説」(2020/9/30）をもとに作成

ONE POINT

グローバルIPアドレスとプライベートIPアドレス

グローバルIPアドレスは、世界で使われる単一のIPアドレスであり、ICANN（アイキャン）やJPNIC（日本の管理組織）などの機関によって管理されています。日本ではJPNICからISPを経由して利用者に割り振られます。
プライベートIPアドレスは、自宅や企業などの特定の範囲内で使われるIPアドレスであり、ネットワーク内で重複しなければ自由に設定可能です。家族でWi-Fiを共用する場合、Wi-Fiルーターにはグローバル IPアドレスが割り振られ、そこに接続するパソコンやスマートフォンにはプライベートIPアドレスが設定されます。

関連用語 プロトコル (P.66)

無線LAN(ラン)

無線LANは、電波による通信でネットワークに接続できるシステムです。ケーブルが不要なため、企業や家庭などで複数のパソコンやスマートフォンを利用している場合などに利便性が高く、広く活用されています。

☑ スマートフォンの普及で家庭内の利用率が高まる

LAN（Local Area Network）は、企業や家庭などの狭いエリア内でパソコンなどの機器をつなぐネットワークのことで、無線LANはケーブルを使わずに無線通信でデータをやり取りするシステムです。無線LANを使ってインターネットに接続する場合は、無線LANルーターと呼ばれる装置（親機）が必要です。インターネットに接続された親機に、無線LANアダプター（子機）を、親機の名前を指定して接続することで、インターネットが利用できるようになります。現在のノートパソコンやスマートフォンの多くは無線LANアダプターが内蔵されているので、新たに子機を用意する必要がありません。また、スマートフォンの場合は、携帯電話事業者の**基地局**に接続することでインターネットを利用することも可能です。

基地局
スマートフォンから発信された電波は基地局につながり、信号に変換され、光ファイバーケーブルなどを伝ってインターネットに接続される。

スマートフォンの普及に伴い、無線LANも家庭内に導入されるようになりました。スマートフォンは無線LANの規格・ブランドであるWi-Fiを利用できるため、通信料が不要で速度も速いWi-Fiを使うニーズが高まったのです。また、公衆無線LANの普及も進み、駅や空港、カフェなどの公共の場や店舗でも無線LANを利用できるようになっています。

☑ 電波で通信を行うデメリット

電波で通信を行う無線LANは、無線LANルーターとパソコンやスマートフォンなどの距離が離れていたり、間に障害物があったりすると通信速度が遅くなります。また、手軽にインターネット接続ができますが、電波でデータの送受信を行うため、第三者にデータを盗まれるなどのリスクもあります。

» スマートフォンなどのインターネット接続

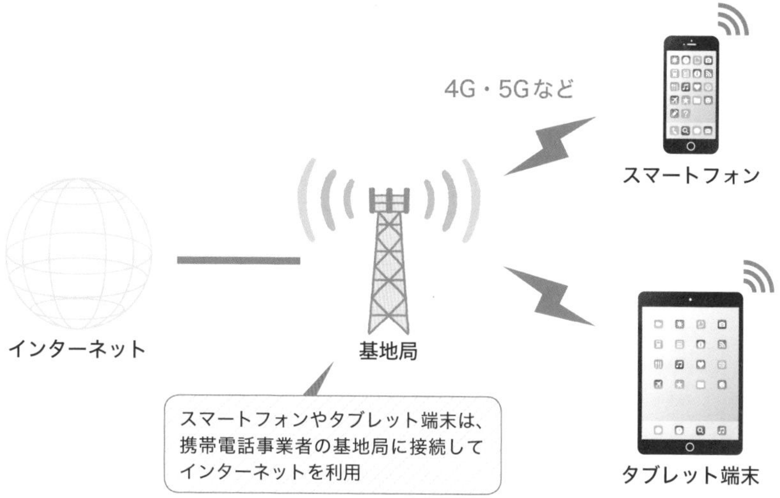

4G・5Gなど
スマートフォン
インターネット
基地局
タブレット端末
スマートフォンやタブレット端末は、携帯電話事業者の基地局に接続してインターネットを利用

» 無線LANのインターネット接続例

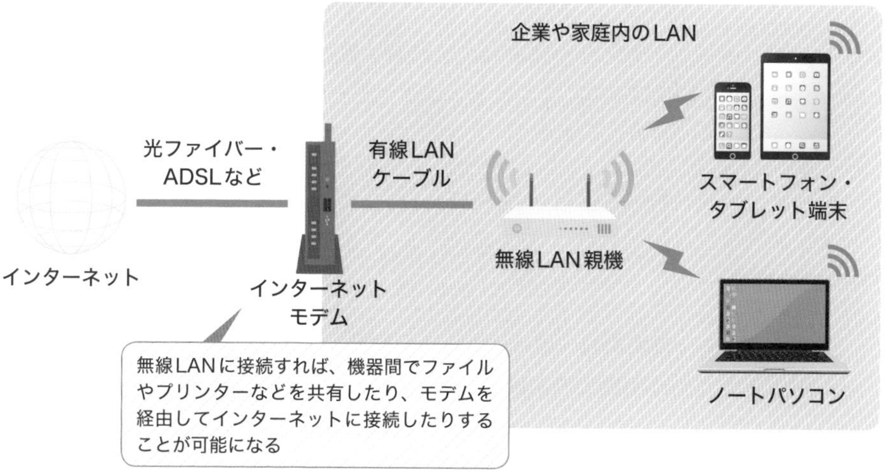

企業や家庭内のLAN
光ファイバー・ADSLなど
有線LANケーブル
スマートフォン・タブレット端末
無線LAN親機
インターネット
インターネットモデム
ノートパソコン
無線LANに接続すれば、機器間でファイルやプリンターなどを共有したり、モデムを経由してインターネットに接続したりすることが可能になる

出典：大塚商会 Webページ「知ってるようで知らない？ 無線LANの基礎知識」（2015年6月）をもとに作成

関連用語 Wi-Fi 6 (P.84)、WPA (P.86)

10 Wi-Fi 6（ワイファイ シックス）

店舗や空港、観光地など、外出先でWi-Fiを利用してインターネットに接続することが一般的になりました。Wi-Fi 6は高速通信だけではなく、多数の利用者が同時に接続しても安定した通信環境を提供できる規格です。

☑ オフィスから観光地まで活用の幅が広がるWi-Fi

近年、自宅やオフィス、店舗、観光地などでWi-Fiを利用し、インターネットに接続することが一般的になりました。パソコンやスマートフォンなどを無線で接続するネットワークを無線LAN（ラン）といいます。無線LANの世界標準規格はIEEE（アイトリプルイー）（米国電気電子学会）が策定しており、規格名は「IEEE 802.11」です。無線LANの進化に合わせて新たな規格が作られると、IEEE 802.11の後ろに「g」「n」「ac」「ax」などのアルファベットが付記されます。

Wi-Fiは、IEEE 802.11シリーズの普及・促進を目的としたWi-Fi Alliance（ワイファイアライアンス）という業界団体が使うブランド名であり、Wi-Fi 6は最新世代（第6世代）の呼称です。IEEE 802.11シリーズは世代ごとに利用する周波数帯と最大速度が異なります。

☑ 高密度の環境にも適応するWi-Fi 6

Wi-Fi 6の最大速度は9.6Gbpsと、前世代（Wi-Fi 5）の約1.4倍速くなっています。このような通信速度の向上だけではなく、通信品質の改善にも注力がなされ、利用者の体感できる実効速度は前世代の4倍以上ともいわれています。また、Wi-Fi 6の特徴として、多数の利用者が同時に接続しても安定して高速通信を実現できることが挙げられます。従来は多数のパソコンやスマートフォンを接続すると、速度が遅くなったり接続が不安定になったりすることがありました。しかし、Wi-Fi 6では、多数の利用者が接続する環境でも安定した接続を実現する機能や、**消費電力を抑える機能**などが搭載されます。このため、駅や空港、スタジアムなど、高密度な環境やIoT分野での活用が期待されています。

消費電力を抑える機能
通信の必要がないときは、接続端末をスリープ状態へ移行させることで、端末の消費電力を抑えている。

Wi-Fiの各世代の性能

世代	規格	策定時期	周波数帯	最大速度	新呼称
1	IEEE 802.11	1997年	2.4GHz帯	2Mbps	
2	IEEE 802.11a	1999年	5GHz帯	54Mbps	
	IEEE 802.11b	1999年	2.4GHz帯	11Mbps	
3	IEEE 802.11g	2003年	2.4GHz帯	54Mbps	
	IEEE 802.11j	2004年	5GHz帯	54Mbps	
4	IEEE 802.11n	2009年	2.4GHz/5GHz帯	600Mbps	Wi-Fi 4
5	IEEE 802.11ac	2013年	5GHz帯	6.9Gbps	Wi-Fi 5
6	IEEE 802.11ax	2019年リリース 2021年	2.4GHz/5GHz帯	9.6Gbps	Wi-Fi 6

Wi-Fi 6の主要な特徴

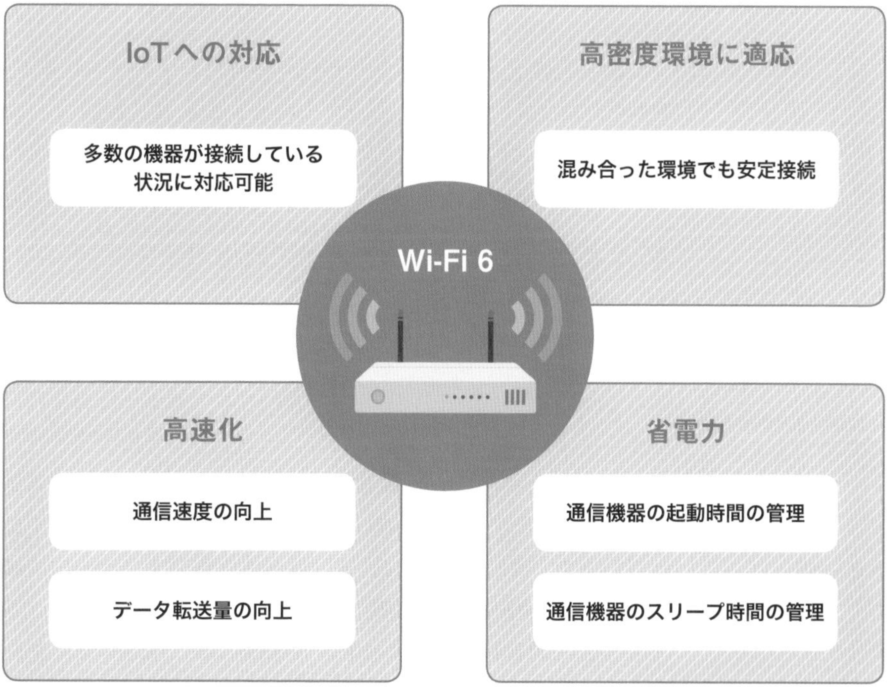
IoTへの対応
多数の機器が接続している
状況に対応可能
高密度環境に適応
混み合った環境でも安定接続
Wi-Fi 6
高速化
通信速度の向上
データ転送量の向上
省電力
通信機器の起動時間の管理
通信機器のスリープ時間の管理

関連用語 無線LAN(P.82)、WPA(P.86)

11 WPA（Wi-Fi Protected Access）

ダブリューピーエー

オフィスや家庭内だけではなく、屋外でもさまざまな場所で無線LANが利用できるようになりました。無線LANは利便性が高いものの、セキュリティリスクもあるため、さまざまな規格や方式が採用されています。

☑ 無線LANのセキュリティリスク

現在、駅や空港などでも無料で無線LANを利用できるようになり、多くの人に活用されています。無線LANは電波を拡散する方式であるため、便利である反面、常にセキュリティ上のリスクを抱えています。無線LANを利用する際にセキュリティ対策がきちんと行われていないと、情報を搾取されたり無断で利用されたりするなどのリスクが生じます。

無線LANのセキュリティ対策には、暗号化と認証があります。暗号化にはいくつかの規格（プロトコル）があり、無線LANのアクセスポイントへの接続を認証し、通信内容を暗号化する役割を持っています。

☑ セキュリティを強化するための規格の改良

暗号化の規格には、WEPやWPAなどがあります。WEPは**暗号鍵**と呼ばれるWEPキーを作って暗号化を行うしくみですが、鍵の生成に問題があり、かんたんに解読されてしまうため、利用は推奨されていません。WPAでは、WEPより暗号鍵の作り方が複雑なTKIPという方式を採用しましたが、これも脆弱性が発見されました。そこで現在では、WPA2という規格が一般的に使われています。WPA2では、WPAの脆弱性を解消するために**共通鍵暗号**を使うAESという方式が採用されています。

暗号鍵
通信を暗号化したり、復合したりするときに使うデータ。

共通鍵暗号
情報の暗号化と復合に共通の鍵を用いる暗号方式。

無線LANの認証は、PSK（事前共有鍵）が一般的であり、共通のパスフレーズを使って認証を行います。認証には、①パスフレーズが合っていればアクセス許可、②パスフレーズが合っていても利用者やデバイスの個別認証でアクセス許可、という2つの方法があります。

無線LANの危険性

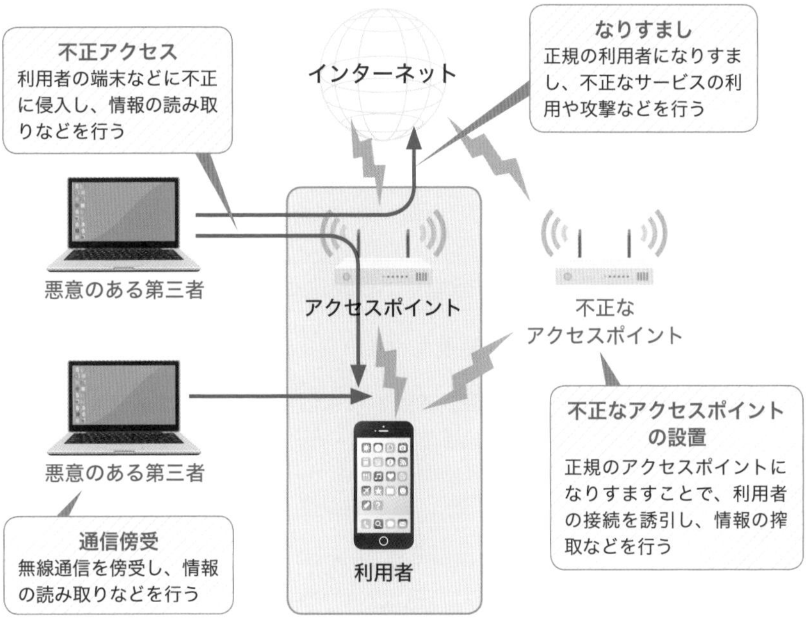

不正アクセス
利用者の端末などに不正に侵入し、情報の読み取りなどを行う
インターネット
なりすまし
正規の利用者になりすまし、不正なサービスの利用や攻撃などを行う
悪意のある第三者
アクセスポイント
不正なアクセスポイント
悪意のある第三者
不正なアクセスポイントの設置
正規のアクセスポイントになりすますことで、利用者の接続を誘引し、情報の搾取などを行う
通信傍受
無線通信を傍受し、情報の読み取りなどを行う
利用者

WEP、WPA、WPA2のセキュリティ強度の違い

低　セキュリティ強度　高

WEP

- 最初に無線LAN規格を策定したときに作成
- 暗号鍵と呼ばれるWEPキーを作って暗号化
- 認証方式は規定されていない

WPA（TKIP）

- WEPを強化した規格
- 暗号化方式にTKIPを採用（一定時間ごとに暗号鍵を変更する方式）

WPA2（AES）

- 暗号化機能をWPAより強化した規格
- 暗号化アルゴリズムにAESを採用（ある一定の長さにデータを分割し、置換・並べ替えを行う暗号化アルゴリズム）

ONE POINT

セキュリティを強化したWPA3

現在では、セキュリティをより強化した「WPA3」も登場し、Wi-Fi 6（P.80参照）に対応した一部の機器で利用できます。WPA3には個人向けの「WPA3-Personal」と企業向けの「WPA3-Enterprise」の2種類があり、使用するネットワークに合わせたセキュリティ対策が可能です。

関連用語　プロトコル（P.66）、無線LAN（P.82）、Wi-Fi 6（P.84）

12 ローカル5G（ファイブジー）

企業や自治体などが特定エリアにおいて、独自に5Gの通信システムを構築・運用することを可能にするローカル5G。今後、より普及するIoTを支えていく新たな取り組みです。

☑ 特定エリアで自営の5Gシステムを構築可能

5G（第5世代移動通信システム）は次世代の通信規格であり、現在主流の4Gに比べ、高速・大容量、低遅延、多数同時接続を実現するものです。ローカル5Gは、企業や自治体などが特定エリアにおいて、独自に5Gの通信システムを構築・運用するという取り組みです。

5GはNTTドコモ、KDDI、ソフトバンク、楽天モバイルの通信キャリア4社にのみ5G電波が割り当てられており、これら通信キャリアと契約することによって利用可能となります。しかし、サービスが利用できる地域は通信キャリアごとに異なり、全国的にサービスが普及するまでにしばらく時間がかかると見込まれています。

これに対し、ローカル5Gは、自己の建物内または土地の敷地内で利用する場合に限って与えられる**免許制**の5Gです。このため、通信キャリアによるエリア展開が遅れそうな地域でも、先行して5Gシステムを構築することが可能となります。また、用途に応じて必要な性能を設定でき、ほかの場所での通信障害や災害などの影響を受けにくい自営ネットワークを構築できます。

免許制
基本的にローカルキャリアの免許は誰でも取得可能だが、無線局の免許を申請する必要がある。

☑ スマートファクトリーから農場まで用途は多彩

特定のエリア内における無線ネットワークとしてはWi-Fiが普及していますが、Wi-Fiの通信範囲は限定的であり、屋外や大規模な工場などの広い場所をカバーできません。これに対し、ローカル5Gは広範囲の通信をカバーできるため、建設現場やスマートファクトリー、農場管理、自治体による河川監視など、さまざまな用途を想定して構築することが可能といわれています。

さまざまな用途が想定されているローカル5G

建設現場での活用

ゼネコンが建設現場で導入
建機遠隔制御

農業での活用

農家が農業を高度化する
自動農場管理

工場での活用

事業主が工場へ導入
スマートファクトリー

防災現場での活用

自治体などが導入
河川などの監視

出典：総務省「5G・ローカル5Gの普及・高度化に向けた取組」をもとに作成

5Gが使用する周波数帯の配分

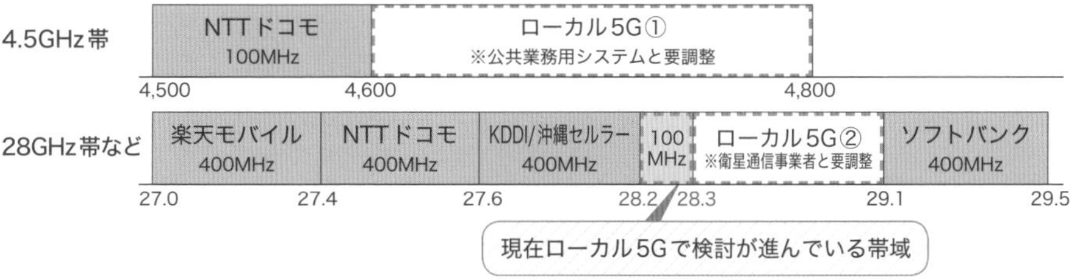
4.5GHz帯
NTTドコモ 100MHz
ローカル5G① ※公共業務用システムと要調整
4,500
4,600
4,800
28GHz帯など
楽天モバイル 400MHz
NTTドコモ 400MHz
KDDI/沖縄セルラー 400MHz
100 MHz
ローカル5G② ※衛星通信事業者と要調整
ソフトバンク 400MHz
27.0
27.4
27.6
28.2
28.3
29.1
29.5
現在ローカル5Gで検討が進んでいる帯域

ONE POINT

ローカル5Gが使用する周波数帯

ローカル5Gは、4.6～4.8GHz及び28.2～29.1GHzの周波数帯を使用することを想定しています。この中でも、検討が進んでいる上図の赤で囲んだ28.2～28.3GHzの100MHz幅については、先行して制度化されています。

関連用語 IoT (P.14)、5G (P.20)、スマートファクトリー (P.60)

LPWA（Low Power Wide Area）

エルピーダブリューエー

さまざまなモノがインターネットでつながることで、低電力で広域をカバーする新しい無線通信技術のLPWAが求められるようになりました。事業者によって利用する周波数帯や特性が異なる多様なサービスが登場しています。

☑ IoTの普及に伴って開発された無線通信技術

LPWAとは、低電力で、広い領域（キロメートル単位）で利用可能な無線通信技術のことです。現在、さまざまなモノがインターネットでつながって情報をやり取りするIoTの普及が進んでいます。IoTでは、多くの機器で通信が発生しますが、個々のデータ量は小さく、通信速度はそれほど高速である必要がありません。その代わり、屋外などの電力供給が難しい環境でも利用されます。そのため、広域の無線通信を実現しながら、低電力を重視した通信技術が求められるようになり、開発されたのがLPWAです。

☑ 利用する周波数帯により大別される

無線通信としてはWi-Fiがよく知られています。Wi-Fiの通信速度は高速ですが、通信距離は50～100メートル程度（障害物が存在しない場合の距離）です。これに対し、LPWAは規格によって異なりますが、通信速度は低速なものの、通信距離は数キロメートルまで及びます。

LPWAは無線通信技術の総称であり、さまざまな規格が存在しますが、①免許が必要な周波数帯を利用した規格、②**免許が不要な周波数帯**を利用した規格、の２つに大別できます。一般的に前者を「セルラー系LPWA」、後者を「非セルラー系LPWA」と呼びます。セルラー系LPWAは、携帯電話の通信網を利用するため、基本的には大手の通信事業者によって運営されており、広いエリアをカバーしているのが特徴です。セルラー系LPWAの規格としてはNB-IoTやLTE-Mなどがあります。

非セルラー系LPWAは、免許の不要な920MHzの周波数帯を利用しており、Sigfox（シグフォックス）、LoRa（ローラ）、ZETA（ゼタ）などの規格があります。

免許が不要な周波数帯

電波の使用は、電波法により周波数ごとの使用方法が厳密に定められており、国からの免許が必要である。ただし、免許を必要としない周波数帯があり、その帯域を利用する機器や設備を「特定小電力無線局」という。非セルラー系LPWAもこの周波数帯を利用している。

LPWAの活用事例

健康・医療

高齢者の訪問介護支援
・介護費用の適正化や高齢者の孤立防止

AED保守
・AEDボックスの保守／管理

インフラ管理

街灯管理
・数万本単位の電灯のオン／オフや消費電力などを管理

鉄道保守
・線路の保守／管理

Low
Power
Wide
Area
省電力
広いエリア

物流

食の物流管理
・食品工場、輸送トラック、レストランなどの各拠点における食品の温度を計測し、データを集約
・サプライチェーンにおける食品の品質管理を低コストで実現

農業

農場のセンシング（センサーを利用した計測）
・種まきや水やりの最適なタイミングなどのデータを収集／分析

養蜂監視
・ミツバチの巣箱の監視

LPWAの消費電力と通信距離

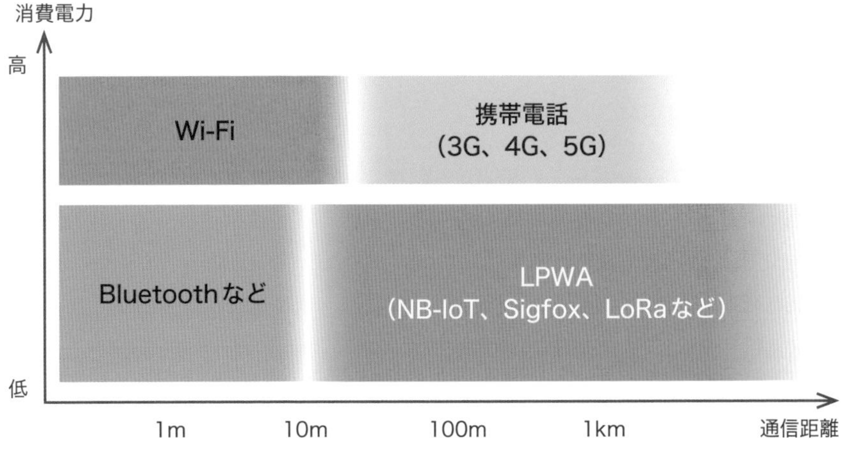
消費電力
高
低
Wi-Fi
携帯電話
（3G、4G、5G）
Bluetoothなど
LPWA
（NB-IoT、Sigfox、LoRaなど）
1m
10m
100m
1km
通信距離

出典：総務省「LPWAに関する無線システムの動向について」（2018年3月7日）をもとに作成

関連用語 IoT（P.14）、ローカル5G（P.88）

SEO（エスイーオー）／SEM（エスイーエム）

インターネット上に自社のWebサイトを開設したら、アクセス数を増やしていく必要があります。このための手法として、Googleなどの検索エンジンを活用するSEOやSEMなどがあります。

☑ SEOは検索エンジンからのアクセス数を増やす施策

SEOとは、Search Engine Optimization（検索エンジン最適化）の略称です。検索エンジンはGoogleやYahoo!など、インターネット上にある情報を検索するサービスで、SEOは検索エンジンから自社の**Webサイト**へアクセス（訪問）する人を増やすための施策です。具体的には、Googleなどで検索した際に、自社の**Webページ**を検索結果の上位に表示させたり、検索エンジン上で露出数を増やしたりします。検索結果は上位に表示されるほどクリックされる確率が高まるため、結果としてアクセス数（訪問者数）が多くなります。

SEOは、①キーワードの選定や見直し、②サイト内部の調整、③サイト外部の調整、などを行います。①は自社の商品やサービスなどに関連する的確なキーワードを選定することです。その際、該当するキーワードの利用者数や競合数などを調べる必要があります。②はWebサイト全体の構造やテーマ、各ページのコンテンツの内容や量、タイトルなどの調整です。③は充実したコンテンツのWebサイトを構築することにより、ほかのWebサイトからのアクセスを増やす施策です。

Webサイトと Webページ
複数のWebページが集まったものがWebサイト。省略して「サイト」と呼ばれることもある。たとえば、自社のWebサイトは「製品紹介」や「会社案内」などの複数のWebページから構成される。「ホームページ」はWebサイトの表紙にあたるトップページを指す。

☑ SEMは検索エンジンマーケティングの総称

SEMはSearch Engine Marketing（検索エンジンマーケティング）の略称で、検索エンジンを活用し、自社のWebサイトへのアクセス数を増やすためのマーケティング手法の総称です。SEOだけではなく、検索連動型広告などの広告施策も含まれます。またWebサイトへのアクセス数を増やす施策だけではなく、訪問者が最初に閲覧する**Webページの最適化**なども含まれます。

Webページの最適化
Webサイトの訪問者が最初に閲覧するWebページ（ランディングページ）を、訪問者の興味を引くように最適化することをLPO（Landing Page Optimization：ランディングページ最適化）という。

» アクセス数を増やす主なSEO施策

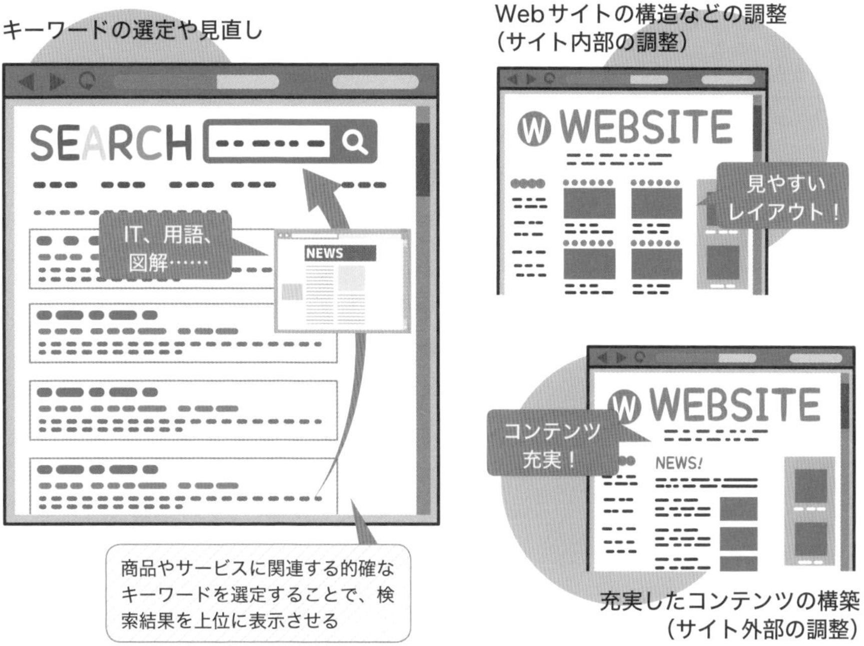
キーワードの選定や見直し
SEARCH
IT、用語、
図解……
NEWS
商品やサービスに関連する的確なキーワードを選定することで、検索結果を上位に表示させる
Webサイトの構造などの調整
(サイト内部の調整)
WEBSITE
見やすい
レイアウト！
WEBSITE
コンテンツ
充実！
NEWS!
充実したコンテンツの構築
(サイト外部の調整)

» SEOはSEMの手法の1つ

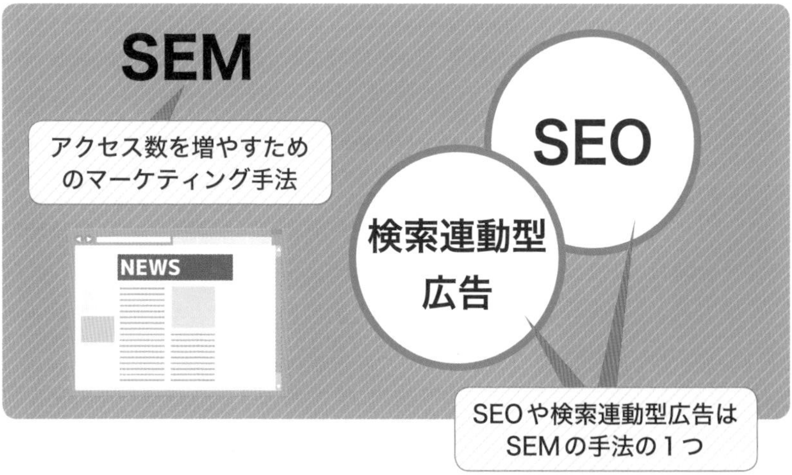
SEM
アクセス数を増やすためのマーケティング手法
NEWS
SEO
検索連動型広告
SEOや検索連動型広告はSEMの手法の1つ

関連用語 検索連動型広告（P.94）、アドネットワーク／アドエクスチェンジ（P.108）

15 検索連動型広告

インターネット広告は、日本の総広告費の３割を超えるまでに成長しています。その理由として、自社のターゲットとする客層へ効果的に訴求できることや費用対効果の高さなどが挙げられます。

☑ 検索したキーワードに関連して表示される広告

検索連動型広告とは、Yahoo!などの検索エンジンにキーワードを入力して検索したとき、検索結果ページに表示される検索したキーワードに関連する広告のことをいいます。

利用者が検索するキーワードは、利用者のニーズが顕在化したものと考えられます。たとえば、「旅行　金沢　ホテル」というキーワードで検索した人は、金沢への旅行を検討中で、ホテルを探したいというニーズがあると推察できます。検索連動型広告を利用することで、自社の商品やサービスに関心を持たせ、購入可能性のある見込み客を獲得できる割合が高まります。

☑ クリックされたときのみ広告費が発生する契約

検索連動型広告は、広告主が広告に使いたいキーワードを選んで広告を出稿する方式であり、契約は「クリック課金型」が一般的です。これは、利用者の端末画面に広告が表示されただけでは広告費は発生せず、利用者が広告をクリックすることで広告費が発生するものです。あらかじめクリック１回あたりの単価（**クリック単価**）を設定し、掲載期間にクリックされた回数に応じて費用を支払います。また、この広告は入札方式で、クリック単価と、キーワードとの関連性などの広告内容により、検索結果ページでの広告の表示順位が決まります。

クリック単価
広告１クリックあたりの平均費用のことで、CPC（Cost Per Click）と表記される。クリック単価の相場はキーワードによって異なり、競合が多いほどクリック単価が高くなりやすい。

検索連動型広告のメリットとして、費用面での使いやすさが挙げられます。広告主がクリック単価や月額上限を設定でき、テレビや新聞広告に比べて低予算で出稿できます。ただし、競合の広告主が多い人気のキーワードの場合、クリック単価が高騰し、広告費がかかってしまうこともあります。

》検索連動型広告の表示

「旅行　金沢　ホテル」と検索したときに表示される検索連動型広告

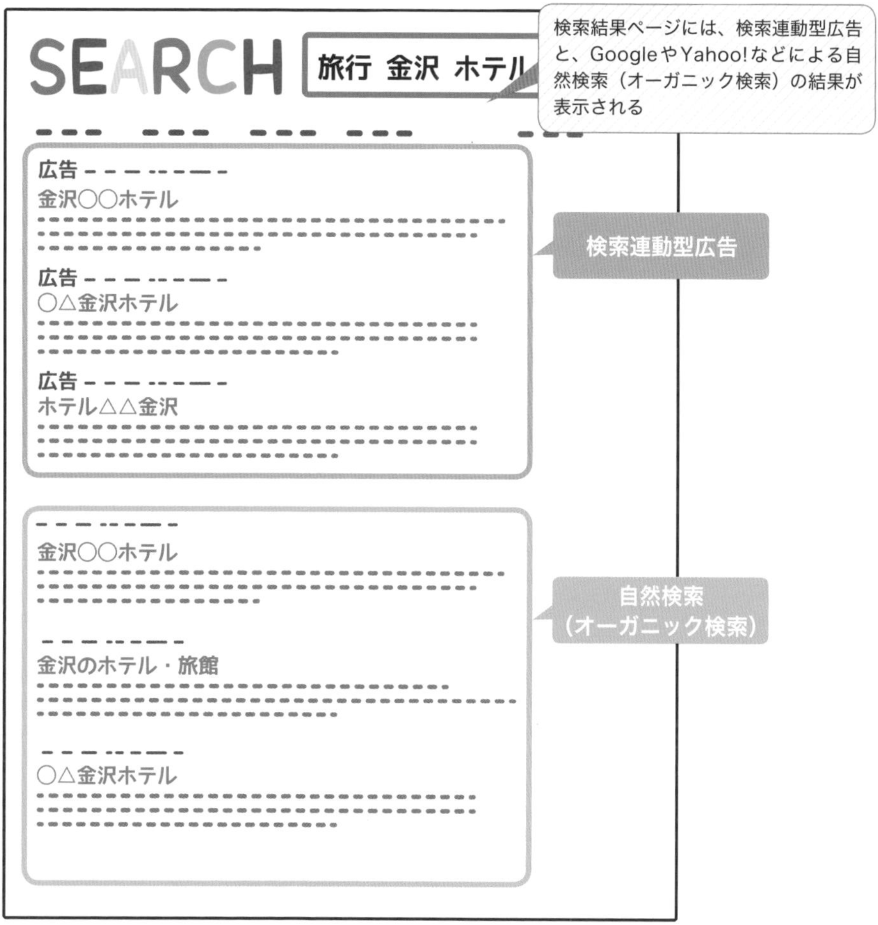

SEARCH
旅行 金沢 ホテル
検索結果ページには、検索連動型広告と、GoogleやYahoo!などによる自然検索（オーガニック検索）の結果が表示される
広告
金沢○○ホテル
広告
○△金沢ホテル
広告
ホテル△△金沢
検索連動型広告
金沢○○ホテル
金沢のホテル・旅館
○△金沢ホテル
自然検索（オーガニック検索）

ONE POINT

検索連動型広告の名称

検索連動型広告は事業者によって、キーワード広告、PPC（ピーピーシー）広告、リスティング広告など、さまざまな名称で呼ばれます。PPC広告は「Pay Per Click広告」の略で、クリックされた回数に応じて費用が発生する広告です。リスティング広告は、検索連動型広告とコンテンツ連動型広告の2種類で構成されます。コンテンツ連動型広告とは、Webページの内容に連動し、関連性の高い広告を表示するクリック課金型広告のことです。

関連用語 SEO／SEM（P.92）

CMS（Contents Management System）

シーエムエス

CMSを導入することで、Webサイトの更新や追加などがかんたんに行えるようになり、スピーディーな情報発信などにつながります。最近では、アクセス解析などのマーケティングツールとしても活用されています。

☑ Webページの構成要素を一元管理

CMSはWebサイトの更新や追加、修正などがかんたんに行えるソフトウェアです。Contents Management System（コンテンツ管理システム）という名称のとおり、Webサイト内の各ページの構成要素である画像や文字などのデータ、デザイン、レイアウト情報（テンプレート）などをまとめて管理できます。

CMSが導入されていないWebサイトでは、Webページごとに HTMLなどの言語やデザインを用いてデータを作成し、保存・管理する必要があります。一方、CMSが導入されたWebサイトでは、データベースに保存されている画像やテンプレートなどのデータでWebページを生成でき、更新や追加などが効率的に行えます。これにより、スピーディーな情報発信も可能です。

☑ マーケティングツールとして進化するCMS

CMSには、更新や追加の簡便性以外にも、次のようなメリットがあります。まず、担当者が自分でWebサイトを更新できるため、Web制作会社などに支払うコストを削減できます。また、**マルチデバイス**対応のCMSを導入すると、利用者の閲覧している端末に応じてWebページを自動的に生成してくれます。これにより、パソコンではパソコン用のページが、スマートフォンではスマートフォン用のページが表示されるようになります。

CMSはWebサイトの運用を効率化することが目的でしたが、近年、マーケティングツールとしての機能も充実しています。利用者がどのようにWebサイトにたどり着いたかなどを解析するアクセス解析機能や、**B to Bマーケティング**で重要な「**リードスコアリング**機能」なども搭載されるようになっています。

マルチデバイス
パソコンやスマートフォン、タブレット端末など、さまざまな種類の端末から、コンテンツやサービスなどを同じように利用できること。このような状態にすることを「マルチデバイス化」という。

B to B マーケティング
B to B（Business to Business）とは企業間取引を意味し、B to Bマーケティングは企業間取引を円滑に進めるためのマーケティングのしくみづくりなどを指す。

リードスコアリング
自社の製品やサービスなどに対する見込み客を「リード」と呼ぶ。「スコアリング」はこのリードの見込み度合いに対して点数付けをすることを意味する。

»CMSによるWebページ生成のイメージ

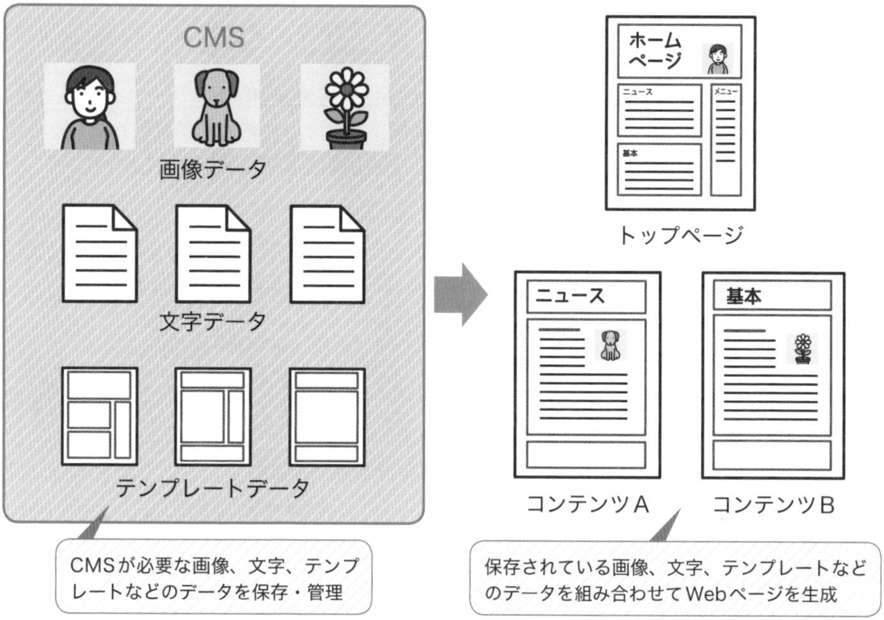
CMS
画像データ
文字データ
テンプレートデータ
CMSが必要な画像、文字、テンプレートなどのデータを保存・管理
ホームページ
ニュース
メニュー
基本
トップページ
ニュース
基本
コンテンツA
コンテンツB
保存されている画像、文字、テンプレートなどのデータを組み合わせてWebページを生成

»CMSによるマルチデバイス対応のイメージ

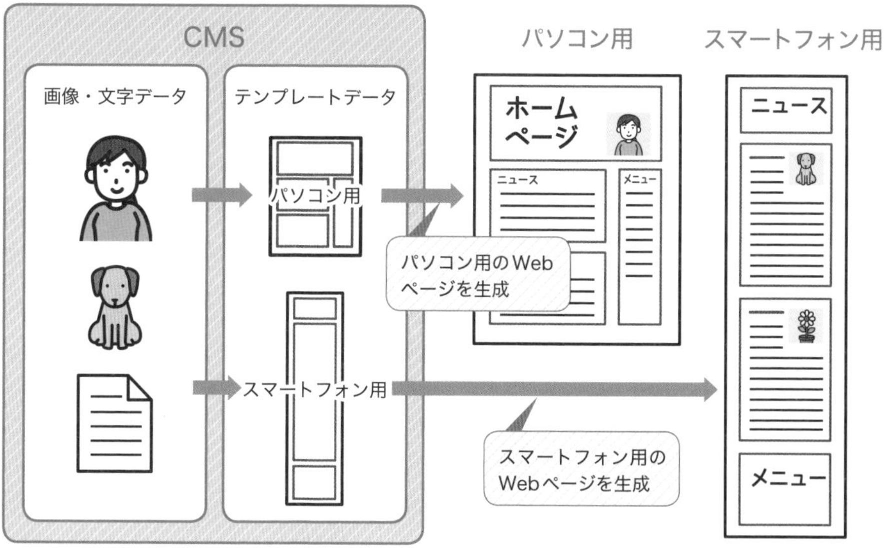
CMS
画像・文字データ
テンプレートデータ
パソコン用
スマートフォン用
パソコン用
スマートフォン用
ホームページ
ニュース
メニュー
パソコン用のWebページを生成
ニュース
メニュー
スマートフォン用のWebページを生成

関連用語 MA (P.102)

ソーシャルリスニング

多くの人がソーシャルメディアを使い、情報発信をするようになりました。情報の伝播性が高いソーシャルメディア上での利用者のやり取りを、マーケティングなどに活用する手法が、ソーシャルリスニングです。

☑ 利用者のやり取りをマーケティングに活用

ソーシャルリスニングとは、TwitterやFacebookなどのソーシャルメディア上で行われる利用者間のやり取りを収集・分析し、マーケティング戦略の立案などに活用することです。

マーケティング戦略
自社の製品やサービスなどに対し、製品特性や価格、流通方法、プロモーション施策などを検討し、実行していくこと。

ソーシャルメディアは、インターネット上で不特定多数の人が投稿した情報をコンテンツとし、利用者間でコミュニケーションをすることで情報が共有されたり拡散されたりするメディアです。テレビなどのマスメディアでは、事業者が視聴者に対して一方通行で情報を伝えます。これに対してソーシャルメディアは、発信された情報に別の人がコメントを付けたり転送したりするなど、双方向のコミュニケーションが行われます。このため、多くの人に興味を持たれた情報は拡散しやすいという特徴があります。

☑ 本音が得られやすいが情報の精査が難しい

消費者の声をマーケティングに生かす手法の1つにアンケート調査があります。決められた質問に回答していくアンケート調査に比べ、ソーシャルリスニングは利用者の自然なやり取りが対象となるため、本音が得られやすいという特徴があります。また、自社の製品やサービスなどに対して否定的な意見が多い場合には、クレームなどにつながる前に対応できる可能性があります。

デメリットとしては匿名性が高く、年齢や性別などの基本属性がわからないことも多いため、内容の精査が難しいことや、情報量が膨大で、必要な情報の抽出が難しいことなどが挙げられます。

ソーシャルリスニングは、自社や製品・サービスに対する評価、最新トレンドの予測や発見、実施したプロモーションに対する反応の測定、市場や競合の状況把握などに活用されています。

ソーシャルメディアからのデータの収集と分析・活用

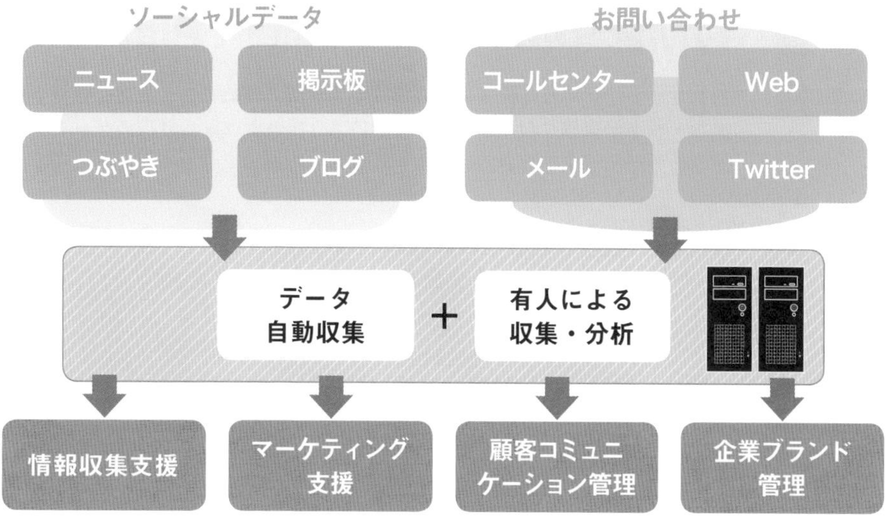
ソーシャルデータ
ニュース
掲示板
つぶやき
ブログ
お問い合わせ
コールセンター
Web
メール
Twitter
データ
自動収集
+
有人による
収集・分析
情報収集支援
マーケティング
支援
顧客コミュニ
ケーション管理
企業ブランド
管理

ソーシャルリスニングのメリットとデメリット

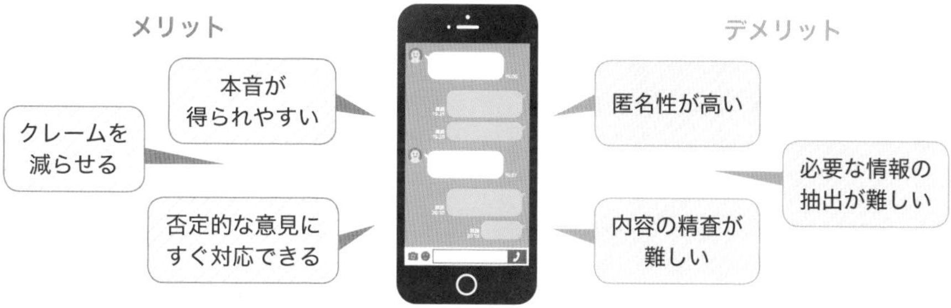
メリット
本音が
得られやすい
クレームを
減らせる
否定的な意見に
すぐ対応できる
デメリット
匿名性が高い
必要な情報の
抽出が難しい
内容の精査が
難しい

ONE POINT

ソーシャルメディアとSNSの違い

ソーシャルメディアとSNS（Social Networking Service）が混同されることがあります。SNSは、利用者どうしのつながりをインターネット上で構築することを主目的とするサービスです。これに対してソーシャルメディアは、インターネットを通じて社会に広く情報を伝えることを主目的としており、SNSはソーシャルメディアに含まれるものです。ソーシャルメディアの代表的なサービスには、TwitterやFacebookなどがあります。そのほか、コミュニケーション機能を持ったブログやQ&Aサイト、口コミサイトなどもソーシャルメディアに含まれます。

関連用語 SEO／SEM（P.92）、検索連動型広告（P.94）

DMP（Data Management Platform）

ディーエムピー

自社サイトに訪問した顧客の会員情報やアクセス情報など、企業にはさまざまなデータが蓄積されています。DMPは、このような自社内のデータや第三者の外部データを統合的に管理・活用するためのプラットフォームです。

☑ 自社内外のデータを一元的に管理・活用

DMPは、自社内外のデータを一元管理し、活用するためのプラットフォームです。DMPには、顧客の属性、Webサイト上での行動履歴、配信広告の情報など、多様なデータが蓄積されています。これらのデータの活用により、各顧客に最適な広告を配信したり、商品開発のヒントを得たりすることができます。

DMPは、オープンDMPとプライベートDMPに分類できます。オープンDMPは、自社ではなく、第三者の企業が提供しているデータを管理するものです。さまざまなWebサイトにおける顧客の属性や行動履歴などのデータを蓄積・管理することで、より客観的なマーケティングが行えます。プライベートDMPは、自社内の顧客に関する登録情報や行動履歴などのデータを管理するものです。実店舗での購買履歴のようなオフラインデータや、**CRM**などの別のシステムに蓄積されているデータなども統合管理します。オープンDMPと比べ、各顧客で扱える項目が多いため、より精度の高い分析や施策などが可能です。オープンDMPとプライベートDMPを組み合わせて利用する企業もあります。

CRM
Customer Relationship Managementの略で、顧客との継続的な関係を構築するためのマーケティング手法やソフトウェアのこと。

☑ サイト訪問前の顧客の行動も把握可能

DMPの特徴としては、オンラインデータだけではなく、オフラインデータも一元化して管理・活用できることが挙げられます。これにより、自社サイトに訪問する前の顧客の行動や、自社サイトから離脱後の行動までも把握できるようになります。また、複数ブランドを持ち、ブランドごとにマーケティング戦略を立案・実施している企業では、横断的に顧客データを管理・活用できるというメリットがあります。

》 DMPの活用イメージ

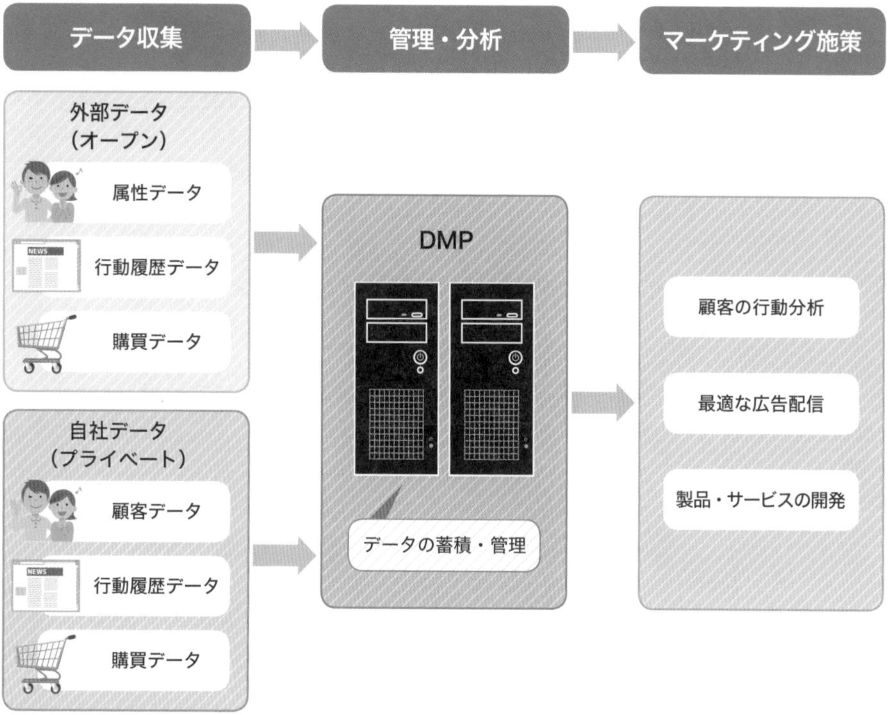
データ収集
管理・分析
マーケティング施策
外部データ（オープン）
属性データ
NEWS
行動履歴データ
購買データ
自社データ（プライベート）
顧客データ
NEWS
行動履歴データ
購買データ
DMP
データの蓄積・管理
顧客の行動分析
最適な広告配信
製品・サービスの開発

》 DMPの分類

分類	利用するデータ	データの所有者	データ活用の目的
オープンDMP	第三者の企業が提供している顧客属性データや行動履歴データなどの外部データ	外部	・新規顧客の獲得 ・顧客行動の把握 ・製品やサービスの開発
プライベートDMP	顧客属性データ、Webサイト内の行動履歴データ、オフラインデータなどの自社データ	自社	・顧客との関係性構築 ・顧客行動の把握 ・自社サイト、Eコマースの改善

関連用語 MA（P.102）、行動ターゲティング（P.104）、レコメンデーション（P.106）、
アドネットワーク（P.108）

MA（Marketing Automation）

エムエー

MAは、マーケティングにおける顧客との関係性の構築を自動化するしくみです。セールスパーソンが企業を訪問し、情報提供しながら顧客との関係性を築いていく従来型のマーケティングスタイルが変わりつつあります。

☑ 顧客との関係性の構築などを自動化

MA（マーケティングオートメーション）とは、マーケティング活動における顧客との関係性の構築を、ITを活用して自動化するしくみやツールのことです。自社の製品やサービスに関心があり、将来的に購入する可能性のある顧客のことを見込み客といいます。MAでは、この見込み客の情報を一元管理し、見込み客の獲得から分類・絞り込み、より購入意欲の高い顧客への育成などの作業を自動化していきます。MAの市場は拡大傾向が続いていますが、その理由としては、次のような企業におけるマーケティングに対する姿勢の変化が挙げられます。

①**見込み客のデータベース化**：見込み客のデータベース管理を強化し、より活用しようという意向が高まっています。

②**マーケティング機能の強化**：メールマガジンの配信やWebページへのアクセス強化など、人手不足で実行できなかったネットマーケティングをMAで実施する企業が増加しています。

③**個別マーケティングの実現**：見込み客に対して個別にアプローチするワントゥーワンマーケティングへの期待が年々高まってきています。

☑ MAの役割と自動化する主な機能

MAの役割は、①見込み客の獲得・管理、②見込みの高い顧客への育成、③見込み客の絞り込み、に大別できます。①見込み客の獲得では、顧客管理、Webページの作成、問い合わせページの作成などの機能で支援します。②育成の段階では、アクセス分析やメールマガジンの配信などを行います。また、③絞り込みの段階では、顧客の**スコアリング**や抽出を行ってくれます。

スコアリング
見込み客の価値を予測し、その価値に応じて点数化すること。

MAにより見込み客のデータを一元管理

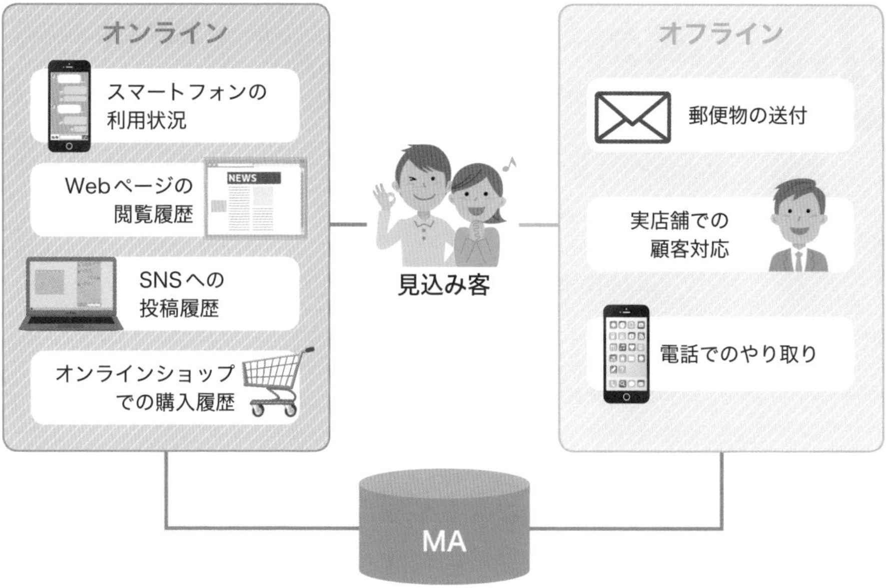
オンライン
スマートフォンの
利用状況
Webページの
閲覧履歴
NEWS
SNSへの
投稿履歴
オンラインショップ
での購入履歴
見込み客
オフライン
郵便物の送付
実店舗での
顧客対応
電話でのやり取り
MA

MAの役割と機能

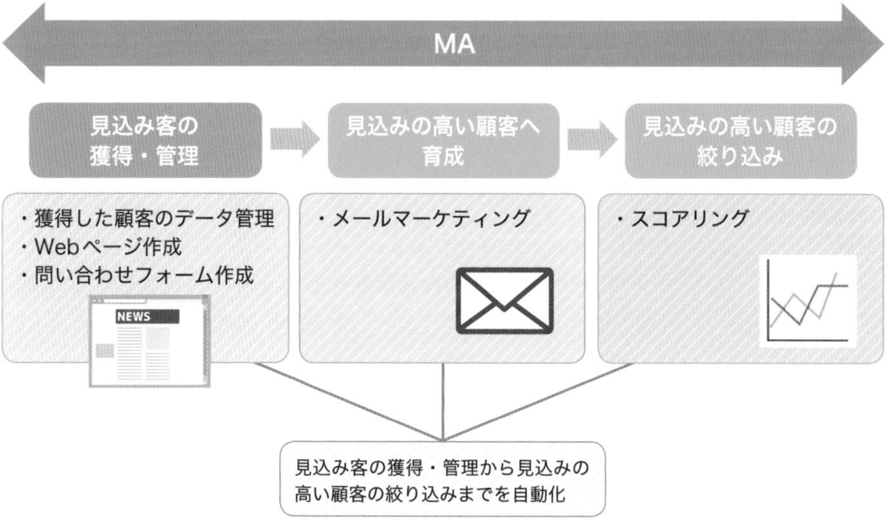
MA
見込み客の
獲得・管理
見込みの高い顧客へ
育成
見込みの高い顧客の
絞り込み
・獲得した顧客のデータ管理
・Webページ作成
・問い合わせフォーム作成
NEWS
・メールマーケティング
・スコアリング
見込み客の獲得・管理から見込みの
高い顧客の絞り込みまでを自動化

関連用語 DMP (P.100)

Chapter3 デジタルマーケティング

20

行動ターゲティング／リターゲティング

インターネット広告は、ターゲティングの精度を上げるために技術開発が続けられています。従来からの属性情報によるターゲティングだけではなく、Webサイト上の行動履歴を活用する手法が行動ターゲティングです。

☑ 利用者の行動履歴を活用してターゲティング

行動ターゲティング（Behavioral Targeting）とは、デジタルマーケティングの手法の１つであり、インターネット上の行動履歴を利用して広告を配信するものです。行動履歴は、Webサイトの閲覧履歴や検索履歴、広告への反応履歴など多岐にわたります。行動履歴から利用者の興味や関心を推測してグループ化し、それに合わせて最適な広告を配信することで広告効果を高めます。

☑ 蓄積された行動履歴をもとに広告を表示

行動ターゲティングを活用したものとして、リターゲティング広告がよく使われています。リターゲティング広告とは、自社のWebサイトを訪れたことのある利用者に再訪問を促す広告です。リターゲティング広告では、広告主はリターゲティング用の**タグ**を自社サイトに設定します。こうすることで、タグが設定されているWebページを訪れた利用者のデータを蓄積できるようになります。サイト訪問者には、広告用のサーバー（アドサーバー）からCookie（クッキー）が発行されます。Cookieとは、訪問者のコンピューターにデータを一時的に保存させるしくみで、訪問者の識別情報や訪問日などが記録されます。その後、訪問履歴のある利用者が、**アドネットワーク**に提携している別サイトを閲覧すると、Cookieのデータがアドサーバーに送信され、自社サイトの広告が表示されます。

リターゲティング広告以外にも、コンテンツ連動型広告に行動ターゲティングの要素を組み合わせた興味関心連動型広告が生み出されるなど、インターネット広告ではターゲティングの精度を上げるためのさまざまな試みが続けられています。

タグ
Webページを表示するための言語であるHTMLなどで使用される“<”と“>”で囲まれたさまざまな指示の総称。

アドネットワーク
複数のWebサイトを広告配信対象としてネットワークを構築し、広告を配信するサービス（P.108参照）。

行動ターゲティングを利用したリターゲティング広告

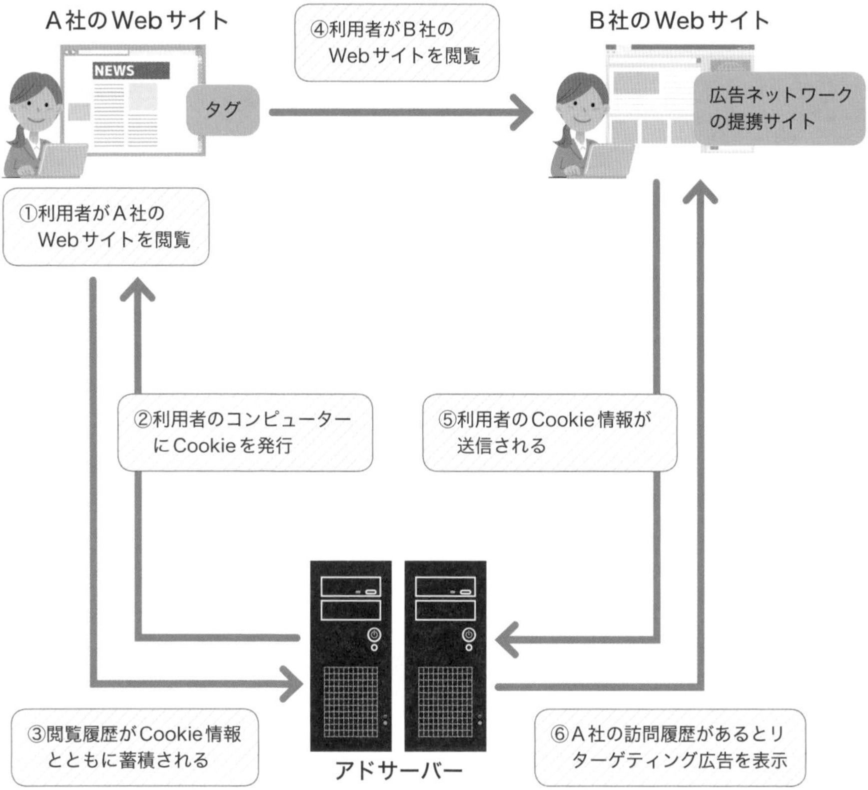

A社のWebサイト
NEWS
タグ
④利用者がB社のWebサイトを閲覧
B社のWebサイト
広告ネットワークの提携サイト
①利用者がA社のWebサイトを閲覧
②利用者のコンピューターにCookieを発行
⑤利用者のCookie情報が送信される
③閲覧履歴がCookie情報とともに蓄積される
アドサーバー
⑥A社の訪問履歴があるとリターゲティング広告を表示

ONE POINT

コンテンツ連動型広告と興味関心連動型広告

コンテンツ連動型広告は、Webサイトのコンテンツの文脈やキーワードなどを解析し、コンテンツと関連性の高い広告を自動的に配信する手法です。また、興味関心連動型広告は、コンテンツ連動型広告に行動ターゲティングの要素である「過去の閲覧ページ」や「検索したキーワード」などを組み合わせた広告手法です。

関連用語 検索連動型広告（P.94）、アドネットワーク／アドエクスチェンジ（P.108）

21 レコメンデーション

インターネットは、テレビや新聞、雑誌などのマスメディアの広告では難しかったさまざまなマーケティング手法を生み出しています。その代表的なものがパーソナライズとレコメンデーションです。

個人ごとに情報を変えて商品を勧める

インターネット技術の進歩により、パーソナライズ（個別化）やレコメンデーションなどの新しいマーケティング手法が生まれています。**パーソナライズ**とは、ネットサービスやEコマースにおいて、利用者の登録情報や商品の購入履歴、Webサイトの閲覧履歴などのデータから判断し、個人ごとに異なる情報を提示することです。これらの利用者データをもとに、嗜好や興味・関心などに合致するコンテンツや商品、サービスなどを提示することをレコメンデーションといいます。

パーソナライズ
AIの発達などにより、利用者一人ひとりに最適化された商品を提供するサービスが増加傾向にある。

たとえば、Amazonで商品を検索すると、商品情報以外に「おすすめ商品」が表示されます。これは、Amazonが独自のレコメンド機能（おすすめ機能）を使い、個人の検索履歴や購入履歴などに基づいておすすめの商品を提示しているのです。また、動画配信サービスのNetflix（ネットフリックス）、AmazonのPrime Video（プライム ビデオ）、音楽配信サービスのSpotify（スポティファイ）などは、膨大な利用者データをもとに、このレコメンド機能を駆使して、個人レベルの興味・関心に合致するようなお勧めの動画や音楽を提示しています。

嗜好が似ている人の行動履歴を活用

レコメンデーションには、協調フィルタリングという手法が使われています。協調フィルタリングは、利用者と嗜好などが似ているほかの利用者の行動履歴から、お勧めの商品を選定するものです。Eコマースの場合、アイテムベース協調フィルタリングが使われます。これは利用者の購入履歴をもとに、購入した商品と別の商品との間の類似度を計算し、類似度の高いものをお勧めする手法です。

≫ レコメンデーションの考え方

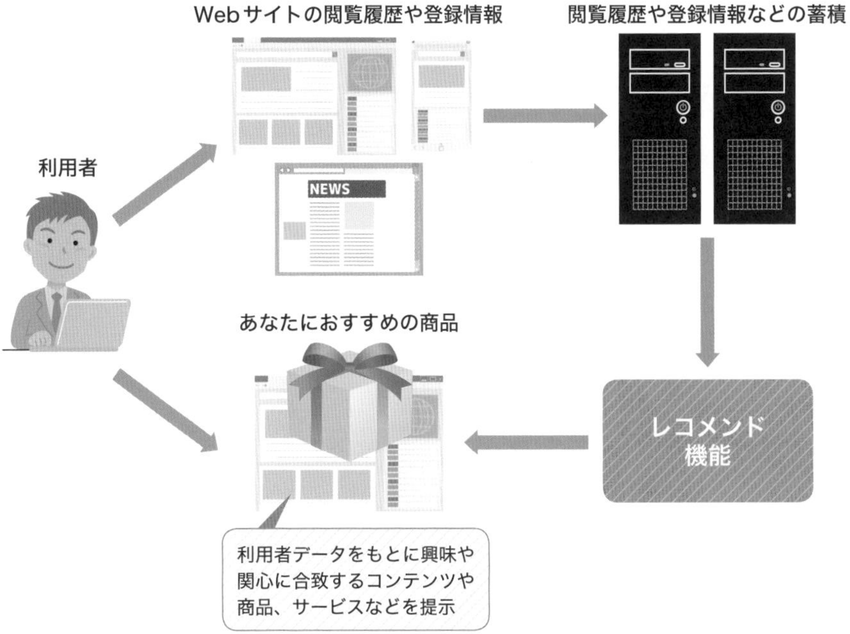
Webサイトの閲覧履歴や登録情報
閲覧履歴や登録情報などの蓄積
利用者
NEWS
あなたにおすすめの商品
レコメンド
機能
利用者データをもとに興味や
関心に合致するコンテンツや
商品、サービスなどを提示

≫ ユーザーベース協調フィルタリングのイメージ

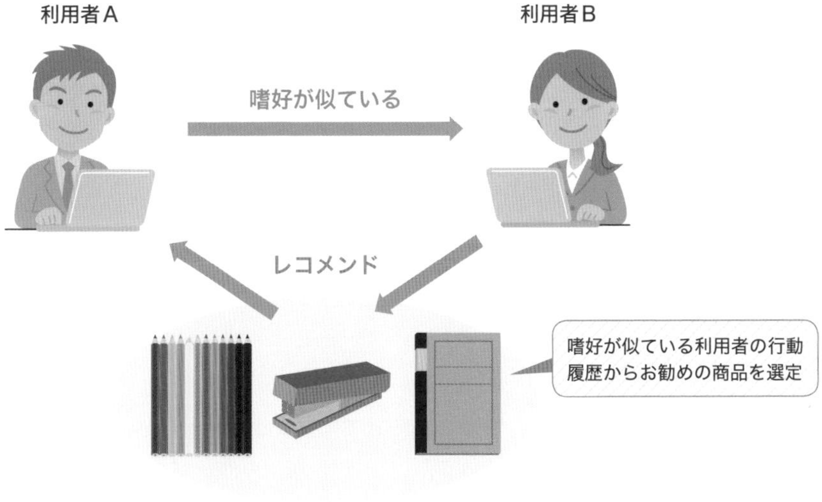
利用者A
利用者B
嗜好が似ている
レコメンド
嗜好が似ている利用者の行動
履歴からお勧めの商品を選定

関連用語 行動ターゲティング（P.104）

22 アドネットワーク／アドエクスチェンジ

Webサイトでは、コンテンツを配信するサーバーと広告を配信するサーバーが異なります。これにより、コンテンツと切り離して広告配信が行えます。アドネットワークはインターネットならではの広告配信システムです。

Webサイトの広告配信をネットワーク化

インターネット上には、多数のWebサイトが存在します。これらのWebサイトを集め、広告配信のネットワークを構築したものがアドネットワークです。Webページは、ニュースなどの情報が掲載されるコンテンツスペースと、広告が掲載される広告スペースに分かれて構成されています。一般的にコンテンツスペースにはWebサーバーが情報を配信し、広告スペースには**アドサーバー**が情報を配信します。広告情報を別のサーバーから配信することで、コンテンツスペースへのアクセスから切り離して広告配信をコントロールできるようになっているのです。

アドサーバー
Webサイトに広告を配信するためのサーバー（P.104参照）。配信だけではなく、広告の入稿、管理、販売、分析などの機能もある。

アドネットワークは、さまざまなWebサイトの広告を、１つのアドサーバーでネットワーク化し、広告の在庫管理や出稿管理などを行います。複数のWebサイトを１つのメディアのように扱え、さまざまなジャンルのWebサイトへ同時に広告を配信できるようになります。またWebサイトの運営者も、第三者に広告管理を任せることで、マネタイズや広告管理などの負荷が軽減され、コンテンツ制作に専念できるというメリットがあります。

ネット広告用のマーケットプレイス

アドエクスチェンジという広告ネットワークも広く活用されています。これは、Webサイトの運営者の持つ広告枠の在庫を一元管理し、オークション形式で売買できるインターネット広告用のマーケットプレイスです。アドネットワークと似ていますが、アドエクスチェンジは広告枠を提供する側（運営者やアドネットワーク）が広告の在庫を預け、広告を出稿したい側（広告主や広告会社など）が広告枠を競り落とす市場のような存在です。

アドネットワークのしくみ

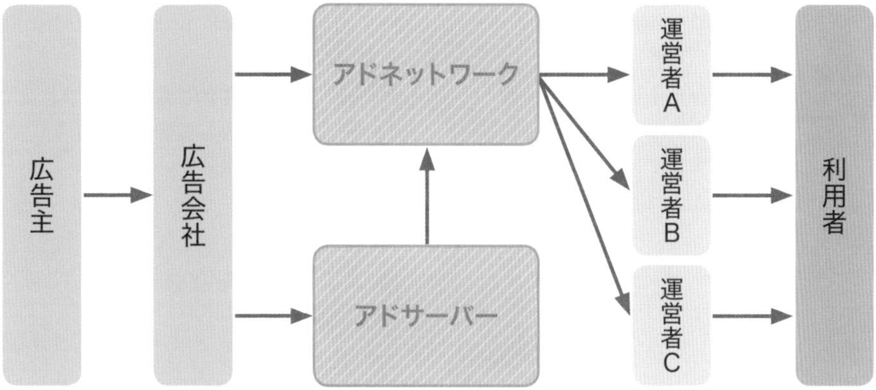

広告主
広告会社
アドネットワーク
アドサーバー
運営者A
運営者B
運営者C
利用者

アドエクスチェンジのしくみ

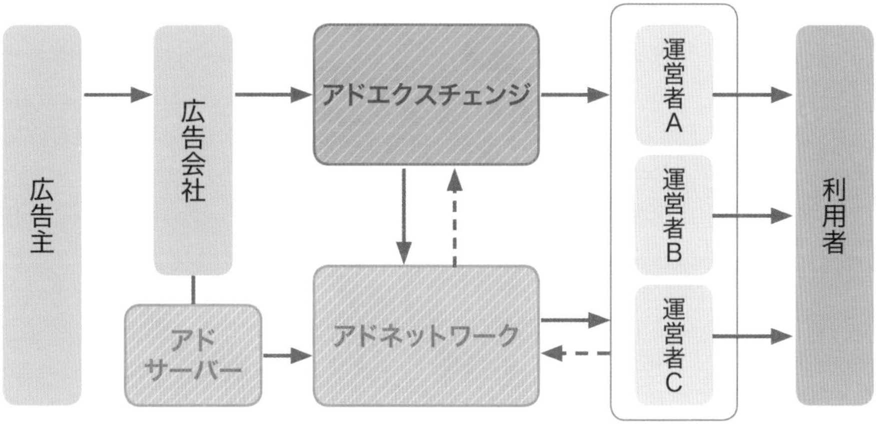

広告主
広告会社
アドサーバー
アドエクスチェンジ
アドネットワーク
運営者A
運営者B
運営者C
利用者

ONE POINT

アドエクスチェンジのメリット

アドエクスチェンジのメリットとして、Webサイトの運営者にとっては広告在庫の販売機会を拡大できるだけではなく、オークション形式のため、想定以上の収益が入る可能性も生まれます。広告主にとっては、大手Webサイトからアドネットワーク、ニッチメディアなどまで、幅広い広告出稿が可能になります。アドエクスチェンジにより、さまざまな媒体を横断的に広告出稿ができるようになるだけではなく、広告のターゲティングもより多彩にできるようになりました。

関連用語 DMP (P.100)、行動ターゲティング／リターゲティング (P.104)

23 スクレイピング

スクレイピングとは、Webサイト上のコンテンツ（文字や画像、リンクなど）から情報を収集する技術のことです。企業では、収集した情報を分析し、マーケティングや自社サービスの改善などの目的で利用しています。

☑ インターネット上に散在する情報を収集・整形

スクレイピングとは元来、収集したひとまとまりのデータを解析し、必要な部分だけを取り出したり、データの一部を置き換えたり並べ替えたりして、データを目的に合った形式に整形することをいいます。IT分野ではとくに「Webスクレイピング」の意味で用いられることが多く、Web上で公開されているデータに対し、ソフトウェアで処理しやすい形式に整形したり必要なデータだけを抽出したりする技術を指します。

整形
データを並べ替えたり抜き出したりして、目的に合わせてデータの形式を整えることを指す。たとえば、データの中から特定のキーワードを含むものだけを抽出することなどをいう。

スクレイピングの例としては、ECサイトから商品情報を収集して価格表を作成するといったものや、ニュースサイトから見出しを一覧にしたり、キーワードを抽出してトレンドを分析したりといったものが挙げられます。検索エンジンもスクレイピングを利用した代表的なサービスです。

☑ スクレイピングを行う方法

スクレイピングは、①Webサイトからデータを収集、②収集したデータを解析して整形、③整形したデータを保存、という3つの作業から構成されます。

これらの作業行うには、既存のツールを利用するか、Python（パイソン）やJavaScript（ジャバスクリプト）などのプログラミング言語を使い、独自にスクレイピングを行うプログラムを作成します。Webページを記述する形式はWebサイトごとに異なるため、対象や目的に合わせて個別にプログラムを開発するケースが多いといえます。

なお、Webサイトから収集したデータを利用する際には、Webサイトの利用規約や著作権法など、さまざまな法律を遵守しなければなりません。

》スクレイピングの流れ

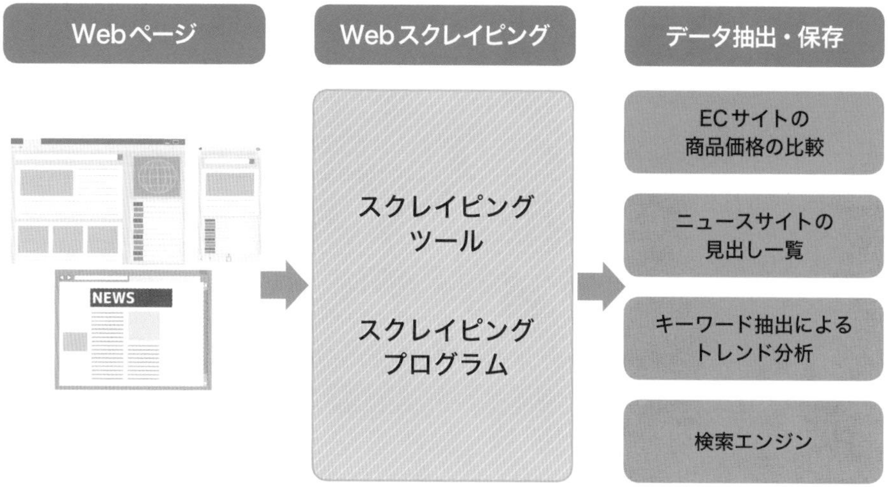
Webページ
Webスクレイピング
データ抽出・保存
NEWS
スクレイピング
ツール
スクレイピング
プログラム
ECサイトの
商品価格の比較
ニュースサイトの
見出し一覧
キーワード抽出による
トレンド分析
検索エンジン

》スクレイピングの具体例

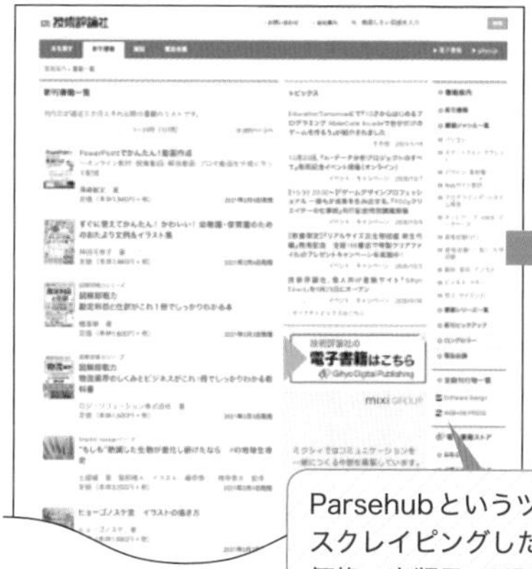

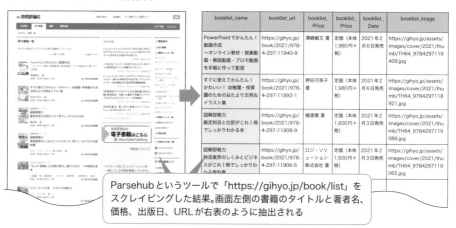

booklist_name	booklist_url	booklist_Price	booklist_Price	booklist_Date	booklist_image
PowerPointでかんたん！動画作成 ～オンライン教材・授業動画・解説動画・プロモ動画を手軽に作って配信	https://gihyo.jp/book/2021/978-4-297-11940-9	澤崎敏文 著	定価（本体1,980円＋税）	2021年2月6日発売	https://gihyo.jp/assets/images/cover/2021/thumb/TH64_9784297119409.jpg
すぐに使えてかんたん！かわいい！ 幼稚園・保育園のためのおたより文例&イラスト集	https://gihyo.jp/book/2021/978-4-297-11892-1	押田可奈子 著	定価（本体1,980円＋税）	2021年2月6日発売	https://gihyo.jp/assets/images/cover/2021/thumb/TH64_9784297118921.jpg
図解即戦力 勘定科目と仕訳がこれ1冊でしっかりわかる本	https://gihyo.jp/book/2021/978-4-297-11908-9	樋渡順 著	定価（本体1,600円＋税）	2021年2月3日発売	https://gihyo.jp/assets/images/cover/2021/thumb/TH64_9784297119089.jpg
図解即戦力 物流業界のしくみとビジネスがこれ1冊でしっかりわかる教科書	https://gihyo.jp/book/2021/978-4-297-11906-5	ロジ・ソリューション株式会社 著	定価（本体1,500円＋税）	2021年2月3日発売	https://gihyo.jp/assets/images/cover/2021/thumb/TH64_9784297119065.jpg

Parsehubというツールで「https://gihyo.jp/book/list」をスクレイピングした結果。画面左側の書籍のタイトルと著者名、価格、出版日、URLが右表のように抽出される

ONE POINT

スクレイピングとクローリング

スクレイピングに似た意味で「クローリング」という言葉もあります。クローリングはさまざまなWebサイトを巡回して情報を収集することが目的であるのに対し、スクレイピングは収集した情報を分析し、必要な情報を抽出することまでを含みます。

関連用語 SEO／SEM (P.92)、データマイニング (P.206)、Python (P.220)

2段階認証

2段階認証とは、情報システムなどで利用者の認証を行う際に、異なる2つの認証を組み合わせる方式のことです。1回の認証に比べ、セキュリティレベルが高まるため、普及が急速に進んでいます。

☑ 2段階に分けて認証を行うしくみ

情報システムなどにログインする場合、利用者は一般的にユーザーIDとパスワードを入力して認証を行います。2段階認証では、このパスワードの認証に続けて、さらに指紋やSMS（ショートメール）などによる認証を行います。

2段階認証にはいくつかの方法があり、主に次の2とおりに分けられます。

①IDとパスワードといった同じ種類の認証を2回行う。

②異なる種類の認証（IDとパスワード、指紋などの**生体情報**、SMSなど）を2つ組み合わせる。

生体情報
指紋や眼の虹彩、顔、指静脈、声など、生体が発する固有の情報のこと。

☑ 2段階認証が必要とされる理由

2段階認証が求められる背景として、急激に高まっているセキュリティリスクがあります。企業にとってセキュリティリスクがあると、ビジネスの存続が危ぶまれるほどの危機に陥るケースもあります。

セキュリティリスクの1つに、第三者が別の人のアカウントを悪用し、犯罪などを起こす「**なりすまし**」があります。このなりすましを防ぐ方法として採用されているのが2段階認証です。

なりすまし
第三者が別の人のアカウントを詐称して利用する行為こと。たとえば、第三者が別の人のユーザーIDとパスワードを盗み見てWebサービスにログインするなどが挙げられる(P.126参照)。

単一の認証のみでは、何らかの方法で突破されることがあるため、2段階認証では、1つの認証が突破されても、もう1つの認証でブロックできるようにしています。万が一、ユーザーIDやパスワードの情報が漏洩（ろうえい）しても、2段階目の認証で阻止できるので、不正ログインや乗っ取りなどの被害を防ぎやすくなります。

認証方法には、一般的によく使われるパスワードに加え、スマートフォンでよく使われる認証コード、生体情報などがあります。

2段階認証のしくみ

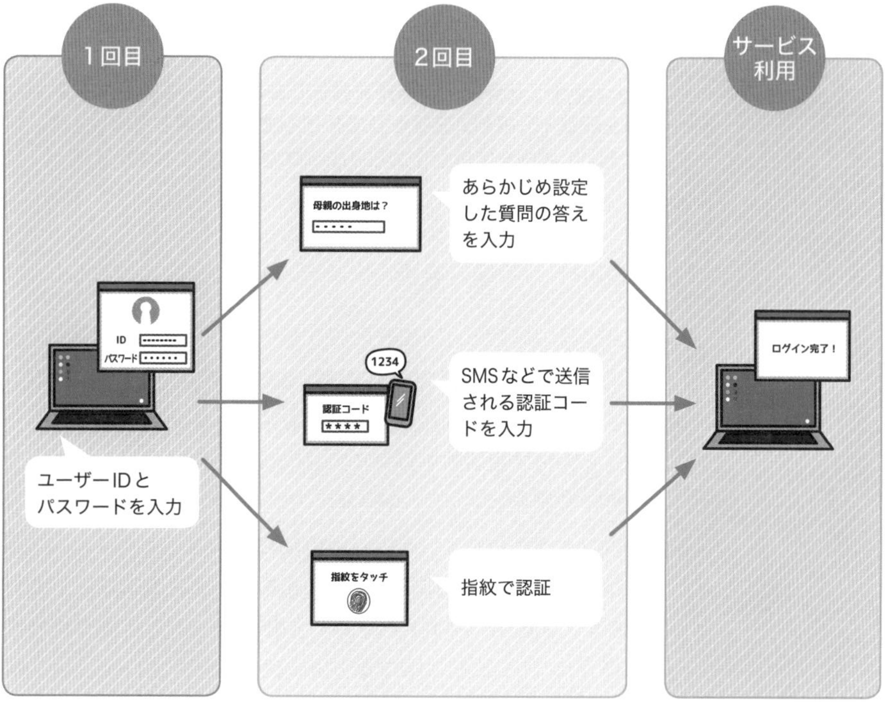
1回目
2回目
サービス利用
ID
パスワード
ユーザーIDとパスワードを入力
母親の出身地は？
あらかじめ設定した質問の答えを入力
1234
認証コード
SMSなどで送信される認証コードを入力
指紋をタッチ
指紋で認証
ログイン完了！

ONE POINT

2段階認証と2要素認証の違い

２段階認証は、認証を２段階に分けて行うことにより、セキュリティの強化を図る方法です。一方、２要素認証は、異なる２種類の認証を組み合わせる方式です。

２要素認証の身近な例としては、銀行のATMがあります。預金者本人が所有するICチップが埋め込まれたキャッシュカード、本人しか知らない暗証番号に加え、本人の指静脈情報を認証手段として使う場合があります。

2段階認証	２段階の認証を行うこと。認証方式は同じでも異なるものでもよい。「ユーザーID」と「パスワード」という認証を２段階に分けて行うことも２段階認証となる。
2要素認証	「ユーザーID」と「パスワード」の認証に加え、「指静脈」などの生体情報、SMSなど、種類の異なる認証を複数組み合わせた認証のこと。ユーザーIDとパスワードの認証を２回行うのは２要素認証にはならない。

関連用語 顔認証（P.56）、シングルサインオン（P.120）

25 CSIRT（Computer Security Incident Response Team）

シーサート

CSIRTとは、セキュリティ上の問題が発生した場合に、すみやかに問題に対する情報を収集・分析し、迅速な対応をとるための組織を意味します。情報セキュリティの問題を組織全体で取り扱うことが注目されています。

☑ CSIRTの登場と発展

インシデント
重大な事故に発展する可能性のある緊急事態や事件などを指す。情報セキュリティ分野では、ネットワークなどのセキュリティを脅かす事象を意味する。

CSIRTは、コンピューターセキュリティに関する**インシデント**に対応するための組織の総称です。インシデントに関する報告、脆弱性の情報、攻撃予兆の情報などを常に収集・分析し、対応策を検討・実施する活動を行います。

CSIRTの歴史は古く、1988年にアメリカでモリスワームというマルウェアが発生し、その対応のためにカーネギーメロン大学内に設置されたCERT/CC（コーディネーションセンター）が世界最初のCSIRTといわれています。その後、世界各国で同様のCSIRTがつくられるようになりました。1990年には、各国のCSIRTをまとめ、他国との情報共有などを行うためのFIRST（Forum of Incident Response and Security Teams）という国際的な組織が設立されました。日本では、1996年にJPCERT/CCという国内におけるインシデントレスポンスを担当する組織が発足し、2007年には日本で活動するCSIRT間の情報共有および連携を図ることを目的とした日本シーサート協議会が発足しました。

☑ CSIRTの構築や運用に関するガイドライン

JPCERT/CCは、CSIRT構築に関するガイドラインを「CSIRTマテリアル」として公開しており、「構想」「構築」「運用」の3フェーズに分けて、組織内CSIRTの各種資料を提供しています。たとえば、構築フェーズに関する資料では、組織内CSIRTの必要性を理解させ、活動内容や要員を具体化し、構築を進めていく具体的な手順や参考となる文書テンプレートなどを紹介しています。運用フェーズでは、インシデント管理フローに関するガイドを提供しています。

» CSIRTの体制

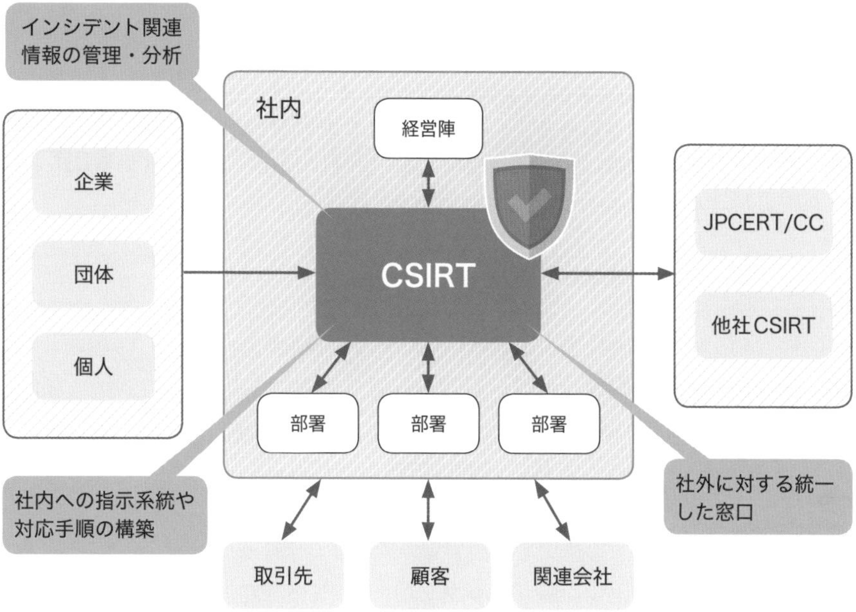
インシデント関連
情報の管理・分析
社内
経営陣
企業
団体
個人
CSIRT
JPCERT/CC
他社CSIRT
部署
部署
部署
社内への指示系統や
対応手順の構築
社外に対する統一
した窓口
取引先
顧客
関連会社

» CSIRTの役割

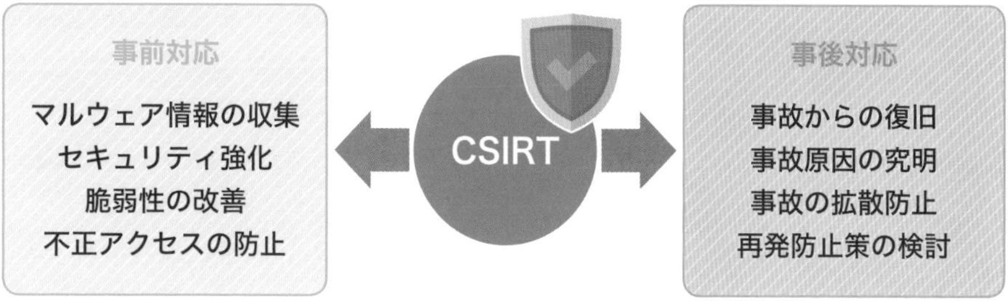
事前対応
マルウェア情報の収集
セキュリティ強化
脆弱性の改善
不正アクセスの防止
CSIRT
事後対応
事故からの復旧
事故原因の究明
事故の拡散防止
再発防止策の検討

ONE POINT

CSIRTの特徴

JPCERT/CCの「CSIRTガイド」によると、これまでの情報セキュリティ対策は、不正アクセスの防止のような事前対応が中心でした。これに対し、CSIRTの活動は、事故発生中の対応や事故からの復旧、事故原因の究明、再発防止策の検討など事後対応まで含まれます。組織を1つの村と考えると、CSIRTの活動は「自衛消防団」などにたとえることができます。

関連用語 マルウェア（P.118）

26 CSMA/CA（Carrier Sense Multiple Access/Collision Avoidance）

シーエスエムエー シーエー

無線LANは有線LANと異なり、物理的なケーブルで接続されていないため、通信の衝突を避けるしくみが必要になります。CSMA/CAはこのしくみの1つで、無線LANの通信規格であるIEEE 802.11で使われている方式です。

信号の衝突を回避する方式

複数の端末が同時にデータを送信すると、電波が干渉して受信側が信号を受け取れないという問題が発生します。有線LANの場合は、端末が物理的なケーブルで接続されているので、CSMA/CD（Collision Detection）のように信号の衝突を電圧の変化で検出できますが、無線LANではそれができません。そこで信号の衝突を検出するのではなく、なるべく衝突しないように回避（Collision Avoidance）するという方式が採用されています。

CSMA/CD
有線LANなどで採用されている方式。通信を行う端末は通信経路上の空きを見つけてデータ送信を行う。経路上にほかの信号がある場合は送信を中止していったん待機する。

CSMA/CAでは、直前の通信の一定時間後に複数の端末が一斉に送信することを防止するため、各端末は通信経路が一定以上継続して空いていることを確認してからデータを送信します。

CSMA/CAの衝突回避の方式

CSMA/CAでは、まず通信経路上に信号が流れていないことを確認し、ランダムな待ち時間のあとにデータ送信を開始します。この待ち時間をDIFS（Distributed coordination function Inter Frame Space）と呼びます。次に、アクセスポイントでデータ受信が完了すると、アクセスポイントは同じ通信経路上のすべての端末に確認応答（ACK）を送信します。そして、端末がアクセスポイントからACKを受信すると、ランダムな待ち時間（back off）のあとにデータ送信を開始します。このように、あらかじめ信号が流れていないことを確認することで、衝突を回避しています。

なお、回避の方式にはいくつかの種類があります。上記の方式は、正しくはCSMA/CA with ACKと呼ばれます。これ以外にも、電波が届きにくい端末があり、通信制御がうまくいかない場合のCSMA/CA with RTS/CTSという方式などがあります。

» CSMA/CAの衝突回避の方式

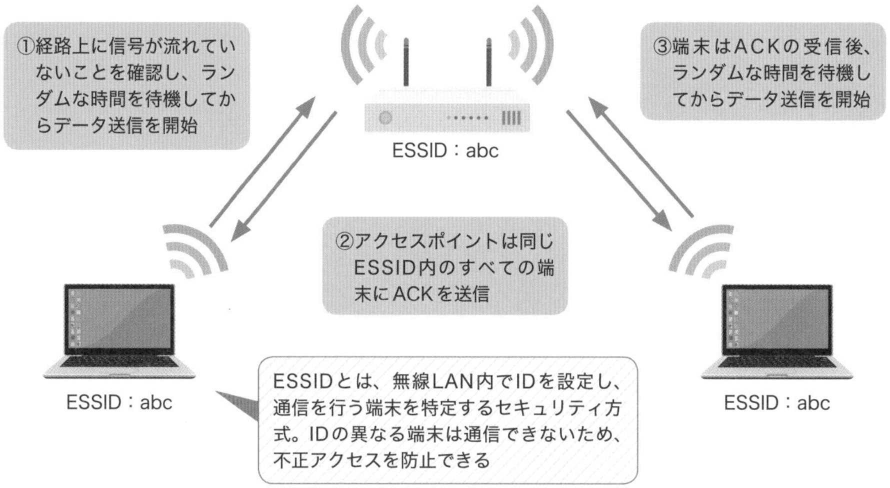
①経路上に信号が流れていないことを確認し、ランダムな時間を待機してからデータ送信を開始
ESSID：abc
③端末はACKの受信後、ランダムな時間を待機してからデータ送信を開始
②アクセスポイントは同じESSID内のすべての端末にACKを送信
ESSID：abc
ESSIDとは、無線LAN内でIDを設定し、通信を行う端末を特定するセキュリティ方式。IDの異なる端末は通信できないため、不正アクセスを防止できる
ESSID：abc

» CSMA/CA with RTS/CTSの衝突回避の方式

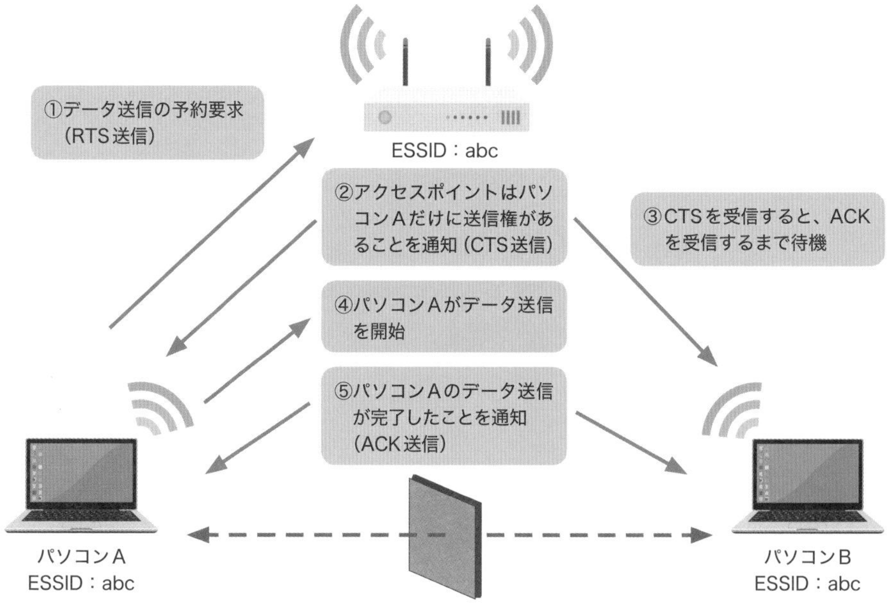
①データ送信の予約要求（RTS送信）
ESSID：abc
②アクセスポイントはパソコンAだけに送信権があることを通知（CTS送信）
③CTSを受信すると、ACKを受信するまで待機
④パソコンAがデータ送信を開始
⑤パソコンAのデータ送信が完了したことを通知（ACK送信）
パソコンA
ESSID：abc
パソコンB
ESSID：abc

関連用語 プロトコル（P.66）、無線LAN（P.82）、Wi-Fi 6（P.84）

27 マルウェア

マルウェアは、不正かつ有害に動作させることを意図して作成されたソフトウェアやコードの総称です。さまざまな手法でコンピューターに侵入し、スパムの配信や情報窃取、遠隔操作などを自動的に実行します。

コンピューターに不正な動作を行わせる

マルウェアとは、「Malicious Software」(悪意のあるソフトウェア)の略で、悪意のもとで作成され、コンピューターに不正・有害な動作を行わせるプログラムのことです。マルウェアには、コンピューターウイルスやワーム、トロイの木馬、スパイウェア、ランサムウェア、バックドアなど、さまざまな種類があります。コンピューターウイルスが悪意のあるソフトウェアであることに間違いありませんが、ワームやトロイの木馬などとはしくみが異なるため、マルウェアとウイルスは同義ではありません。

ランサムウェア
パソコンなどに異常を起こさせ、それを復元するための代金を要求する画面を表示させるマルウェア。

バックドア
悪意のある攻撃者が正規の認証手続きを踏まずにパソコンなどに侵入できる裏口のこと。

マルウェアの種類

マルウェアの種類として代表的なものは、次の4種類です。

①**コンピューターウイルス**:プログラムの一部を書き換え、自己増殖します。自立して存在するものではなく、既存のプログラムの一部を改ざんして入り込み、自分の分身をほかのプログラム内に作成して増えていきます。

②**ワーム**:自己増殖し、誤動作を起こさせる要因となるプログラムを増やします。自身を複製する点ではコンピューターウイルスと同じですが、自立して存在できる点が異なります。

③**トロイの木馬**:一見して問題のないソフトウェアやファイルなどに偽装してコンピューター内に侵入し、しばらくして有害な動作を始めます。ギリシャ神話の「トロイの木馬」が語源です。自己増殖機能はなく、発見後の駆除は難しくありません。

④**スパイウェア**:コンピューター内に侵入し、情報収集や設定変更などを行います。また、不正に広告を表示するアドウェアもスパイウェアに含まれます。

自立して存在
それ自身がコンピューターにインストールされて活動すること。

アドウェア
広告を目的とした通常は無料のソフトウェアのこと。

》マルウェアの種類

コンピューターウイルス
- 自己増殖する
- 自立して存在できない

ワーム
- 自己増殖する
- 自立して存在する

トロイの木馬
- 自己増殖しない
- 偽装して活動

スパイウェア
- 自己増殖しない
- 情報収集や設定変更などを行う

》スパイウェアとは

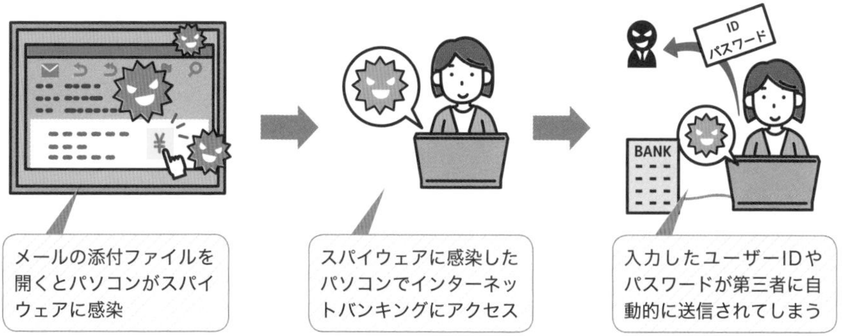
ID
パスワード
BANK
メールの添付ファイルを開くとパソコンがスパイウェアに感染
スパイウェアに感染したパソコンでインターネットバンキングにアクセス
入力したユーザーIDやパスワードが第三者に自動的に送信されてしまう

ONE POINT

マルウェアに感染しないために

マルウェアに感染すると、金銭的な被害のみならず、信用も大きく損なわれます。マルウェアに感染しないように予防策を講じることが必要です。

- 不審なメールに添付されたファイルやリンクなどを開かない
- 常にOSやシステムを最新バージョンにアップデートしておく
- セキュリティソフトをインストールしておく
- 重要なファイルは暗号化しておく
- 機密情報が保存されているサーバーは、許可のない端末から隔離しておく

関連用語 CSIRT (P.114)、SSL/TLS (P.122)、フォレンジック (P.124)

Chapter3

28

シングルサインオン

シングルサインオンは、1回の認証を行うだけで、さまざまなサービスやアプリケーションなどを利用可能にする技術です。複数のIDやパスワードを管理する手間がなくなり、情報漏洩（ろうえい）のリスクを減らすことができます。

☑ 1回の認証で複数のシステムを利用できる

企業の業務システムやクラウドサービスなどを利用する際、自分のパソコンへのログイン、業務システムへのアクセス、サーバーのデータ閲覧など、複数のシステムを利用するたびに認証作業が必要になるケースがあります。このとき、利用者はいくつものIDとパスワードを使い分けなければならず、パスワードを簡略化したり使い回したり、パスワードのメモを残したりなど、セキュリティに関して好ましくない事態につながりかねません。

シングルサインオンは、複数のシステムで利用できる認証基盤を用意し、利用者の1回の認証作業で複数のシステムにアクセスできるようにする技術です。管理するIDとパスワードは1つで済むので、管理の負担が軽減され、利便性も向上します。また、システム管理者にとっても、パスワード忘れのフォローなど、アカウント管理の負担が減り、生産性が向上します。

☑ シングルサインオンを実現するしくみ

シングルサインオンを実現するしくみはいくつか存在します。たとえば、エージェント方式は、Webアプリケーションで用いられる方式で、Webサーバーへの認証を代行するエージェントソフトを組み込み、このソフトウェアがサーバーに対してユーザーのログイン、アクセス権限、認証状態を問い合わせます。また、リバースプロキシ方式は、WebブラウザとWebアプリケーションサーバーの間にリバースプロキシサーバーを設置し、ここにエージェントソフトを導入します。そのほか、フェデレーション方式やIDaaS（アイダース）（Identity as a Service）と呼ばれる、IDの管理やシングルサインオンをクラウド上で行えるサービスもあります。

Webアプリケーションサーバー
Webアプリケーション（Webアプリ）はインターネット経由で利用できるソフトウェアのこと。それらを管理するサーバーがWebアプリケーションサーバーである。

》シングルサインオンとは

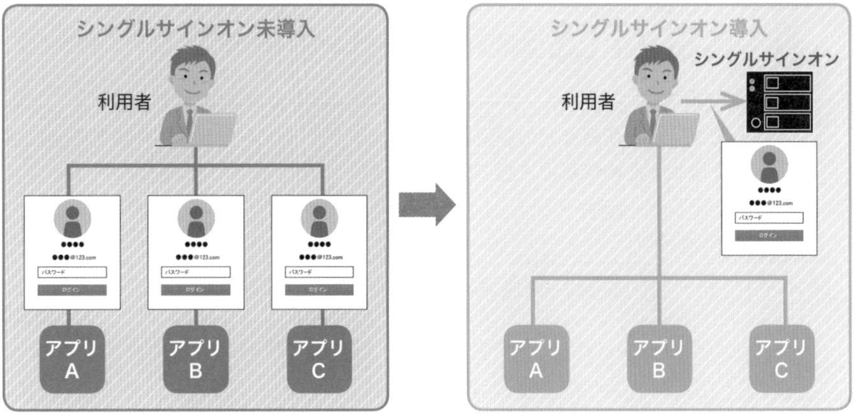
シングルサインオン未導入
利用者
アプリ A
アプリ B
アプリ C
シングルサインオン導入
シングルサインオン
利用者
アプリ A
アプリ B
アプリ C

》フェデレーション方式のしくみ

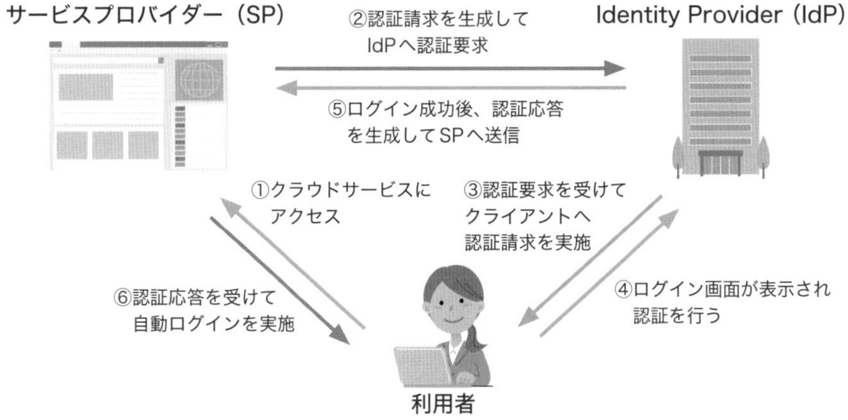
サービスプロバイダー（SP）
Identity Provider（IdP）
②認証請求を生成して IdPへ認証要求
⑤ログイン成功後、認証応答を生成してSPへ送信
①クラウドサービスにアクセス
③認証要求を受けてクライアントへ認証請求を実施
⑥認証応答を受けて自動ログインを実施
④ログイン画面が表示され認証を行う
利用者

ONE POINT

フェデレーション方式

フェデレーション方式は、クラウドサービス間の連携など、統合されたアカウント管理システムを利用できない場合に用いられます。利用者がサービスプロバイダー（SP）へアクセスすると、SPは利用者のアカウント情報を管理するIdentity Provider（IdP）へ認証要求を送信します。そして、IdPが利用者のパソコンやスマートフォンに専用のログイン画面を表示させ、認証を促します。認証が成功すれば、IdPはSPに対して認証応答を送信し、SPがそれを受け取ると自動ログインを実行します。

関連用語 ２段階認証（P.112）、フォレンジック（P.124）

SSL/TLS(Secure Sockets Layer/Transport Layer Security)

エスエスエル　ティーエルエス

SSL/TLSとは、インターネット上でデータを暗号化して送受信するしくみです。個人情報などの重要なデータをクライアントとサーバー間で安全に送受信するために利用されています。

☑ 盗聴、改ざん、なりすましを防ぐ技術

HTTP
Webサーバーと Webブラウザ間でデータを送受信するときに使われるプロトコル。

SMTP
メールサーバーとメールソフト間において、メールを送信するときに使われるプロトコル。

SSLは、HTTPやSMTPなどの通信規約において、安全なデータの送受信を実現するための暗号化のしくみです。データの盗聴や改ざん、なりすましなどの防止を目的としています。

SSLはWebのビジネス活用が注目され始めた1994年に、商用データの保護を目的としてネットスケープ・コミュニケーションズが開発しました。SSL1.0は公開されることがなく、SSL2.0が1995年当時、Webブラウザとして多くの人に利用されていたNetscape Navigator(ネットスケープ ナビゲーター)に実装されました。その後、SSL3.0へと改良が進みましたが、2014年に脆弱性が発見されたため、SSL3.0への対応は打ち切られ、以降はTLSへと移行しました。

WebサイトでSSLを利用する場合、通信の暗号化に必要な鍵と、Webサイトの運営者情報を含むSSLサーバー証明書が必要となります。SSLサーバー証明書は、信頼のおける第三者機関がサーバー運営者を審査したうえで発行します。SSLの暗号化通信が確立されているかどうかは、Webブラウザに表示される鍵マークや、URLが「https://」で始まっているかどうかで確認できます。

☑ TLSはSSLの後継規格

TLSとは、インターネットなどのTCP/IPネットワークでデータを暗号化して送受信するしくみです。SSLの後継規格として1999年にTLS1.0がリリースされ、現在はTLS1.3が最新版です。

ハッシュ関数
入力されたデータをもとに、特定のルールで変更された値を返す関数。暗号化などに利用される(P.173参照)。

TLSはデジタル証明書（公開鍵証明書）による通信相手の認証と、共通鍵暗号（秘密鍵暗号）による通信の暗号化、ハッシュ関数による改ざん検知などの機能があります。SSLという名称が定着していたことで、SSL/TLSと併記されることもあります。

SSLを利用してデータを暗号化

SSL化されていない場合

クレジットカード
情報を入力
盗み見られる状態
クレジットカード情報
1234-5678-9012
利用者
クレジットカード情報
1234-5678-9012

SSL化されている場合

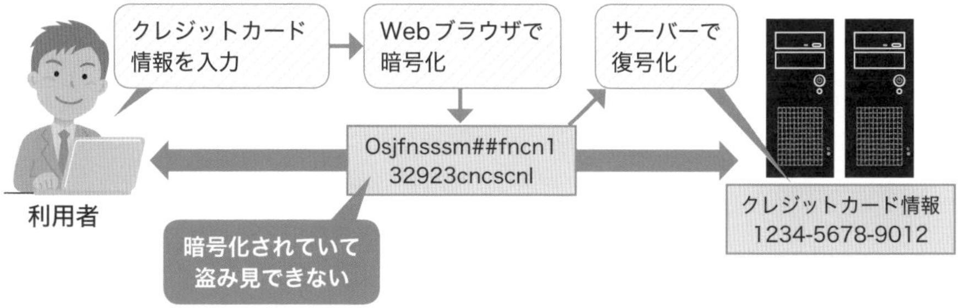
クレジットカード
情報を入力
Webブラウザで
暗号化
サーバーで
復号化
Osjfnsssm##fncn1
32923cncscnl
利用者
暗号化されていて
盗み見できない
クレジットカード情報
1234-5678-9012

TLSのしくみ

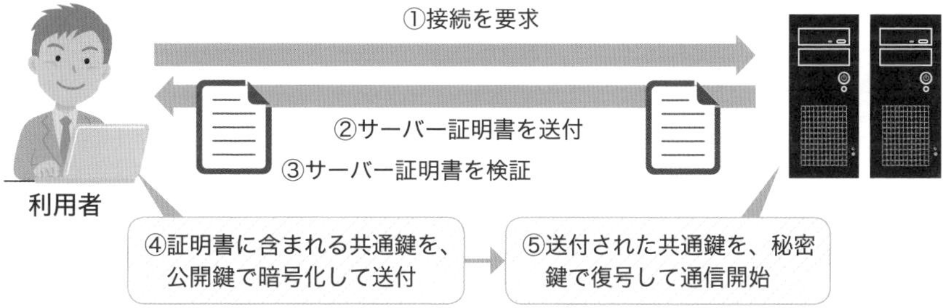
①接続を要求
②サーバー証明書を送付
③サーバー証明書を検証
利用者
④証明書に含まれる共通鍵を、
公開鍵で暗号化して送付
⑤送付された共通鍵を、秘密
鍵で復号して通信開始

ONE POINT

TCP/IP

コンピューターが通信する際の規格や手順をプロトコルといいます。TCP/IPとは、インターネットで標準的に使われているプロトコルで、TCP（Transmission Control Protocol）とIP（Internet Protocol）という2つのプロトコルで構成されています。

関連用語 プロトコル(P.66)、CSIRT(P.114)、フォレンジック(P.124)

30 フォレンジック

事故などが発生した際の調査結果を報告書にまとめ、その法的な証拠を明らかにする手段や技術をフォレンジックといいます。事故発生時の責任の所在を明らかにするだけではなく、不正の抑止力としても重要視されています。

☑ 情報を収集、調査、解析する技術

フォレンジックは、法医学、科学捜査、鑑識を意味する「forensics（フォレンジクス）」が語源です。IT分野では、デジタルフォレンジックとして知られており、情報セキュリティの重大な事故などが発生した際に、コンピューターなどの機器に残るさまざまなデータを収集・検査・分析し、分析結果を報告書としてまとめ、その法的な証拠を明らかにする手段や技術の総称です。

国内では、2004年に特定非営利活動法人デジタル・フォレンジック研究会が発足し、その技術の普及や促進を図っています。

☑ 代表的な3つのフォレンジック

フォレンジックには、大きく分けて次の3種類があります。

①コンピューターフォレンジック

コンピューターに記録された情報を解析する技術です。行われた操作の洗い出しや、隠ぺいなどの目的でハードディスクの情報が削除されていた場合はデータの復元などを行います。

②モバイルデバイスフォレンジック

スマートフォンなどの携帯端末上の情報を解析する技術です。コンピューターフォレンジックと同様、犯罪に悪用された機器を解析し、証拠を保全します。通話履歴、アクセスログ、アプリの使用履歴といった情報を収集し、削除されていた場合はデータの復元を行います。

③ネットワークフォレンジック

ネットワーク上に流れる**パケット**の情報を解析する技術です。パケットが、いつ、どの端末から、どのデータを、どのネットワーク機器を経由して送信したかが明らかになります。

パケット
ネットワーク上でやり取りされる情報やデータの伝送単位。データは複数のかたまりに分割してやり取りされる。

≫ ソーシャルエンジニアリングの主な手法

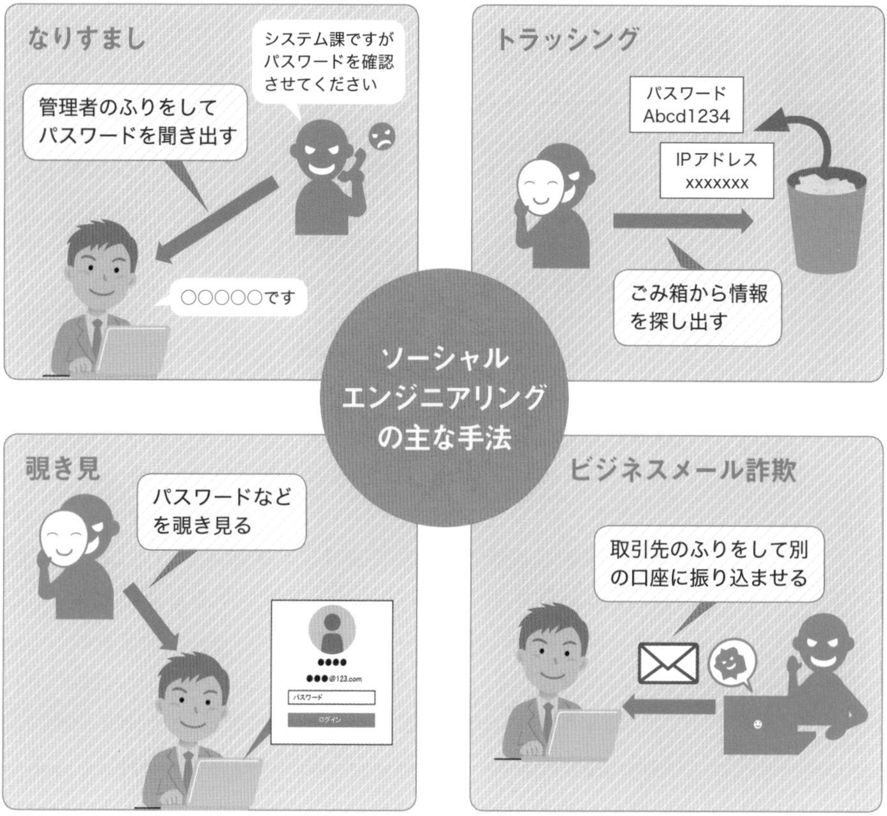

なりすまし
システム課ですがパスワードを確認させてください
管理者のふりをしてパスワードを聞き出す
○○○○○です
トラッシング
パスワード Abcd1234
IPアドレス xxxxxxx
ごみ箱から情報を探し出す
ソーシャルエンジニアリングの主な手法
覗き見
パスワードなどを覗き見る
●●●●
●●●@123.com
パスワード
ログイン
ビジネスメール詐欺
取引先のふりをして別の口座に振り込ませる

総務省 Webページ「国民のための情報セキュリティサイト」をもとに作成

ONE POINT

深刻な被害をもたらすビジネスメール詐欺

ビジネスメール詐欺は、巧妙なだましの手口で企業に偽のメールを送信し、社員をだまして金銭や情報などを詐取するサイバー攻撃です。この手口には、主に5つの種類があります。①取引先の請求書などの偽装、②盗み取ったメールアカウントの悪用、②経営者などへのなりすまし、④社外の権威ある第三者（弁護士や法律事務所など）へのなりすまし、⑤詐欺の準備行為と思われる情報の詐取です。⑤は攻撃対象の企業の経営者や経営幹部などになりすまし、社員の個人情報などを詐取するもので、その後の詐欺の準備として行われます。海外の企業や取引先などになりすましたり、海外支社を攻撃対象にしたりするなど、手口は巧妙であり、日常的に不審なメールへの意識を高めておくことが重要です。

関連用語 マルウェア(P.118)、電子署名(P.172)

eスポーツ

(イー)

コンピューターゲームを競技と捉えるeスポーツは世界中に広まり、市場規模は2021年に10億ドルに達する見込みです。この分野では後進国の日本でも、全国大会が開催されるなど、普及への取り組みが進んでいます。

☑ 高額賞金をきっかけにプロ選手が増加

eスポーツとは、「electronic sports」(エレクトロニックスポーツ)の略で、広義には電子機器を用いて行う娯楽、競技、スポーツ全般を指す言葉です。一般的にはコンピューターゲームやビデオゲームでの対戦をスポーツ競技として捉える際の名称です。

eスポーツはアメリカやヨーロッパ、中国、韓国をはじめ、世界中に拡大し、競技人口だけではなく視聴者も増加しています。先進国であるアメリカでは、国がeスポーツを公式のスポーツとして認めているだけではなく、プロ選手をスポーツ選手として扱っています。ゲームで賞金を獲得する形式のeゲームは、1990年代後半にアメリカで始まりました。その後、ゲームのジャンルが増えるとともに、高額賞金の大会が世界各地で開催されるようになり、競技人口の拡大に拍車がかかりました。eスポーツにおける主なゲームのジャンルとしては次ページのものがあります。

☑ 日本は法律などの要因でeスポーツ後進国

2000年代に入り、韓国などがeスポーツの普及に向けて官民一体で取り組み、大きな市場を築いていったのに対し、日本は大きく後れをとりました。日本では任天堂のファミリーコンピュータなどにより国内にゲーム市場ができ、ゲームメーカー主催によるゲーム大会も開催されてきましたが、あくまでそれはゲームの販売促進が目的でした。現在のeスポーツには、高額な賞金が設定され、それがプロ選手を目指す人を引き付ける要因となっています。しかし日本では、高額賞金の分配や高額賞金の表示による顧客誘引が、法律的に問題を生じるため、開催にさまざまな制約があるのが実状です。

制約
eスポーツに関係する制約として、たとえばeスポーツがゲームソフトの販売促進とみなされ、「不当景品類及び不当表示防止法」により賞金を出す大会が実施できないなどがある。

» eスポーツの大会の様子

VS

iStock.com/ZIIINVN

» eスポーツの主なジャンル

ジャンル	概要	主なタイトル
マルチプレイヤー・オンライン・バトルアリーナ（MOBA）	プレイヤーが２つのチームに分かれ、各プレイヤーがキャラクターを操作し、敵チームの本拠地を破壊するというルールが基本となるゲームジャンル。	「League of Legends」、「Dota 2」、「SMITE」、「Vainglory」
ファーストパーソン・シューティング（FPS）	１人称視点でキャラクターを操作し、銃器などのアイテムを用いて敵対するキャラクターを打倒するゲームジャンル。	「Counter-Strike：Global Offensive」、「Overwatch」、「Call of Duty: WWII」、「PLAYERUNKNOWN'S BATTLEGROUNDS」
コレクタブル・カードゲーム（CCG）	トレーディングカードをデータ化し、アプリケーション内でトレーディングカードを用いて対戦するゲームジャンル。	「Hearthstone」、「Shadowverse」、「GWENT」
格闘ゲーム	キャラクターを操作して相手と格闘し、対戦相手を打倒するゲームジャンル。	「ストリートファイター」シリーズ、「鉄拳」シリーズ、「GUILTY GEAR」シリーズ

COLUMN 3

情報セキュリティ10大脅威

独立行政法人 情報処理推進機構（IPA）は「情報セキュリティ10大脅威」を2006年から毎年公表しています。これは、報告の前年に発生した情報セキュリティ事故や攻撃の状況などから、IPAが脅威の候補を選出し、情報セキュリティの専門家から構成される選考会が順位付けをしています。

この報告では次の脅威を選出しています。

第1位 ランサムウェアによる被害
第2位 標的型攻撃による機密情報の窃取
第3位 テレワークなどのニューノーマルな働き方を狙った攻撃
第4位 サプライチェーンの弱点を悪用した攻撃
第5位 ビジネスメール詐欺による金銭被害
第6位 内部不正による情報漏えい
第7位 予期せぬIT基盤の障害に伴う業務停止
第8位 インターネット上のサービスへの不正ログイン
第9位 不注意による情報漏えいなどの被害
第10位 脆弱性対策情報の公開に伴う悪用増加

第2位の「標的型攻撃による機密情報の搾取」は2012年以降上位3位に必ず入っており、第1位の「ランサムウェアによる被害」も常に上位に位置付けられています。

働き方の変化がもたらす脅威

2020年は新型コロナウイルス感染症の影響でテレワークへの移行が加速しました。自宅からVPN経由での社内システムへのアクセス、Web会議サービスの利用、個人所有のパソコンやスマートフォンの利用など、業務環境も変わりました。しかし、この急激な変化にIT環境の整備やセキュリティ対策が追従できていなかったことも事実です。このため、第3位の「テレワークなどのニューノーマルな働き方を狙った攻撃」、第7位の「予期せぬIT基盤の障害に伴う業務停止」、第8位の「インターネット上のサービスへの不正ログイン」が初のランクインとなりました。　（西村一彦）

第4章

ビジネス＆経済のIT用語

ビジネスや生活におけるITを利用した新しいしくみやサービスなどに関連する用語を取り上げます。ITを活用した革新はさまざまな分野で起こっており、ビジネス戦略を検討するうえで必要とされる知識です。

ビジネス関連

01 テレワーク

新型コロナウイルスの感染拡大の影響により、テレワークを導入する企業が増えています。この動向は一過性のものではなく、仕事のスタイル自体を見直すケースも増加しています。

☑ 自宅などでインターネットを通じて仕事を行う

テレワークとは、「tele」（離れた場所、遠隔）と「work」（勤務）を組み合わせた造語であり、自宅や外出先などからインターネットやモバイル回線などを通じて仕事を行うことです。

テレワークには、従業員の自宅で仕事を行う在宅勤務、移動途中のカフェなどで仕事を行うモバイルワーク、企業が本社と別の場所に設置したオフィスで業務を行うサテライトオフィス勤務などがあります。また、このようにITを活用し、通常、勤務している事務所とは異なる場所で仕事を行う人を「テレワーカー」と呼びます。

テレワークに役立つITサービスには、ビジネス**チャット**や**Web会議**などのコミュニケーションツールがあります。ビジネスチャットには、タスク管理やファイル管理、ビデオ音声通話などが可能なサービスもあります。Web会議ツールは、会議の機能に特化し、参加人数が多くても対応できます。ビジネス用として提供されるツールの多くは、人数による従量課金制となっていますが、無料で利用できるものもあります。

チャット
インターネットを利用したショートメッセージ（短い文章）中心のリアルタイムコミュニケーションのこと。

Web会議
インターネットを介して拠点間をつなぎ、映像や音声でのやり取りや、画面上での資料共有などにより行う会議のこと。

☑ テレワークではセキュリティへの配慮が必要

企業はテレワーク導入において、さまざまな課題を抱えていますが、とくに情報セキュリティへの課題を感じている企業が多くあります。テレワーク関連のサービスを利用するときは、セキュリティ対策に配慮することが重要であり、テレワークにおける社内のセキュリティ管理は、社内ルールの策定、メンバーのルール順守、技術的対策など、ルール・人・技術のバランスのとれた施策が必要となります。

テレワークの形態

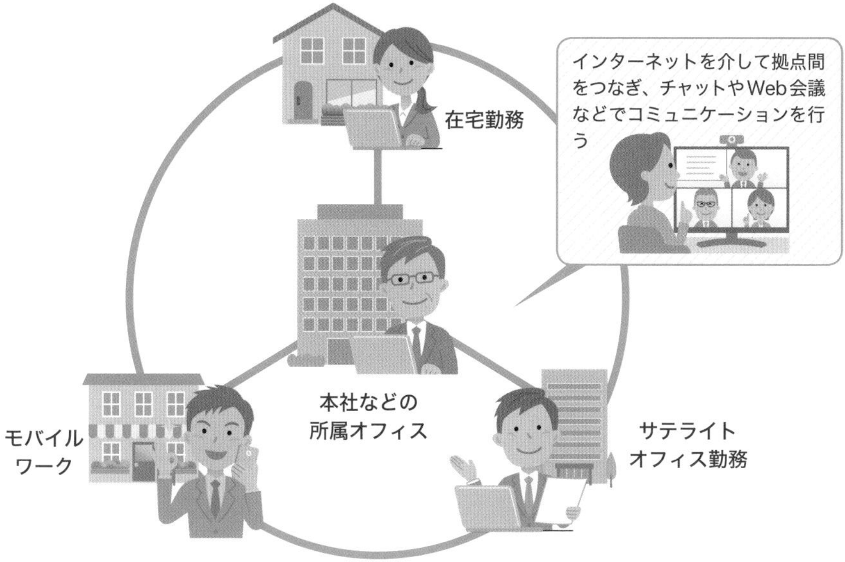
在宅勤務
インターネットを介して拠点間をつなぎ、チャットやWeb会議などでコミュニケーションを行う
本社などの所属オフィス
モバイルワーク
サテライトオフィス勤務

企業のテレワーク導入にあたっての課題

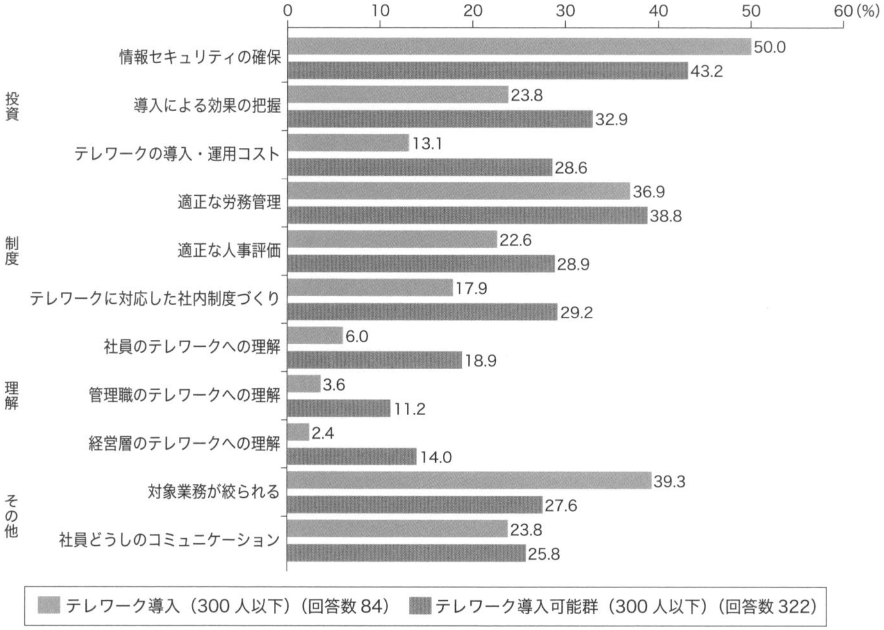
0
10
20
30
40
50
60 (%)
投資
情報セキュリティの確保
50.0
43.2
導入による効果の把握
23.8
32.9
テレワークの導入・運用コスト
13.1
28.6
制度
適正な労務管理
36.9
38.8
適正な人事評価
22.6
28.9
テレワークに対応した社内制度づくり
17.9
29.2
理解
社員のテレワークへの理解
6.0
18.9
管理職のテレワークへの理解
3.6
11.2
経営層のテレワークへの理解
2.4
14.0
その他
対象業務が絞られる
39.3
27.6
社員どうしのコミュニケーション
23.8
25.8
テレワーク導入（300人以下）（回答数84）
テレワーク導入可能群（300人以下）（回答数322）

出典：総務省「ICT利活用と社会的課題解決に関する調査研究」（平成29年）をもとに作成

サブスクリプション

定額制で継続課金により商品やサービスを提供するビジネスモデルをサブスクリプションといいます。ITを活用した現代型サブスクリプションの登場により、サブスクリプションが注目されています。

☑ 定額・継続課金で商品やサービスを提供

サブスクリプション（subscription）、あるいは省略した「サブスク」という言葉が、世界で注目されるようになっています。サブスクリプションは「予約購読」「会費」などを意味する言葉で、従来は定期購読や年間購読などの意味で使われていました。サブスクリプションとは、定額制（月額・年額など）の継続的な課金により、商品やサービスを利用者に提供するビジネスモデルのことです。

私たちの身の回りには、公共料金の支払い、サプリメントなどの定期購入、携帯電話料金、保険料金、家賃、スポーツジムの会員費など、古くから数多くのサブスクリプションが存在し、日常的に利用されています。

☑ ITを活用した現代型サブスクリプションの登場

従来からあるサブスクリプションが近年注目されるようになった理由として、サービスの種類が増えたことに加え、ITやインターネットなどを活用した新しい現代型サブスクリプションが登場したことが挙げられます。これは4つのタイプに分類できます。①クラウド・SaaS（サース）型サブスクリプション、②レコメンド型サブスクリプション、③ネット配信型サブスクリプション、④Unlimited（アンリミテッド）型サブスクリプションです。これらを複合したサービスも現れています。

①**クラウド・SaaS型**：インターネットを通じてサービスを提供
②**レコメンド型**：利用者ごとにお勧めの商品を提案
③**ネット配信型**：音楽、動画、雑誌などを定額でネット配信
④**Unlimited型**：レンタル無制限、動画見放題などのサービス

SaaS
Software as a Serviceの略。インターネットを介してソフトウェアの機能を提供するサービスのこと（P.72参照）。

サブスクリプションのビジネスモデル

音楽
動画
ゲーム
電子書籍
飲食
携帯電話
家賃
Officeソフト　など
利用する権利を購入
月額や年額などの定額料金を支払うことで、商品やサービスを利用できる

インターネットを活用したサブスクリプションの種類

クラウド・SaaS型

インターネットを通じてシステムやアプリケーションなどの機能が提供される。

ビジネスソフト　ストレージ　セキュリティ

レコメンド型

利用者の好みや嗜好に合わせて商品やサービスを選び、提供してくれる。

飲食　ファッション　ゲーム

ネット配信型

音楽、動画、雑誌などが定額料金でインターネットを通じて配信される。

音楽　動画　雑誌

Unlimited型

会員登録により、服やバッグのレンタルが何回でも行えたり、動画が見放題になったりする。

洋服　バッグ　動画

関連用語 SaaS (P.72)

03 インダストリー4.0

工場内で稼働している機械やロボットだけではなく、働いている人間や別の工場などまでインターネットで連携させ、製造プロセスなどを変革していこうという構想がインダストリー4.0です。

☑ ネット活用により生まれる第４次産業革命

インダストリー4.0は、ドイツ政府が産官学共同で進めている国家プロジェクトで、製造業のデジタル化や自動化などを促進する構想です。水力・蒸気機関を活用した機械製造設備が導入された第１次産業革命、石油と電力を活用した大量生産が始まった第２次産業革命、工業用ロボットの導入やITの活用が始まった第３次産業革命に続く、第４次産業革命として位置付けられています。

インダストリー4.0の中心にあるのは、スマートファクトリー（P.60参照）のコンセプトです。スマートファクトリーは機械設備や管理システムなどをインターネットに接続し、少量多品種、高付加価値の製品を、効率的に大規模生産するためのしくみです。

☑ 工場と工場がつながり新たな生産体制を構築

少量多品種の製品を効率的に大規模生産するために考案されたのが「ダイナミックセル生産」と呼ばれる方法です。これは生産ラインの各工程で、組み立て作業を受け持つロボットが、クラウド上の情報や各種システム、装置、人間などと、ネットワークを通じてリアルタイムに情報を交換し、状況に応じて最適な生産を進めていくというものです。このような環境の整備が進むと、大規模生産のしくみを活用しながらオーダーメイドの製品を作るマスカスタマイゼーションが実現します。

IoTとインダストリー4.0は似たようなコンセプトに思われます。しかし、IoTはモノがインターネットでつながるしくみであるのに対し、インダストリー4.0はそれに加え、モノとモノ、さらには工場と工場がつながり、新たな生産体制を構築するレベルまで構想されています。

マスカスタマイゼーション
大量生産や大量販売のしくみを活用しながら、個々の顧客のニーズに合わせた製品を製造・販売する手法。

》第4次産業革命までの流れ

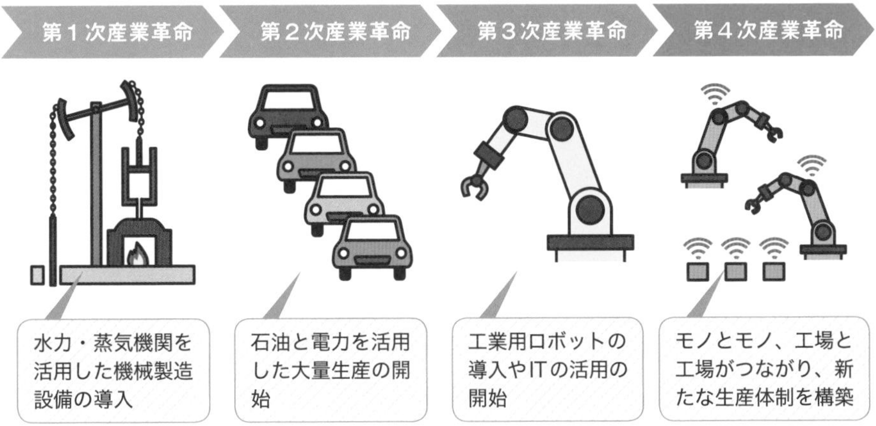
第1次産業革命
第2次産業革命
第3次産業革命
第4次産業革命
水力・蒸気機関を活用した機械製造設備の導入
石油と電力を活用した大量生産の開始
工業用ロボットの導入やITの活用の開始
モノとモノ、工場と工場がつながり、新たな生産体制を構築

》最適な生産を進める工場のしくみ

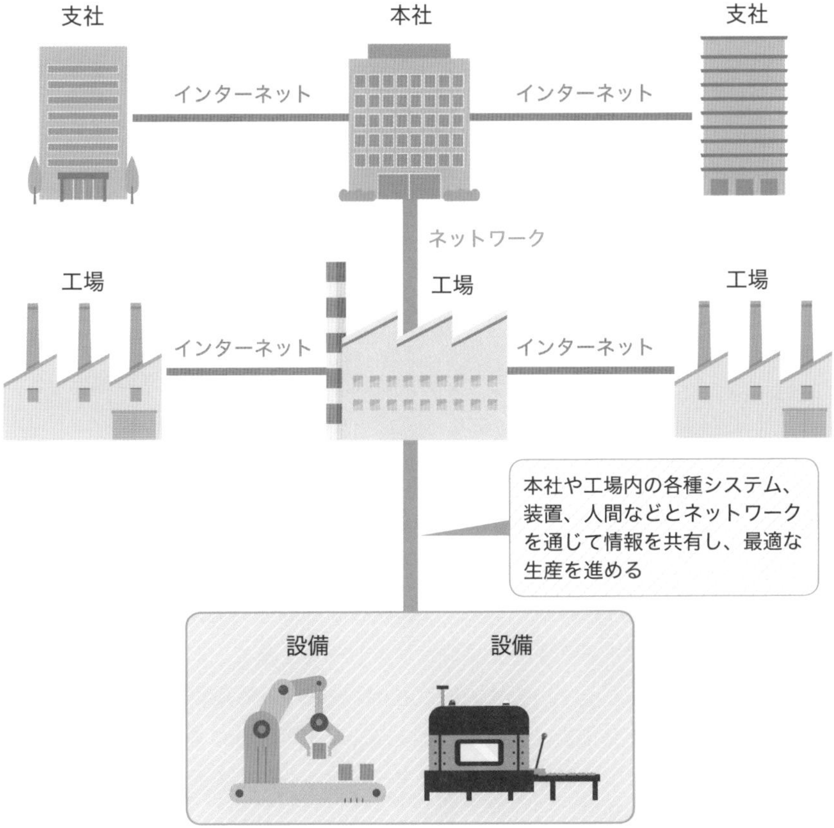
支社
本社
支社
インターネット
インターネット
ネットワーク
工場
工場
工場
インターネット
インターネット
本社や工場内の各種システム、装置、人間などとネットワークを通じて情報を共有し、最適な生産を進める
設備
設備

関連用語 IoT（P.14）、サイバーフィジカルシステム（P.160）、Society 5.0（P.162）

FinTech

（フィンテック）

金融とITを融合させるFinTechは、従来の金融業務を効率化するだけではなく、これまで生み出せなかった新しいサービスや顧客価値などを作り出しています。日本でもFinTech関連のサービスが続々と生み出されています。

☑ 金融とITの融合で新しいサービスを創出

FinTechは「Finance」（金融）と「Technology」（技術）を組み合わせた造語であり、金融とITを結び付けた、新しいサービスやしくみなどを指します。

FinTechという言葉は、アメリカでは2000年代前半から使われていました。その後、リーマンショックや金融危機を経て、インターネットやスマートフォン、AI（人工知能）、ビッグデータなどを活用したサービスを提供する、新しい金融系のベンチャーが次々と登場しました。

FinTechによる金融サービスは多岐にわたります。スマートフォンの普及により、サービスを利用するアプリをかんたんに入手できるようになり、革新的なサービスが数多く生まれています。FinTechを支える技術には、ブロックチェーン、ビッグデータ、AI、生体認証などのセキュリティ対策、共通APIなどがあります。

共通API
API（Application Programming Interface）は、ソフトウェアなどの機能を共用したり、ソフトウェアどうしを連携したりするしくみ。FinTechでは既存の金融システムと新しいサービスをAPIにより連携させ、活用している（P.196参照）。

☑ 資産管理、決済、融資などのサービスが登場

FinTechの代表例としては、銀行口座と連携した家計簿アプリなどの資産管理サービス（PFM：Personal Financial Management）、ロボアドバイザー（ITを駆使した資産運用サービス）、スマホ決済（スマートフォンで決済できるサービス）、クラウドファンディング、銀行を通さない個人間送金などが挙げられます。また、ブロックチェーンを基幹とした仮想通貨の利用も広がっています。FinTechは現在、世界規模で急速に広まりつつあります。金融サービスがこれまで十分に普及していなかった途上国や新興国でも、スマートフォンによる金融サービスの利用が急速に広がっています。

» FinTechの要素

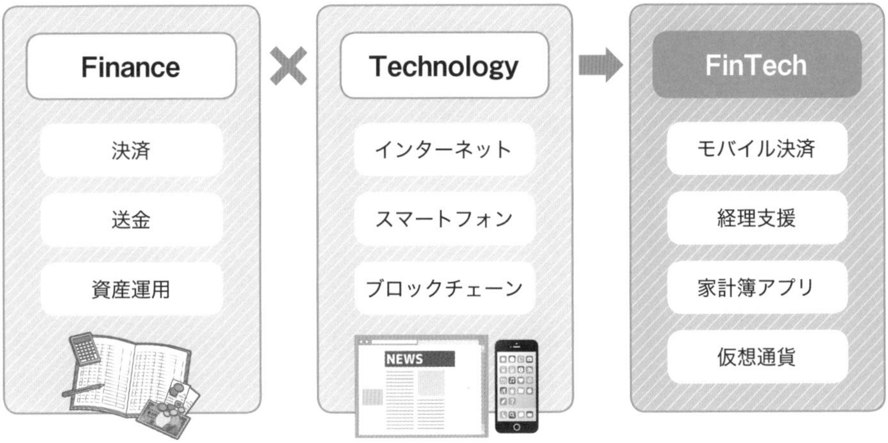
Finance
決済
送金
資産運用
Technology
インターネット
スマートフォン
ブロックチェーン
NEWS
FinTech
モバイル決済
経理支援
家計簿アプリ
仮想通貨

» 個人間送金サービスのイメージ

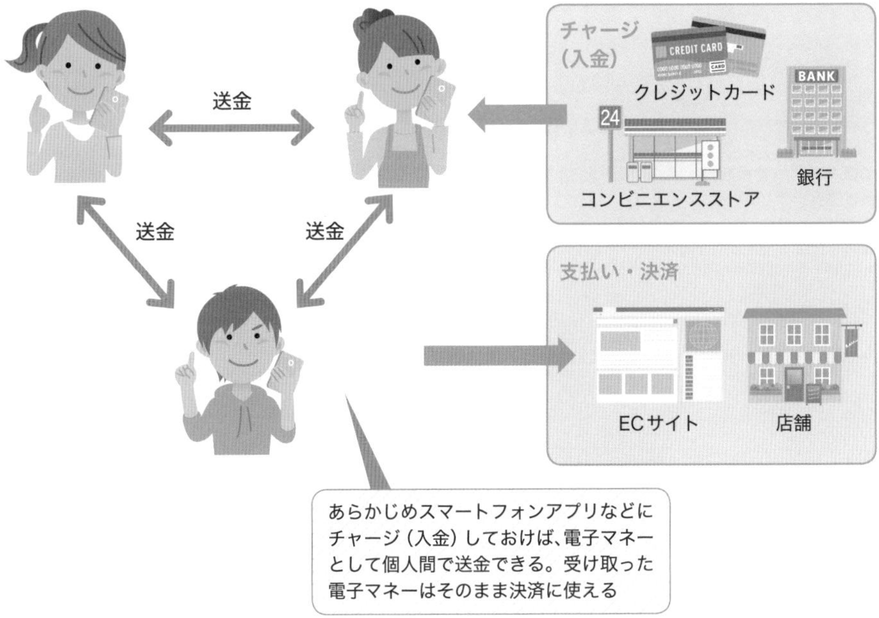
送金
送金
送金
チャージ
(入金)
CREDIT CARD
クレジットカード
BANK
24
銀行
コンビニエンスストア
支払い・決済
ECサイト
店舗
あらかじめスマートフォンアプリなどにチャージ(入金)しておけば、電子マネーとして個人間で送金できる。受け取った電子マネーはそのまま決済に使える

関連用語 AI(P.12)、ビッグデータ(P.52)、InsurTech(P.144)、仮想通貨(暗号資産)(P.152)、ブロックチェーン(P.154)

Health Tech（ヘルステック）

スマートフォンなどの携帯端末、AI、IoTなどを活用するHealth Techは、医療業務のコスト削減、人手不足の解消、医療のクオリティ向上など、医療分野全般を変革するものとして期待されています。

☑ 個別化治療や遠隔診療を実現する技術

Health Techは「Health」（健康）と「Technology」（技術）を組み合わせた造語で、スマートフォンなどの携帯端末、ビデオチャット、AI、IoTなどのITを活用した医療サービスや新たな医療関連サービスを生み出すことです。Health Techは、医療現場での高精度な分析や診断の支援、電子カルテや医事会計システムなどの間接業務効率化のシステム、スマートウォッチなどの健康管理・増進の製品など、非常に幅広い領域のものを指します。

スマートウォッチ
腕時計のように腕に巻いて装着できる携帯端末。多くの製品はタッチパネルを備えており、アプリの実行や通信などを行うことができる。身に着けて使用する機器をウェアラブルデバイスという。

Health Techのメリットとしては、個別化治療の実現があります。これは一人ひとりの状態に合わせた最適な治療を可能にするものです。従来の医療では、疾患により、ある程度決まった治療法が選択されてきましたが、画一的な治療法の適用が必ずしも最適ではないことが判明してきました。このため、個別化治療を可能にするHealth Techに期待が寄せられています。また、遠隔地にいる専門医に撮影画像を分析してもらったり、ビデオチャットを通じて遠隔地にいても診療を受けられたりなど、医師不足が深刻な地域でもメリットがあります。

☑ 新たな治療やサービスの創出

Health Techは新たなサービスも生み出しています。たとえば、「電子版お薬手帳」は、クラウド上に服薬情報を保管し、スマートフォンなどから閲覧できるサービスです。そのほか、AIによる診断支援や病気進行の予測、介護スタッフの負担軽減を図る介護支援ロボット、ウェアラブルデバイスによる健康管理や予防医療サービスなどが実現しつつあります。このようなサービスの創出に合わせ、さまざまな事業者がHealth Techに参入しています。

» Health Techの要素

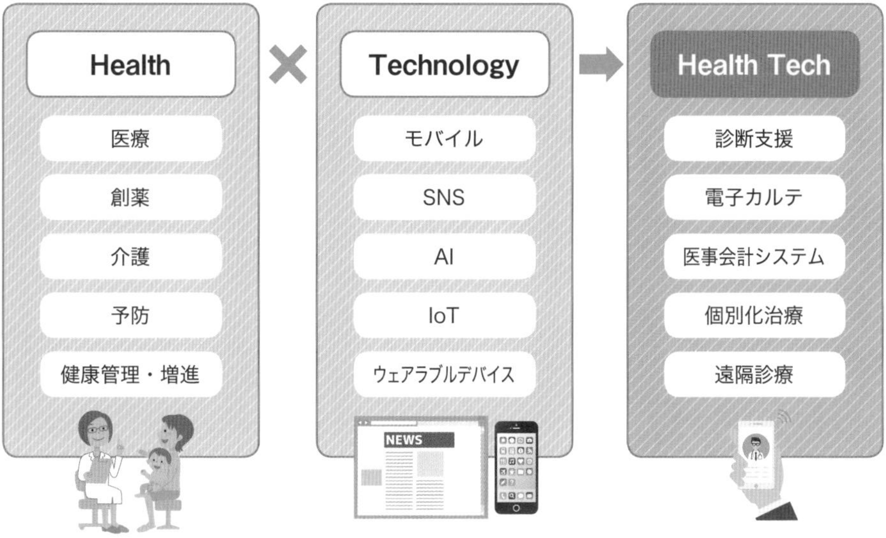
Health
医療
創薬
介護
予防
健康管理・増進
Technology
モバイル
SNS
AI
IoT
ウェアラブルデバイス
NEWS
Health Tech
診断支援
電子カルテ
医事会計システム
個別化治療
遠隔診療

» Health Techで実現する新たなサービス

健康管理・増進

ウェアラブルデバイスにより心拍数や体温などを計測・管理でき、データを医師に送信して診断を受けられる。

個別化治療

生体情報や生活情報などをインターネットでリアルタイムに分析することで、異常原因を特定し、最適な治療を行える。

遠隔診療

在宅や遠隔地からスマートフォンなどを使ってオンラインのビデオチャットで健康相談や診療などが受けられる。

電子版お薬手帳

スマートフォンなどにより、クラウド上の服薬情報や健康情報の閲覧、薬局へ処方せんの送信などができる。

おくすり

関連用語 AI (P.12)、IoT (P.14)

HR Tech

エイチアール テック

先端技術を活用し、企業における人事業務のさまざまな課題を解決したり、さらには従業員満足度の向上などを目指すHR Tech。さまざまな領域でのサービスが登場し、国内外における市場規模も拡大を続けています。

☑ 先端技術を活用して人事業務を支援

HR Techは「HR（Human Resource）」（人材）と「Technology」（技術）を組み合わせた造語です。AI、ビッグデータ解析、クラウドなどの先端技術を活用し、採用・育成・評価などの人事業務全般を支援することを指します。

HR Techの市場規模は拡大を続けています。その理由は、日本では少子高齢化による人手不足が深刻化しており、働き方も多様化しているため、データや技術を活用して人事業務を効率化し、優秀な人材の獲得を目指す企業が増加しているからです。

HR Techの役割としては主に、①人事データの管理・活用、②業務の効率化、③組織活性化・従業員満足度の向上、などが挙げられます。

☑ 採用管理、人材管理、労務管理などで活用

現在、HR Techのサービスは増加していますが、業務分野では、採用管理、タレントマネジメント、労務管理の３つに大別できます。採用管理では、AIを活用した採用システムの導入が進んでいます。とくに応募が集中する新卒採用において、AIを活用してエントリーシートを自動判定し、業務負荷を軽減するなどの活用例があります。タレントマネジメントでは、従業員のスキルや職歴、モチベーションなどのデータを管理し、人員の最適配置や離職防止に生かされるようになりました。また、労務管理では、勤怠管理や給与計算、社会保険手続きなどに関する作業を効率化するサービスが、SaaS型で数多く登場しています。必要な機能を必要なときに、低コストでインターネットを通じて利用できるため、中小企業での導入も進んでいます。

タレントマネジメント
従業員のタレント（能力、資質、才能など）やスキル、経験などのデータを一元管理することで、組織を横断して戦略的な人材配置を行ったり、適性に合った人材育成を行ったりする人事マネジメントの手法。

HR Techの役割

HR Tech

AI、ビッグデータ解析、クラウドなどの先端技術を活用し、
採用・育成・評価などの人事業務全般を支援

人事データの管理・活用

人事データを一括管理し、実務経験などの分析により、人材の登用や育成を最適化する。

業務の効率化

AIなどを活用し、勤怠管理や給与計算、社会保険の手続きなどを効率化する。

組織の活性化・満足度の向上

人事評価制度の改善やコミュニケーションツールの活用により組織を活性化させる。

HR Techのサービス

採用管理

- 採用管理（新卒、中途採用）
- インターンシップ
- 人材マッチング
- オンライン面接

タレントマネジメント

- 人材情報管理
- 人事データ管理
- 目標管理

労務管理

- 勤怠管理
- 給与計算
- 年末調整
- マイナンバー管理
- 社会保険管理
- 福利厚生

関連用語 AI (P.12)、ビッグデータ (P.52)、SaaS (P.72)

InsurTech（インシュアテック）

インターネットやAIなどの先端技術を活用することで、さまざまな分野で変革が起こっています。保険業界でも近年、先端技術を取り入れる動きが活発で、新たな保険商品の開発や業務プロセスの効率化などが進んでいます。

☑ 先端技術により保険商品を生み出す

InsurTechは「Insurance」（保険）と「Technology」（技術）を組み合わせた造語で、先端技術を活用した新たな保険商品の開発や、募集・契約・査定などの保険業務プロセスの効率化などを実現することを指します。

InsurTechにより、新たな保険商品が続々と登場しています。たとえば、テレマティクス保険は、自動車内に設置された専用機器やスマートフォンのアプリを通じて収集された走行距離、運転速度、急ブレーキ数などの運転情報を分析することでリスクが査定され、安全運転をしている人は保険料の割引などが受けられる保険です。また、P2P（ピアツーピア）保険は、加入者がインターネット上でグループを作り、全員で保障に対して掛け金を拠出し、リスクに備える保険です。既存の保険商品に比べ、保険料が低額であることや、保険料の算出や使い道などが契約者に開示されている透明性の高さなどが特長であり、中国では広く普及しています。また、加入したいときにスピーディーに加入できるオンデマンド保険や、特定の危険に対して少額の保険料で加入できるマイクロ保険なども登場しています。

P2P（ピアツーピア）
コンピューターどうしが対等の立場でデータを交信するシステムのこと。P2P保険は、加入者全員が保険金を均等に負担するため、こう呼ばれることが多い。

☑ 事業者のメリットも大きい業務効率化

保険商品の開発だけではなく、インターネットでの保険比較サービスや、加入している保険を一元管理するサービスなども登場しています。保険業務プロセスの効率化では、書面でのやり取りが中心であった請求手続きのデジタル化、各種問い合わせへのチャットボット（P.32参照）による自動対応、手書き文字認識技術の活用による契約手続きの効率化などが進んでいます。

InsurTechの要素

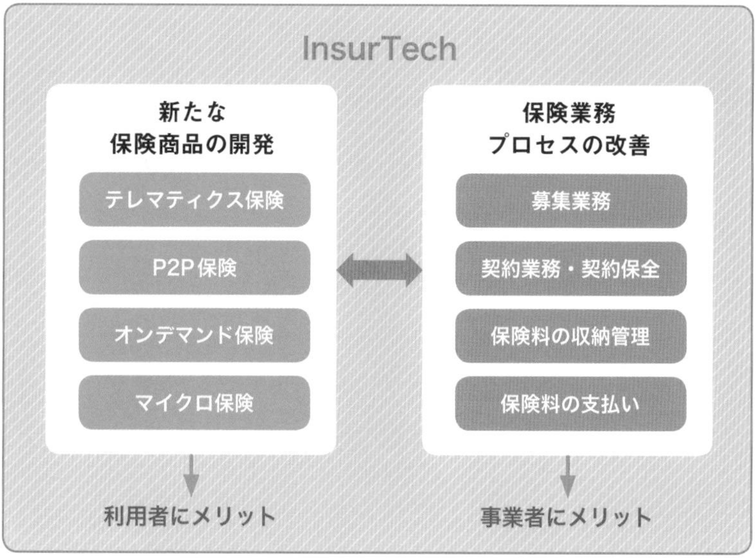
InsurTech
新たな
保険商品の開発
テレマティクス保険
P2P保険
オンデマンド保険
マイクロ保険
保険業務
プロセスの改善
募集業務
契約業務・契約保全
保険料の収納管理
保険料の支払い
利用者にメリット
事業者にメリット

P2P保険のイメージ

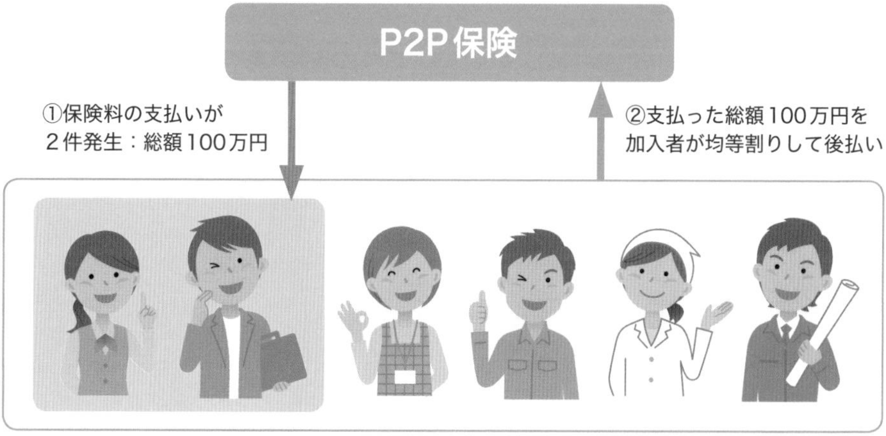
P2P保険
①保険料の支払いが
２件発生：総額100万円
②支払った総額100万円を
加入者が均等割りして後払い

関連用語 チャットボット (P.32)

08 キャッシュレス決済

スマホ決済の普及によりキャッシュレス決済への注目度が高まっています。電子マネーやデビットカード、クレジットカードなどキャッシュレス決済サービスはさまざまありますが、日本では普及が進んでいないのが実情です。

☑ 前払い、即時払い、後払いの3種類がある

キャッシュレス決済は、単に「キャッシュレス」と呼ばれることもありますが、紙幣や硬貨などの現金を使わずに支払いを済ませる方法のことです。キャッシュレス決済には、急速に普及が進んでいるスマートフォンによる決済（以下、スマホ決済）やクレジットカードによる決済など、さまざまな種類があります。

スマホ決済
支払い方法はコード読み取り型。2通りあり、専用アプリでQRコードやバーコードを表示させて店舗側で読み取るか、店舗側から提示されたQRコードを専用アプリで読み取って決済する。

キャッシュレス決済を支払いのタイミングで分類すると、①前払い、②即時払い、③後払い、の3つに分けられます。前払いは、商品購入やサービス提供より前に支払いをする方法です。あらかじめ現金あるいは銀行口座などからチャージ（入金）しておき、購入の際にこの前払い金から購入金額を支払います。電子マネーがこれに当たり、Suicaなどの交通系や流通系が普及しています。

即時払いは、購入時点で銀行口座から即時に引き落とされて支払う方法で、デビットカードなどがこれに当たります。後払いは、クレジットカードなどが相当し、購入時にカード利用限度額を確認のうえ、あとから支払われる方法です。スマホ決済はサービス事業者によって、支払いのタイミングが異なります。

☑ メリットは多いが日本では普及が進まない

キャッシュレス決済のメリットとして、消費者にとっては支払いがスムーズにでき、現金を引き落とす手間が軽減されます。企業や店舗にとっては会計業務の負担軽減、顧客サービス・利便性の向上、外国人観光客の取り込みなどが挙げられます。メリットの多いキャッシュレス決済ですが、日本の普及率は世界主要国に比べて非常に低いレベルにあります。国はキャッシュレス決済を普及させるために、ポイント還元事業などを実施しています。

キャッシュレス決済の種類

前払い
事前に利用金額をチャージ（入金）
電子マネー
スマホ決済
即時払い
購入時に銀行口座から引き落とされる
デビットカード
スマホ決済
後払い
利用限度額内であとから引き落とされる
クレジットカード
スマホ決済

世界主要国におけるキャッシュレス決済の普及状況

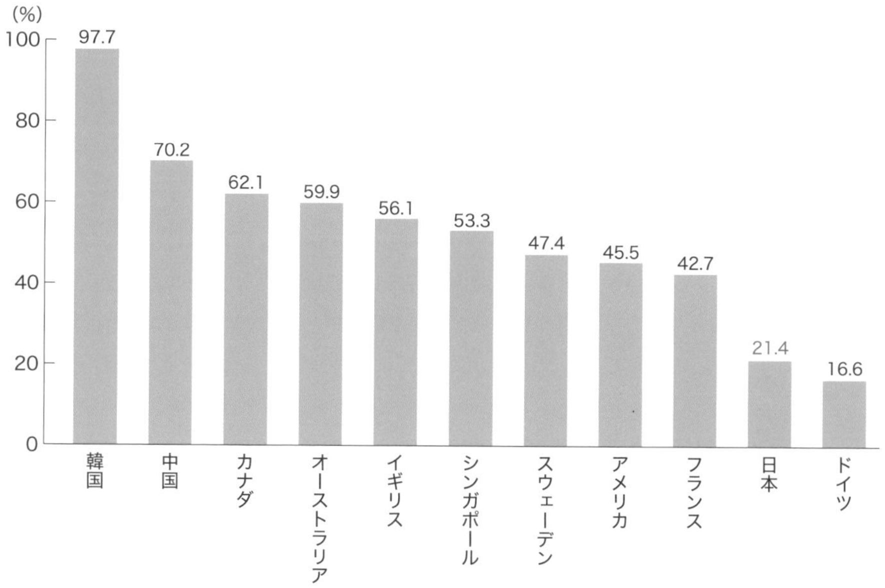
(%)
100
80
60
40
20
0
97.7
70.2
62.1
59.9
56.1
53.3
47.4
45.5
42.7
21.4
16.6
韓国
中国
カナダ
オーストラリア
イギリス
シンガポール
スウェーデン
アメリカ
フランス
日本
ドイツ

出典：キャッシュレス推進協議会「キャッシュレス・ロードマップ2020」（2020）をもとに作成

関連用語 FinTech (P.138)

クラウドファンディング

新規事業や商品開発、各種支援などの資金を、インターネットを介して多くの人から募るのがクラウドファンディングです。アイデアや想いを持った人なら誰でも起案者になれ、少額でも出資可能な手軽さが支持されています。

☑ ネット活用により多くの人から資金を募る

クラウドファンディングとは、「群衆（crowd）」と「資金調達（funding）」を組み合わせた造語で、インターネットを介して不特定多数の人から少額ずつ資金を調達することです。ビジネスにおける資金調達は、金融機関からの借入やベンチャーキャピタルによる出資などが一般的です。これに対し、クラウドファンディングは、ネット上で自分の活動や夢を発信することで、その想いに共感した人や活動を応援したい人から資金を募るしくみです。商品開発などのビジネスプランだけではなく、途上国支援やコンサートの開催などさまざまなプロジェクトが実施されています。

ベンチャーキャピタル
成長の可能性が高いベンチャー企業への投資を専門的に行う投資会社。

☑ 支援者へのリターンによる3つのタイプ

クラウドファンディングは、支援者が金銭的なリターンを得られる「投資型」と、金銭以外の物やサービスを受け取れる「非投資型」があります。また、プロジェクトやリターンにより、購入型、寄付型、金融型の３種類に分けることできます。

まず購入型クラウドファンディングは、市場に出回っていない物やサービス、利用権など、金銭以外のリターンが設定されるものです。寄付型クラウドファンディングは、募った資金は全額寄付となるため、リターンはありません。起案者、支援者ともに純粋な社会貢献を目的とする傾向があり、環境保全、被災地支援など、共感性の高いプロジェクトが多いのが特徴です。金融型クラウドファンディングは、支援者に金銭的なリターンなどが発生する投資型ファンドです。また決済方法により、目標金額に達しないと支援金が受け取れない「All or Nothing方式」と、目標金額に達しなくても支援金が受け取れる「All in方式」があります。

金融型クラウドファンディング
金融型は、募集した時点で利率が決まっていて、毎月金利が支払われる「融資型」、利益に対して分配金を受け取る「ファンド型」、資金提供先の企業の株式を受け取る「株式型」に分かれる。

》クラウドファンディングの構造

購入型クラウドファンディング

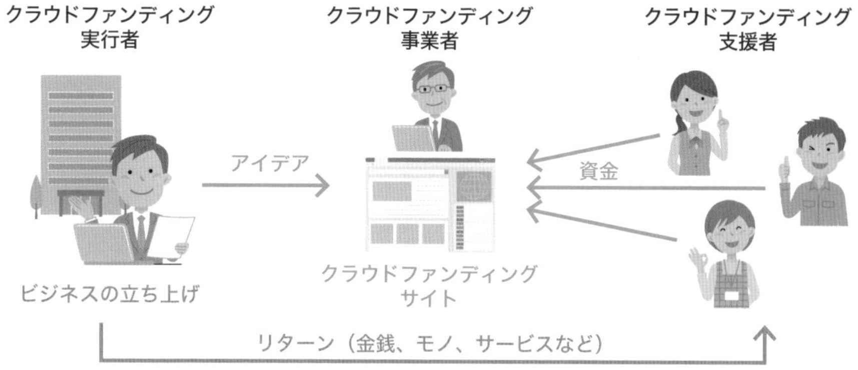
クラウドファンディング
実行者
クラウドファンディング
事業者
クラウドファンディング
支援者
アイデア
資金
ビジネスの立ち上げ
クラウドファンディング
サイト
リターン（金銭、モノ、サービスなど）

寄付型クラウドファンディング

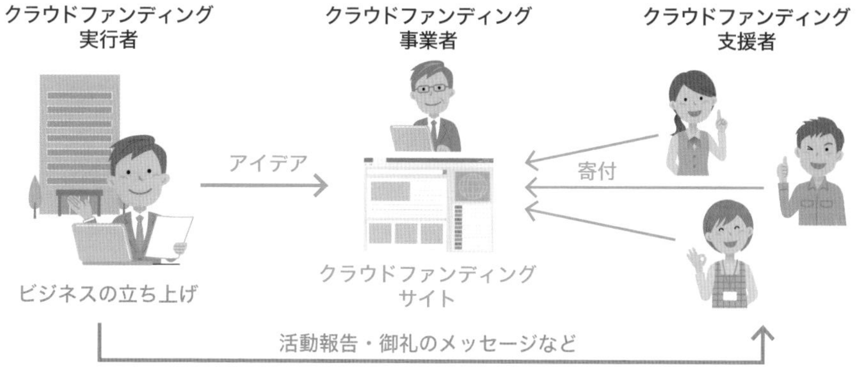
クラウドファンディング
実行者
クラウドファンディング
事業者
クラウドファンディング
支援者
アイデア
寄付
ビジネスの立ち上げ
クラウドファンディング
サイト
活動報告・御礼のメッセージなど

金融型クラウドファンディング

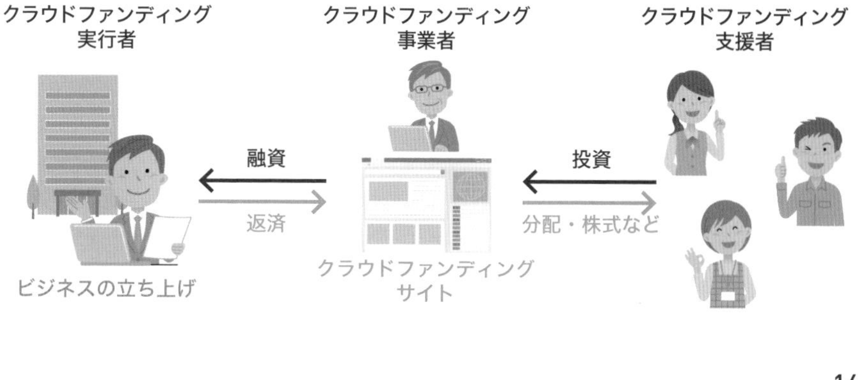
クラウドファンディング
実行者
クラウドファンディング
事業者
クラウドファンディング
支援者
融資
返済
投資
分配・株式など
ビジネスの立ち上げ
クラウドファンディング
サイト

10

オムニチャネル

インターネットの発展などにより、商品の購入手段は実店舗だけではなく、テレビショッピング、カタログ通販、Eコマース、スマホアプリなど多様化しました。これらすべてを統合・管理するものがオムニチャネルです。

☑ 顧客との接点を統合・連携させる戦略

オムニチャネルとは、「Omni」（すべて、全体）と「Channel」「媒体、経路、流通）を組み合わせた造語で、小売業などの販売戦略の1つです。現在、企業が顧客に商品を販売する手段は、実店舗やEコマース、カタログ通販など多種多様です。オムニチャネルは、これら複数の販売手段をスムーズに連携させ、いつでも同様のサービスを顧客に提供できるようにするものです。さらに販売手段だけではなく、自社のWebサイトやSNS、広告・宣伝など、顧客との接点をすべて統合・連携させていく包括的な取り組みが、オムニチャネル戦略と呼ばれるものです。

☑ マルチチャネル、クロスチャネルとの違い

オムニチャネルと類似した言葉に、マルチチャネル、クロスチャネル、O2O（オーツーオー）マーケティングなどがあります。

マルチチャネルは、複数の販売手段を顧客に提供するものです。たとえば、実店舗だけではなく、テレビショッピングやEコマースなど、複数のチャネルを用意することで、販売機会を増やすことを狙います。マルチチャネルでは、それぞれの販売手段が連携されておらず、顧客管理のシステムが異なることもあり、その場合、顧客はチャネルごとに住所や氏名などの情報を登録する必要があります。クロスチャネルは、このような課題を解消するために生まれたもので、異なる販売チャネルの顧客管理や在庫管理などのシステムを統合・管理するものです。これらの発展形として生まれたものがオムニチャネルであり、販売チャネルだけではなく、顧客の接点すべてを統合し、どのチャネルでも同じ企業イメージでサービスを提供するものです。

O2O マーケティング
O2Oとは「Online to Offline」の略で、Webサイトやアプリなどオンラインから実店舗（オフライン）に顧客を誘導する施策。逆に実店舗からオンラインに誘導することもある。オムニチャネルの戦略の一部として捉えられる。

≫ オムニチャネルのコンセプト

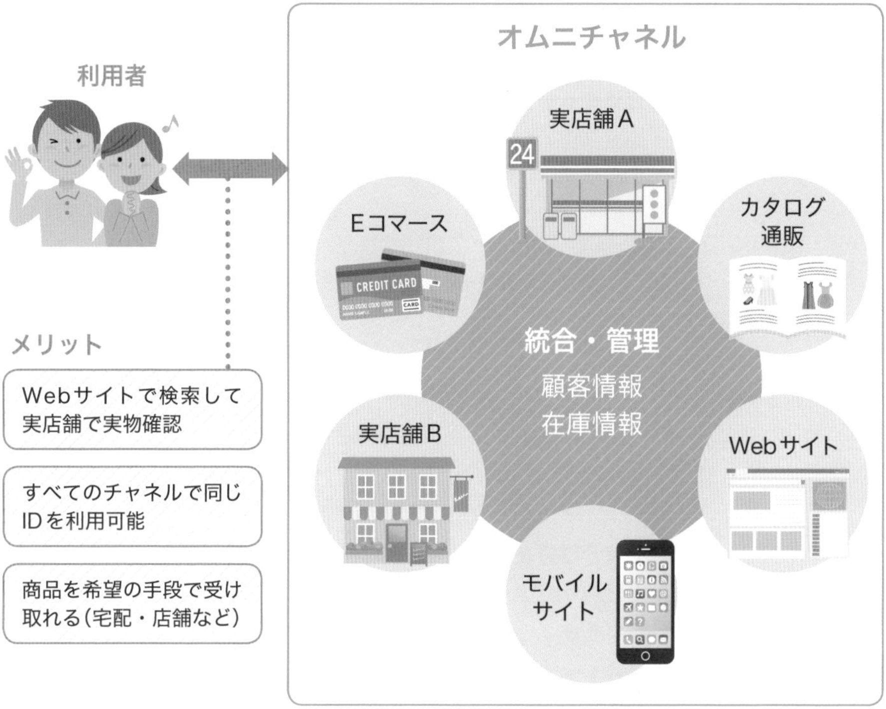
利用者
メリット
Webサイトで検索して実店舗で実物確認
すべてのチャネルで同じIDを利用可能
商品を希望の手段で受け取れる(宅配・店舗など)
オムニチャネル
実店舗A
カタログ通販
Webサイト
モバイルサイト
実店舗B
Eコマース
統合・管理
顧客情報
在庫情報

≫ オムニチャネルとマルチチャネル、クロスチャネルとの違い

マルチチャネル
クロスチャネル
オムニチャネル

複数の販売手段を提供。
それぞれのチャネルは連携していない

複数の販売手段を提供。顧客管理や在庫管理などのシステムは統合・管理される

販売手段だけではなく、Webサイトや広告・宣伝なども統合・管理される

仮想通貨（暗号資産）

世界各地ではキャッシュレス化が進みつつあります。インターネット上でやり取りされる電子データの資産である仮想通貨は、中央管理者が存在せず、電子マネーとはさまざまな面で違いがあります。

☑ 中央管理者ではなく利用者による分散管理

仮想通貨は、紙幣や硬貨のような実態がなく、インターネット上でやり取りされる電子データの資産のことです。「仮想通貨」の呼称が一般的ですが、「通貨」の部分が法定通貨との混同を招く可能性があるため、2020年5月から「暗号資産」という名称が使われ始めました。仮想通貨には次のような特徴があります。

①**中央管理者が不在**：中央銀行など価値を保証する管理者が基本的に存在せず（非中央集権型）、ネットワーク上の複数の利用者が分散してデータを管理するしくみです。

②**発行上限がある**：中央管理者が存在しないため、発行枚数の変更が基本的に不可能です。このため、多くの仮想通貨は発行上限枚数を定め、価値が維持されるように設計されています。

③**換金可能**：その時点での時価で売買を行うことが可能です。

☑ 送金、決済、投資などの用途で活用される

仮想通貨の用途には、送金、決済、投資・投機などが挙げられます。インターネットに接続できれば世界中に送金可能であり、銀行を介さずにスピーディーかつ安価に送金できます。また、仮想通貨決済に対応した店舗やWebサイトであれば、ショッピングができます。さらに、仮想通貨は価格が固定されていないため、将来有望と思われる仮想通貨に対し、価格上昇などを見込んで投資を行うことで、利益を得ることも可能です。仮想通貨の入手や換金は「取引所」や「交換所」と呼ばれる業者を利用します。

仮想通貨に利用されている技術としては、たとえばビットコインでは、ブロックチェーンにより当事者による二重支払いを、公開鍵暗号方式により第三者によるなりすましを防止しています。

二重支払い
同じ仮想通貨を異なる受取人に二重に送金（支払い）しようとすること。

仮想通貨交換業のイメージ

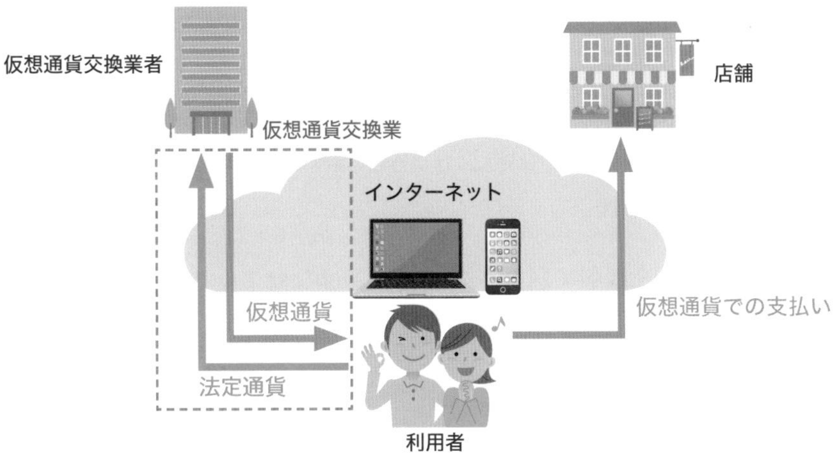

仮想通貨交換業者
店舗
仮想通貨交換業
インターネット
仮想通貨
仮想通貨での支払い
法定通貨
利用者

主な仮想通貨

名前	単位	概要
ビットコイン	BTC	世界で初めて非中央集権型の決済システムを構築
イーサリアム	ETH	ビットコインに次ぐ代表的な仮想通貨
リップル	XRP	国際送金などの金融インフラを目指す
ビットコインキャッシュ	BCH	ビットコインからハードフォーク（仕様変更・従来のものとは互換性がない）した仮想通貨
アイオータ	IOTA	取引データの承認方法が特殊で、IoTに特化した仮想通貨
イーサリアムクラッシック	ETC	イーサリアムからハードフォークした仮想通貨
モナーコイン	MONA	インターネット上で利用できる日本発の仮想通貨
ネム	NEM	ビジネスでの利用を想定した仮想通貨
リスク	LSK	開発プログラミング言語にJava Scriptが採用され、汎用性が高い仮想通貨

仮想通貨は1,000種類以上あるといわれ、代表的なものがビットコインであり、それ以外はアルトコインと呼ばれる。アルトコインはビットコインをベースに作られたものが多く、コインごとに開発された目的、発行ルール、取扱取引所などが異なる

関連用語 キャッシュレス決済（P.146）、ブロックチェーン（P.154）

12 ブロックチェーン

ブロックチェーンは、仮想通貨である「ビットコイン」の基盤技術として注目されました。しかし現在は、仮想通貨以外の分野でも、さまざまな種類のブロックチェーンが登場し、活用方法も拡大しつつあります。

☑ 取引の記録をブロックでつなげていくシステム

ビジネスでは、取引の履歴を「台帳」という帳簿に記録します。ブロックチェーンは、この取引の記録を「ブロック」というスペースに入れ、このブロックを過去から現在へ鎖（チェーン）でつなげるように保存していくシステムです。ブロックチェーンとは、このブロックが時系列に沿って連結されたものを指します。

個々のブロックには、取引の記録に加え、1つ前に作成されたブロックを示すハッシュ値と呼ばれる情報も格納されます。ハッシュ値とは、一定の計算により、元のデータから求められた値で、元のデータが少しでも変更されると異なる値になります。過去のブロック内のデータを改ざんしようとすると、改ざんされたブロックから算出されるハッシュ値は以前のものと異なった値になります。このため、連係するブロックのハッシュ値をすべて変更しなければならず、改ざんは極めて困難となります。

ハッシュ値
データを一定の法則で同じ長さに短縮した数値であり、元のデータが改変された場合はハッシュ値も異なる。データの改ざんなどを確認するために利用される(P.173参照)。

☑ 複数のシステムが情報を共有するしくみ

取引記録の管理は、特定の管理者が集中的に管理する集中型管理システムが一般的です。しかし、ブロックチェーンは、複数のシステムがデータベースの一部（台帳）を共有する「分散型管理システム」というしくみで管理されています。このため、一部のシステムが停止しても、システム全体に与える影響を抑制できます。また、業界横断型のデータベースを構築しようとする際、データ連携が容易になるなどの利点があります。

現在、数多くのブロックチェーンプラットフォームが登場しており、仮想通貨やトークン、金融取引に特化したもの、幅広い業界への活用を目指すものなど、それぞれに特徴を持っています。

ブロックチェーンのしくみと改ざんの検出

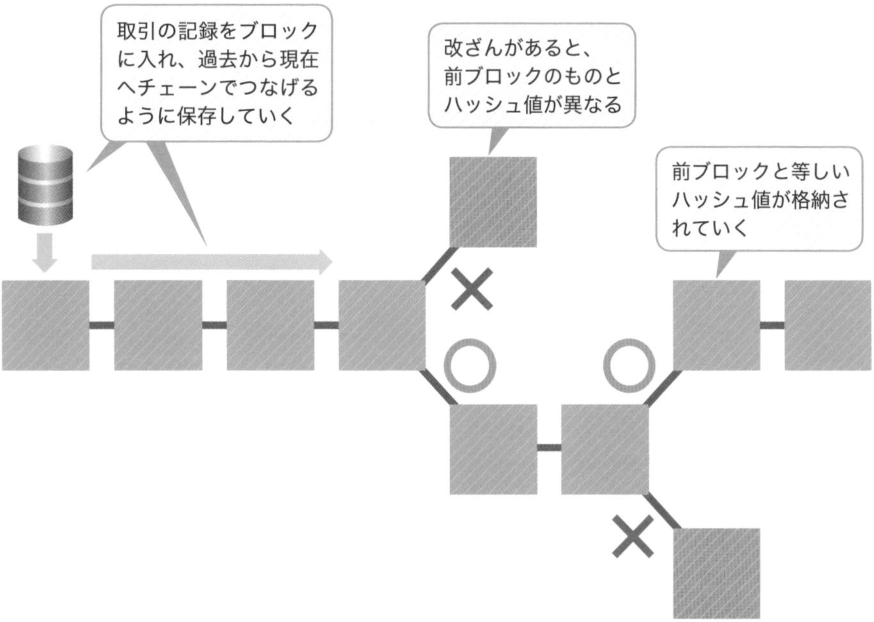
取引の記録をブロックに入れ、過去から現在へチェーンでつなげるように保存していく
改ざんがあると、前ブロックのものとハッシュ値が異なる
前ブロックと等しいハッシュ値が格納されていく

出典：エヌ・ティ・ティ・データ Webページ「ブロックチェーンの仕組み」をもとに作成

集中型管理システムと分散型管理システムの違い

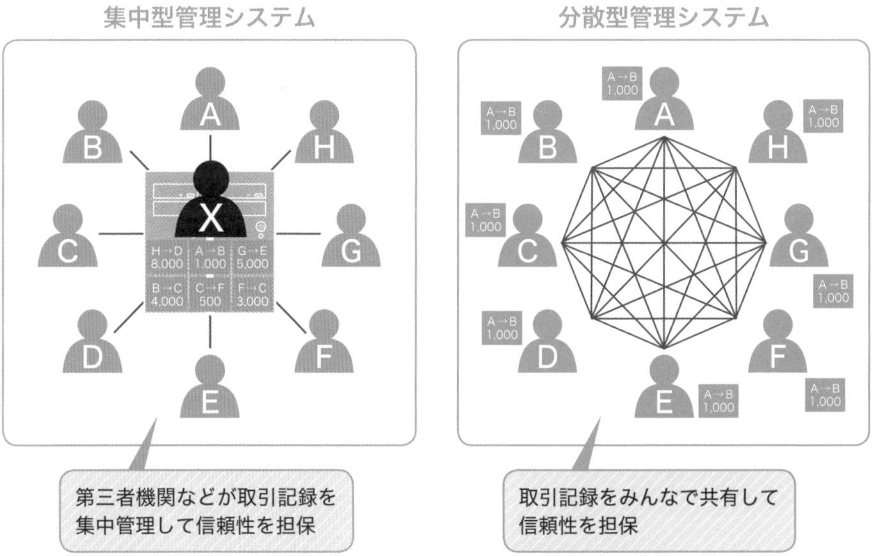
集中型管理システム
分散型管理システム
A
B
C
D
E
F
G
H
X
H→D 8,000
A→B 1,000
G→E 5,000
B→C 4,000
C→F 500
F→C 3,000
A→B 1,000
第三者機関などが取引記録を集中管理して信頼性を担保
取引記録をみんなで共有して信頼性を担保

出典：経済産業省「ブロックチェーン技術を利用したサービスに関する国内外動向調査報告書」（概要）をもとに作成

関連用語 仮想通貨（暗号資産）（P.152）

シェアリング

近年、消費者の意識が「所有から利用へ」と変化しています。物を購入して所有することではなく、利用することに価値を見出すようになっています。シェアリングはこのような時代背景に合致したしくみといえます。

☑ 物、設備、能力などを共有するシェアリング

シェアリングは、個人や企業などが所有する物や設備、能力などを貸し出し、顧客と「共有する」サービスで、利用量や利用時間などに対して料金を支払うしくみです。現在使っていない部屋や自動車、バッグなどを、インターネット上のプラットフォームを活用して貸借します。また、このように活用可能な物や設備などを多くの人と共有・交換する社会的なしくみを「シェアリングエコノミー」と呼びます。

☑ 空間、移動、スキル、お金などの分野に拡大

シェアリングは現在、さまざまな分野に拡大しています。大別すると、①物品のシェア、②空間のシェア、③移動のシェア、④スキルのシェア、⑤お金のシェア、などがあります。

物品のシェアは、普段使っていない物を貸し出したり販売したりするサービスで、フリーマーケットやレンタルなどが相当します。空間のシェアは、使っていない場所や物件などを活用するサービスで、民泊、貸会議室、ホームシェアなど、多くのサービスが生まれています。移動のシェアは、同じ目的地に向かう人と同じ自動車に乗るというコンセプトのサービスです。アメリカでは、Uber（ウーバー）などのライドシェア（相乗り）が普及しています。スキルのシェアは、個人の持つスキルや得意なことなどを、空き時間や休日などにほかの人とシェアするサービスです。ホームページ制作、プログラミング、家事代行、教育、観光など、多くの人が参加して活性化しています。お金のシェアは、不特定多数の人がインターネットなどを通じて、ほかの人や組織などに金銭を提供するクラウドファンディングがよく知られています。

民泊
戸建ての住宅やマンションなどを活用し、旅行者などに宿泊サービスを提供すること。民泊を行うには、旅館業法の許可、国家戦略特区法の認定、住宅宿泊事業法の届け出のいずれかが必要となる。

さまざまな分野に拡大するシェアリング

物品のシェア
フリーマーケット
レンタル
空間のシェア
住居
会議室
駐車場
移動のシェア
ライドシェア
シェアリング
スキルのシェア
プログラミング
家事代行
教育
お金のシェア
クラウドファンディング

ライドシェアのしくみ

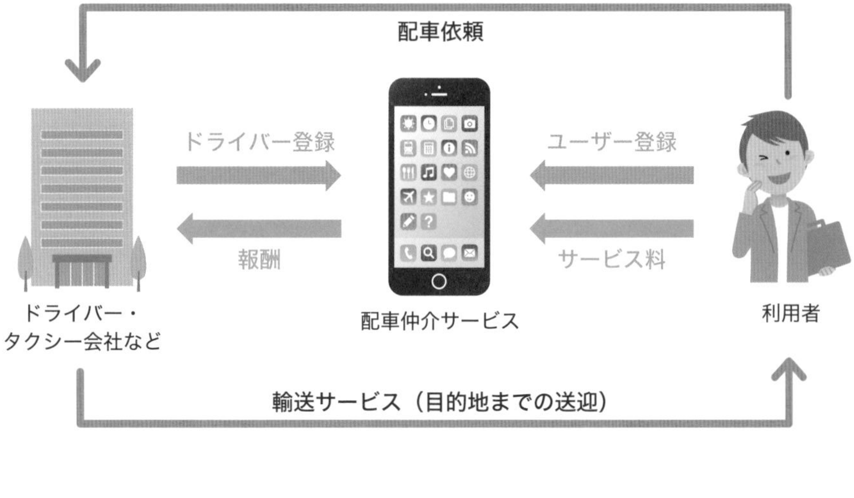
配車依頼
ドライバー登録
報酬
ユーザー登録
サービス料
ドライバー・
タクシー会社など
配車仲介サービス
利用者
輸送サービス（目的地までの送迎）

関連用語　サブスクリプション（P.134）、クラウドファンディング（P.148）、フリーミアム（P.158）

Chapter4
14

ビジネス関連

フリーミアム

基本となる製品やサービスなどは無料にして、高度な機能などを利用する場合に有料にするフリーミアム。従来から存在したビジネスモデルですが、インターネットの発達で急速に拡大しています。

☑ 基本的なサービスは無料で提供

フリーミアム（Freemium）は「Free」（無料）と「Premium」（割増、景品）を組み合わせた造語です。基本的な製品やサービスなどは無料で提供し、一定の使用量や使用期間を超えたり、高度な機能やサービスを利用したりする場合に有料で提供するビジネスモデルをいいます。デジタル系のツールやゲームなどは複製や流通のコストが低いため、インターネットの進化とともに急速に広まりました。

フリーミアムの具体例としては、次のようなものがあります。

①**一定の使用量まで無料**：オンラインストレージサービスで、一定のデータ量までは無料ですが、それ以上は有料になります。

②**利用は無料、一部課金**：オンラインゲームへの参加は無料だが、ゲーム内のアイテムなどは一部有料になります。

③**広告の有無**：無料のWebサイトやブログなど、無料版で表示される広告を有料版では非表示にします。

④**機能の違い**：ソフトウェアなどで使える機能や利用可能人数などが異なります。

オンライン ストレージサービス
インターネットを通じて事業者が提供するサーバーにデータを保存できるサービス。

☑ 日常生活に普及しているフリーミアム

インターネットに関連するサービスやコンテンツだけに限らず、たとえば飲食店におけるコーヒーの無料提供や一品無料サービスなどもフリーミアムの例といえます。このようにフリーミアムは、無料で製品やサービスを提供して多くの人に使用してもらい、その認知度を高めるプロモーション効果があります。利用者が使用体験を通じて製品やサービスの価値に納得した場合は、有料の製品やサービスへのアップグレードが期待できます。

》一定量を超えた利用や高度な機能は有料になるモデル

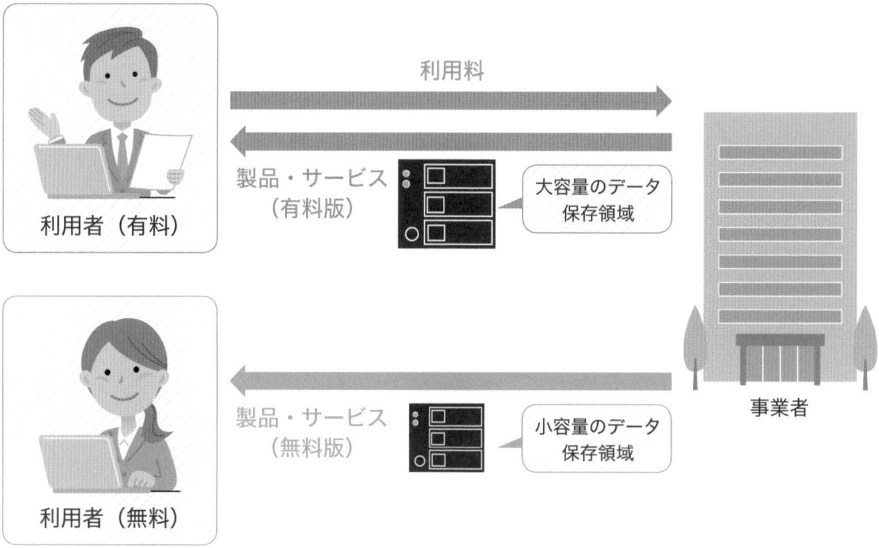
利用料
製品・サービス
（有料版）
大容量のデータ
保存領域
利用者（有料）
製品・サービス
（無料版）
小容量のデータ
保存領域
利用者（無料）
事業者

》無料版で表示される広告を有料版で非表示にするモデル

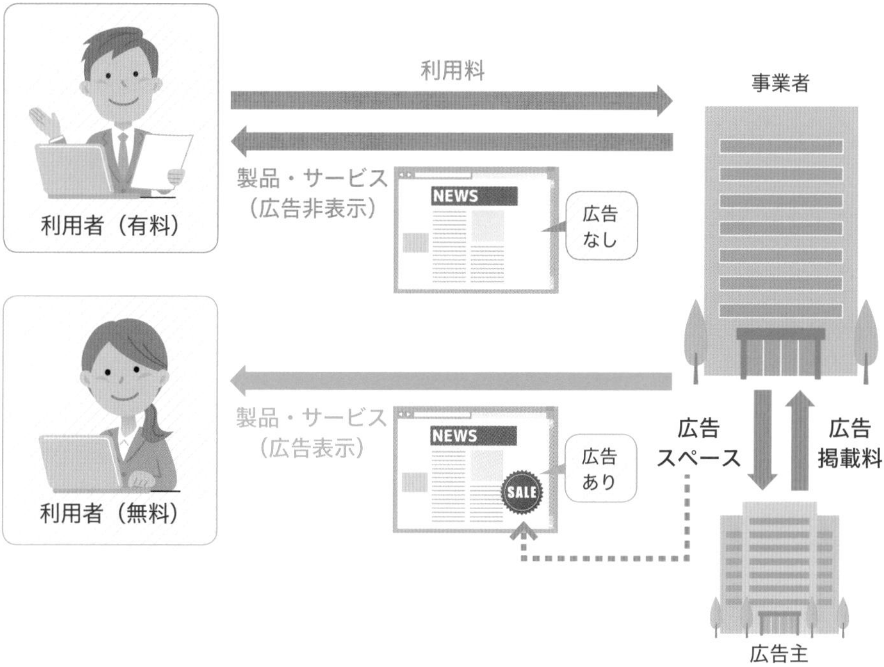
利用料
事業者
製品・サービス
（広告非表示）
NEWS
広告
なし
利用者（有料）
製品・サービス
（広告表示）
NEWS
SALE
広告
あり
広告
スペース
広告
掲載料
利用者（無料）
広告主

サイバーフィジカルシステム（Cyber Physical System：CPS（シーピーエス））

実世界の多様・多量なデータを仮想世界に収集・蓄積し、解析することで、実世界を進化させるサイバーフィジカルシステムという考え方があります。これにより、新しい価値の創出や社会的課題の解決が期待されています。

☑ サイバー空間で分析された情報を現実に生かす

私たちが暮らしている実世界を「フィジカル空間」、コンピューターやネットワークなどによって構築された仮想的な空間を「サイバー空間」と呼ぶことがあります。現代では機械や家電、自動車などの多くのモノがインターネットでつながり（IoT)、情報収集や遠隔制御などができるようになりました。それにより、実世界（フィジカル空間）で収集できるさまざまなデータをサイバー空間で分析し、その結果を実世界にフィードバックする構造ができ上がりつつあります。このようなサイクルで生まれた新たな価値により、産業の活性化や社会問題の解決などを図っていこうという考え方がサイバーフィジカルシステムです。

☑ フィジカル空間とサイバー空間の融合

サイバーフィジカルシステムは、IoTと似た考え方ですが、IoTがモノとインターネットがつながることに焦点を当てているのに対し、サイバーフィジカルシステムはサイバー空間での分析結果などを活用することまでを含む考え方です。実世界とサイバー空間を**高レベルで融合**させようとするもので、IoTを包含する概念ともいえます。

高レベルで融合
実世界のデータを大量に収集することで、サイバー空間上に実世界の状況や動作などをデータで再現することも可能になる。これはデジタルツインとも呼ばれる。

サイバーフィジカルシステムは、医療、農業、漁業、製造・物流、交通システム、インフラ・エネルギー、防災など、多様な分野で実現しつつあります。またサイバーフィジカルシステムは、特定の業界やサービス事業者などの枠を超え、社会規模でネットワークなどを構築し、実現していくものです。このため、エネルギー問題や少子高齢化、災害対策など、社会的な課題の解決にもつながるものとして注目されています。

» CPS/IoT社会のイメージ

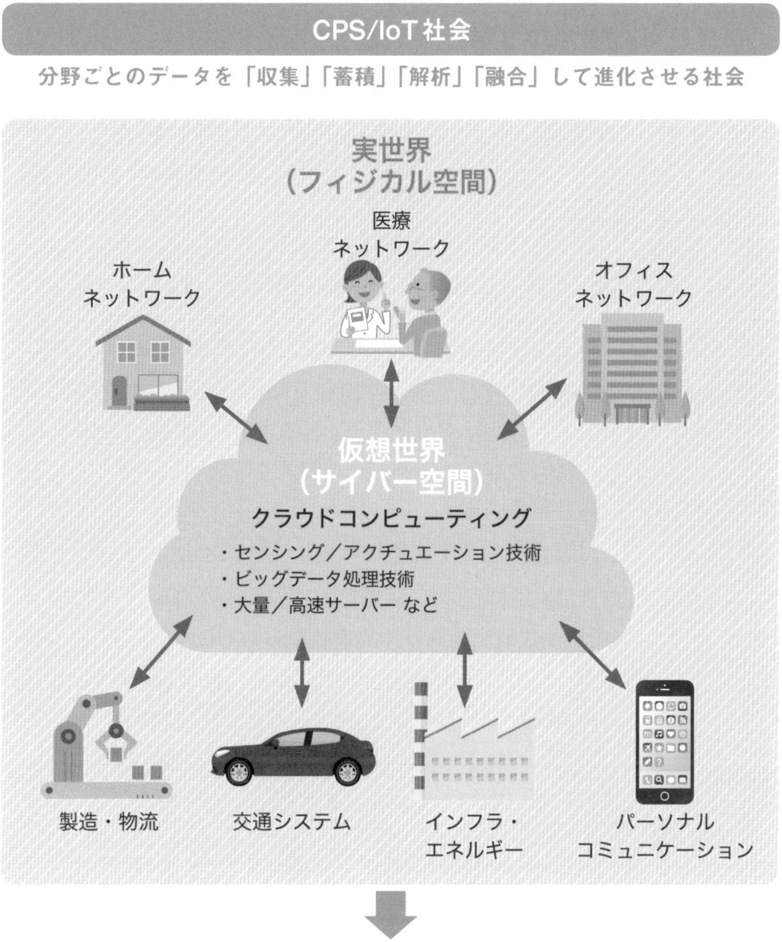
CPS/IoT社会
分野ごとのデータを「収集」「蓄積」「解析」「融合」して進化させる社会
実世界
（フィジカル空間）
医療
ネットワーク
ホーム
ネットワーク
オフィス
ネットワーク
仮想世界
（サイバー空間）
クラウドコンピューティング
・センシング／アクチュエーション技術
・ビッグデータ処理技術
・大量／高速サーバー など
製造・物流
交通システム
インフラ・
エネルギー
パーソナル
コミュニケーション

実世界と仮想世界の融合
実世界（フィジカル空間）の多様なデータを仮想世界（サイバー空間）に収集して解析することで、新たな価値を創出。

インターネット空間と人々の生活が多様化
情報ネットワークが家電や自動車、街などにつながり、新たなサービスの創出や社会的課題の解決などが実現。

ITがあらゆる領域に浸透
機器やセンサーからの実世界観測データをハイパフォーマンスコンピューティングにより高度化。

出典：電子情報技術産業協会（JEITA）Webページ「CPSとは」をもとに作成

関連用語 IoT（P.14）

16 Society 5.0

ソサエティ

Society 5.0は、AIやIoT、ロボット、自動運転車などの技術を活用し、実世界と仮想世界を高度に融合させることで社会的課題の解決を図り、誰もが快適な生活ができる社会の実現を目指すことがコンセプトです。

☑ 日本が今後目指す未来社会の姿

わが国の**科学技術基本計画**において提唱された、日本の目指すべき未来社会の姿がSociety 5.0です。「サイバー空間（仮想空間）とフィジカル空間（現実空間）を高度に融合させたシステムにより、経済発展と社会的課題の解決を両立する人間中心の社会」と定義されています。

Society 5.0の考え方によると、狩猟社会（Society 1.0）、農耕社会（Society 2.0）、工業社会（Society 3.0）、情報社会（Society 4.0）と社会が発展してきました。Society 4.0である現在、情報やデータなどは人間がインターネット経由で入手する必要があり、その収集や分析にはITリテラシー（活用知識）が求められます。このため、情報格差が生まれ、知識や情報の共有・連携が十分とはいえない状況になっています。

科学技術基本計画
日本では科学技術基本法により、科学技術基本計画を策定し、長期的視野に立ち、一貫した科学技術政策を実行することになっている。現在、第５期基本計画まで策定されている。

☑ 先端技術の活用で社会的な課題を解決

Society 5.0では、IoTなどによりインターネットで収集・蓄積された膨大な情報（ビッグデータ）をAI（人工知能）が解析し、ロボットなどを通じて現実世界にフィードバックされます。このような連環構造により、今まで存在しなかった新たな価値やイノベーションなどが産業や社会にもたらされる可能性が生まれます。

また、この新たに創出される価値により、年齢や性別、地域などの格差がなくなり、個々のニーズや潜在的ニーズに対応できるようになると考えられています。さらに、先端技術を産業や社会生活に取り込むことにより、経済発展だけではなく、温室効果ガスの排出削減や食料の増産など、社会的な課題の解決も図っていこうというのがSociety 5.0の目指すところです。

Society 5.0のイメージ

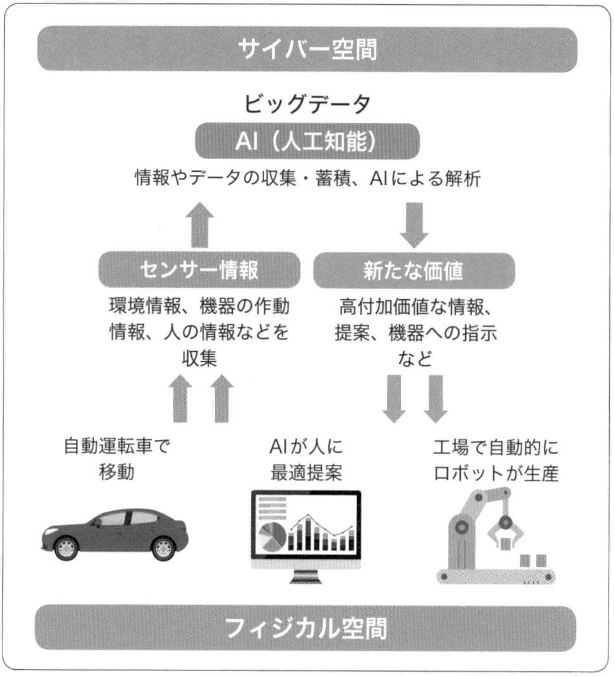
サイバー空間
ビッグデータ
AI（人工知能）
情報やデータの収集・蓄積、AIによる解析
センサー情報
環境情報、機器の作動情報、人の情報などを収集
新たな価値
高付加価値な情報、提案、機器への指示など
自動運転車で移動
AIが人に最適提案
工場で自動的にロボットが生産
フィジカル空間

出典：内閣府 Webページ「Society 5.0」をもとに作成

Society 5.0で期待される社会変化

これまでの社会　情報や知識の共有・連携が不十分
↓
Society 5.0　IoTですべての人とモノがつながり、新たな価値が生まれる社会

これまでの社会　地域の課題や高齢者のニーズなどに十分対応できない
↓
Society 5.0　イノベーションによりさまざまなニーズに対応できる社会

これまでの社会　必要な情報の探索・分析が負担、リテラシー（活用能力）が必要
↓
Society 5.0　AIにより、必要な情報が必要なときに提供される社会

SEARCH

これまでの社会　年齢や傷害などによる、労働や行動範囲の制約
↓
Society 5.0　ロボットや自動運転車などの技術で、人の可能性が広がる社会

出典：内閣府 Webページ「Society 5.0」をもとに作成

関連用語 AI (P.12)、IoT (P.14)

17 ロジスティクス4.0

AIやIoTの進化などにより、物流分野でもイノベーションが起こっています。現代では主に、倉庫ロボットの導入よる省人化、サプライチェーン全体での情報や物流機能の共用による標準化が目指されています。

☑ 20世紀からの物流分野のイノベーション

第４次産業革命に位置付けられるインダストリー4.0と同様、物流分野においてもさまざまなイノベーションが起こっています。物流分野でのイノベーションは、大きく４つの段階で推移しています。20世紀に入り、トラックや鉄道、汽船などの普及による輸送の機械化は「ロジスティクス1.0」に位置付けられています。その後、1950～60年代の自動倉庫や自動仕分けなどの実用化による荷役の自動化は「ロジスティクス2.0」、1980～90年代のWMS（Warehouse Management System：倉庫管理システム）などの普及による物流管理のシステム化は「ロジスティクス3.0」に位置付けられます。現在は、IoTの進化により、省人化・標準化を実現しつつある「ロジスティクス4.0」の段階にあるといわれています。

イノベーション
製品の開発、生産方式の導入、市場の開拓、原料・資源の開発などにより経済発展や景気循環などがもたらされるという考え方。

WMS（Warehouse Management System：倉庫管理システム）
物流センター内の入荷、在庫、流通加工、帳票類の発行、出荷、棚卸しなどを効率的に管理する倉庫管理システム。

☑ 第４段階で倉庫の省人化と標準化を実現

「省人化」とは、IoTの進化などにより、人による判断や操作を必要としていた作業が自動化され、物流分野で人が介在するプロセスが大幅に減少することです。たとえば、Amazonは棚搬送型の倉庫ロボットを導入することで省人化を進めています。

「標準化」とは、調達から小売に至るまでの物流プロセスに関わる企業間の情報をつなぎ、共用化していこうというものです。この取り組みにより、どこに、どのくらい製品があるかをリアルタイムで把握できるようになります。

また、トラックなどの輸送手段や物流センターの情報を多くの企業が共有することで、物流の効率性も大きく向上すると考えられています。

》物流分野のイノベーションの推移

ロジスティクス1.0 (20世紀初頭)	ロジスティクス2.0 (1950～60年代)	ロジスティクス3.0 (1980～90年代)	ロジスティクス4.0 (現代)
輸送の機械化	荷役の自動化	管理・処理の システム化	物流の装置産業化
陸上輸送の 高速化・大容量化	フォークリフトの普及、 自動倉庫の実用化	物流管理システムの 導入・活用	倉庫ロボットなどに よる省人化
海上輸送の拡大	海陸一貫輸送の実現	各種手続き処理の 電子化	サプライチェーン 全体の標準化

出典：ローランド・ベルガー Webページをもとに作成

》倉庫内作業の省人化の例

物流センター内で棚ごとに在庫商品をピッキングして作業員のもとに自動搬送を行う

画像提供：シャープ

関連用語 インダストリー4.0 (P.136)

18 SDGs(Sustainable Development Goals：持続可能な開発目標)

エスディージーズ

持続可能な世界の実現のための17の国際目標がSDGsです。SDGsは国家レベルの取り組みだけではなく、企業や私たち一人ひとりがその意義を考え、持続的に取り組んでいくべきテーマといえます。

☑ 持続可能な世界を実現するための国際目標

SDGs
「エスディージーズ」と複数形で呼ぶのは、目標が17個と複数になっているため。17個の目標の下に細分化された169のターゲットが設定されている。

SDGsとは、2015年の国連サミットで採択された、持続可能な世界を実現するための国際目標です。SDGsの根底には、産業革命以降、地球資源を使って拡大してきた経済成長により、地球の持続可能性が脅かされているという認識があります。

SDGsの対象期間は2016年から2030年の15年間。先進国を含む国際社会全体の開発目標として、17の目標が設定され、地球上の誰一人取り残さないことを目指しています。日本でも2016年にSDGs推進本部が設置され、取り組みが始まっています。設定された目標の中で、成長・雇用、クリーンエネルギー、イノベーション、循環型社会、温暖化対策、生物多様性の保全、女性の活躍、児童虐待の撲滅、国際協力などは、とくに日本との関係が深い項目と考えられています。

☑ SDGsは民間企業の取り組みも求める

持続可能な開発というテーマは、繰り返し議論されてきましたが、国が主体となることが多く、一人ひとりが当事者意識を持ちにくい面がありました。そこでSDGsでは、途上国だけではなく、先進国の課題も網羅し、民間企業による取り組みを求めたことが特徴となっています。企業には、ボランティアではなく本業にSDGsの考え方を組み込み、そこで収益を上げることが持続可能な世界の実現につながるビジネスモデルの構築が求められています。このため、企業によるSDGs実践のための行動指針も策定されました。この指針では、SDGsを「理解する」「優先順位を決定する」「目標を設定する」「経営へ統合する」「報告とコミュニケーションを行う」の5つのステップに分けています。

地球に求められるSDGs

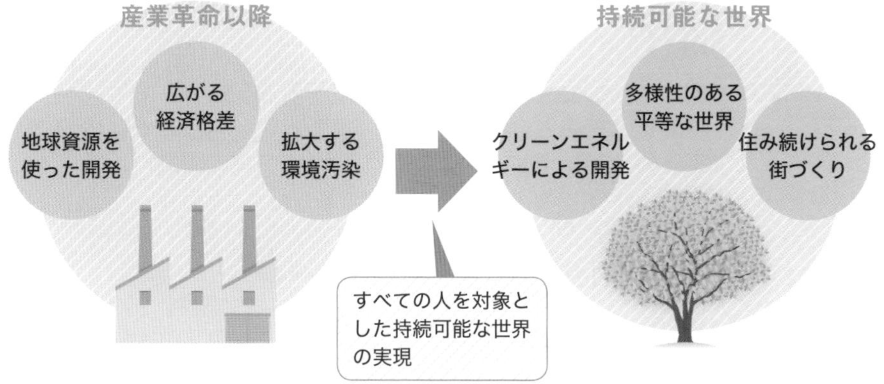
産業革命以降
広がる
経済格差
地球資源を
使った開発
拡大する
環境汚染
持続可能な世界
多様性のある
平等な世界
クリーンエネル
ギーによる開発
住み続けられる
街づくり
すべての人を対象と
した持続可能な世界
の実現

SDGsの17の目標

SUSTAINABLE DEVELOPMENT GOALS
1 貧困を なくそう
2 飢餓を ゼロに
3 すべての人に 健康と福祉を
4 質の高い教育を みんなに
5 ジェンダー平等を 実現しよう
6 安全な水とトイレ を世界中に
7 エネルギーをみんなに そしてクリーンに
8 働きがいも 経済成長も
9 産業と技術革新の 基盤をつくろう
10 人や国の不平等 をなくそう
11 住み続けられる まちづくりを
12 つくる責任 つかう責任
13 気候変動に 具体的な対策を
14 海の豊かさを 守ろう
15 陸の豊かさも 守ろう
16 平和と公正を すべての人に
17 パートナーシップで 目標を達成しよう

出典：国際連合広報センター

途上国だけではなく、先進国の
課題も網羅し、民間企業による
取り組みを求めたことが特徴

関連用語 Society 5.0 (P.162)

19 信用スコア

信用スコアは、個人の情報に基づいて算出される信用力の指標で、アメリカや中国で一般化しています。日本でもクレジットカード会社をはじめ、通信事業者やIT企業などにより、新たな事業として注目され始めています。

☑ AIによって算出する個人の信用力

信用スコアとは、雇用状況や家族構成、インターネットでの行動履歴などの情報に基づいて、個人の信用力を数値化した指標です。金融機関が融資額や金利を決めるときや、一般企業が顧客に提供する優遇サービスを選ぶときなどに利用されています。

信用スコアは、インターネット上のサービスの利用傾向や本人による申告内容などの各種データを、AIにより分析し、精緻なスコアを算出します。近年、日本でも金融機関や通信事業者などにより、信用スコアを算出するサービスが開始されています。

☑ 信用スコアが高いほど優遇が得られる

アメリカで有名な信用スコアは「FICO（ファイコ）スコア」です。FICOスコアは、支払履歴、クレジットの種類、新規借入額など、主にファイナンス系の情報から信用スコアを算出します。

中国では、アリババグループが提供する「芝麻（ジーマ）信用」が普及しています。芝麻信用は、アリババグループの決済サービスである「Alipay（アリペイ）」の利用状況、学歴、資産、公共料金の支払履歴、交友関係、購買頻度などの情報から信用スコアを算出します。信用スコアが高いほど、サービス利用時のデポジット（保証金）の免除、出国手続きの簡素化など、多様な優遇が受けられます。

Alipay
アリババグループが運営するEコマースの決済サービスとして開始され、急速に利用者数を拡大。現在では金融サービスから生活に関連する各種サービスまで幅広く提供している。

信用スコアは、個人の信用力について、数値的な客観性を持たせたもので、個人の信用度の判断基準になります。このため、融資で金利が有利になったり、ビジネスで信頼を得られたりなどのメリットが考えられます。デメリットとしては、スコアだけで一面的に判断されてしまう可能性があることや、個人スコアが流出する危険性があることなどが挙げられます。

信用スコアのしくみ

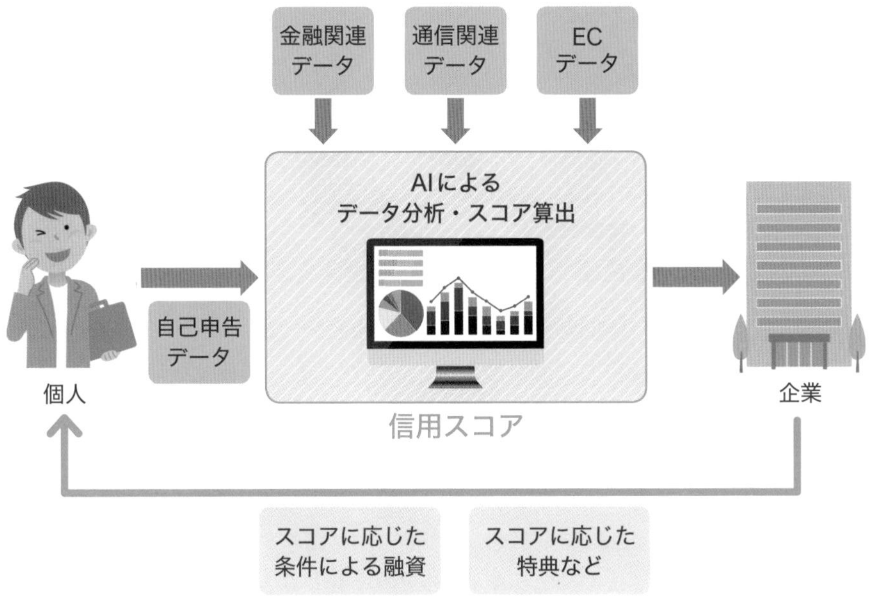
金融関連
データ
通信関連
データ
EC
データ
AIによる
データ分析・スコア算出
個人
自己申告
データ
企業
信用スコア
スコアに応じた
条件による融資
スコアに応じた
特典など

スコアリングの例

J.Score
ホーム
スコアアップ
トピックス
メンバーシップ
【2021/6/30まで】初めてのご契約&お借入キャンペーン実施中！
780
現在のスコア
CURRENT SCORE
INFORMATION
レンディング(貸付)条件はこちら
前回のスコア
PREVIOUS SCORE

情報の入力状況
INPUT STATUS
2021/01/12
4 %

日本でも信用スコアが登場し始めている。図はみずほ銀行とソフトバンクが共同出資した「J.Score」。AIと各種データより算出するAIスコアにより融資サービスや特典を受けられる

関連用語 AI (P.12)

シャドーIT（アイティー）

新型コロナウイルスの感染拡大の影響によりテレワークによる業務が増加する中、企業が把握していない個人のスマートフォンやタブレット端末で業務を行うなど、シャドーITの危険性がクローズアップされています。

☑ 業務でプライベートな端末を利用

シャドーITとは、企業が管理していないパソコンやスマートフォン、ITツール、Webサービスなどを使って従業員が業務を行うことをいいます。主に次のような例が挙げられます。

・自宅で業務を行うために、個人のUSBメモリーにデータを保存して持ち帰ったり、会社で契約していないファイル共有サービスにデータをアップロードしたりする。

・プライベートのメールアカウントやチャット用アプリで業務上の連絡をとる。

・プライベートの携帯端末で業務を行う。

シャドーITの特徴は、従業員に悪意がなく、業務の効率化やテレワークなどで無自覚に使うケースが多いことです。

ファイル共有サービス
インターネット上のサーバーにファイルを保存することで、外出先でデータを利用したり、ほかの利用者とデータを共有したりすることを可能にするサービス。

☑ 企業が管理できないセキュリティリスク

シャドーITは、企業が管理できないさまざまなセキュリティリスクが生じる危険性があります。たとえば、プライベートのメールやスマートフォンなどは利用者が知らないうちにマルウェアに感染している可能性があります。また、ファイル共有サービスで情報漏えいしてしまう、業務用データを不特定多数の人が閲覧できる状態にしてしまう、などのリスクが想定されます。

シャドーITのリスクを軽減するためには、企業が従業員にそのリスクを理解してもらい、不足しているITツールはないかを聞き取り、不満やニーズなどを汲み取ることが必要といわれています。それらを踏まえ、個人所有の機器の利用を一定の条件下で認めたり、逆に個人の所有物や個人契約のWebサービスなどを可能な範囲で使わせないしくみを構築することが重要です。

マルウェア
不正かつ有害な動作を行う意図で作成された、悪意のあるソフトウェアの総称(P.118参照)。

シャドーITの主な例

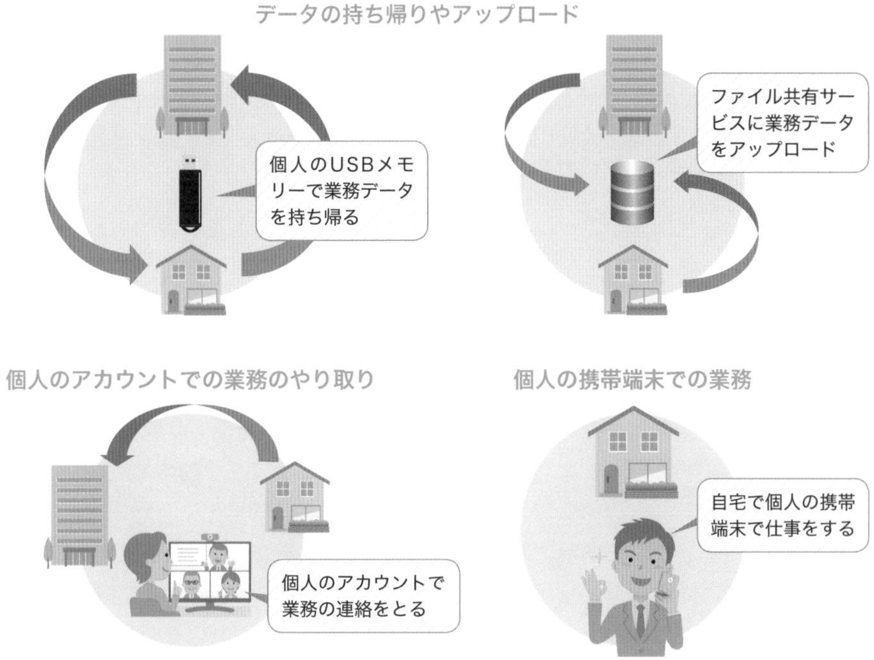
データの持ち帰りやアップロード
個人のUSBメモリーで業務データを持ち帰る
ファイル共有サービスに業務データをアップロード
個人のアカウントでの業務のやり取り
個人の携帯端末での業務
個人のアカウントで業務の連絡をとる
自宅で個人の携帯端末で仕事をする

シャドーITのためのセキュリティ構築の例

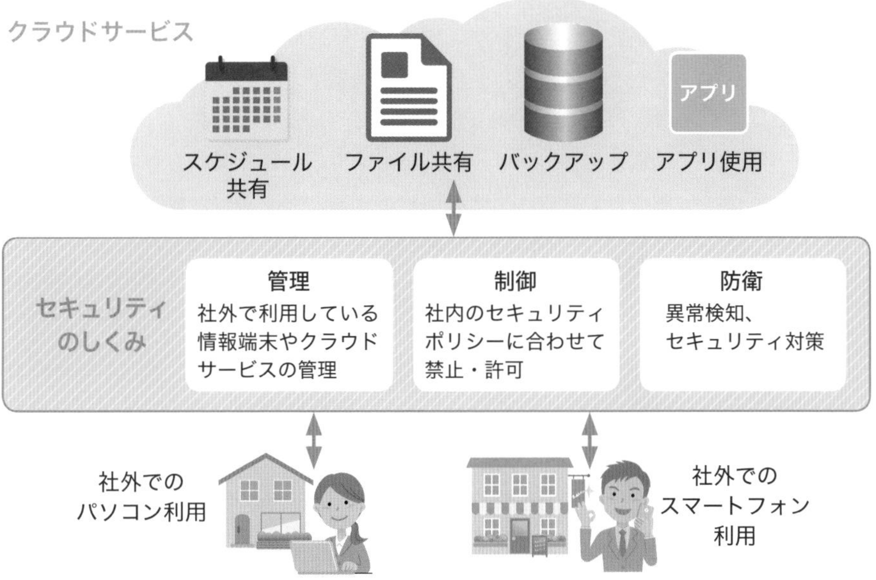
クラウドサービス
アプリ
スケジュール共有
ファイル共有
バックアップ
アプリ使用
セキュリティのしくみ
管理
社外で利用している情報端末やクラウドサービスの管理
制御
社内のセキュリティポリシーに合わせて禁止・許可
防衛
異常検知、セキュリティ対策
社外でのパソコン利用
社外でのスマートフォン利用

関連用語 マルウェア（P.118）

電子署名／電子印鑑

日本では、ビジネスや行政などの現場で、紙への押印が重視される場面もあります。しかし現在、テレワークの重要性が高まるなか、ハンコ文化を見直し、電子書類による認証制度の普及が求められています。

☑ 本人確認や改ざん防止のためのしくみ

電子署名とは、電子化された文書に対する電子的な署名で、本人確認をしたり、内容が改ざんされていないかを確認したりするために用いられます。電子署名は、本人証明・非改ざん証明のために、主に「公開鍵暗号方式」という技術が利用されています。電子署名における公開鍵暗号方式は、暗号化に「秘密鍵」、復号に「公開鍵」と、対になる２つの鍵を使うのが特徴です。秘密鍵は送信者だけが保持し、公開鍵は一般に公開します。暗号化された文書は、秘密鍵を持つ送信者にしか作成できないため、送信者を特定でき、文書の改ざんを防ぐこともできます。

しかし、この公開鍵暗号方式だけでは、公開鍵が本当に送信者のものかどうかを証明できないため、公開鍵の真正について電子証明書で保証します。送信者が認証局に電子証明書の利用を申請すると、認証局は送信者の本人確認と、秘密鍵と公開鍵の対応付けを確認して、電子証明書を発行します。

電子証明書
信頼できる第三者（認証局）が、間違いなく本人であることを電子的に証明するもので、書面取引における印鑑証明書に代わるもの。

電子署名のメリットには、契約書の取り交わしがすばやく行えること、収入印紙代を節約できること、書類の原本性（改ざんがないこと）の担保、書類保管スペースの削減などが挙げられます。

☑ 電子署名と電子印鑑の違い

電子署名と似たものに電子印鑑があります。これは、電子印鑑作成ソフトなどを用いて作成された印鑑で、電子文書に押印することができる印鑑のことです。前述の電子署名は電子的な徴証（ちょうしょう）で、改ざん防止のしくみであり、電子印鑑は印影をパソコンに取り込んだものに過ぎないため、現状、信頼できる証明にはならないという違いがあります。

》公開鍵暗号方式のしくみ

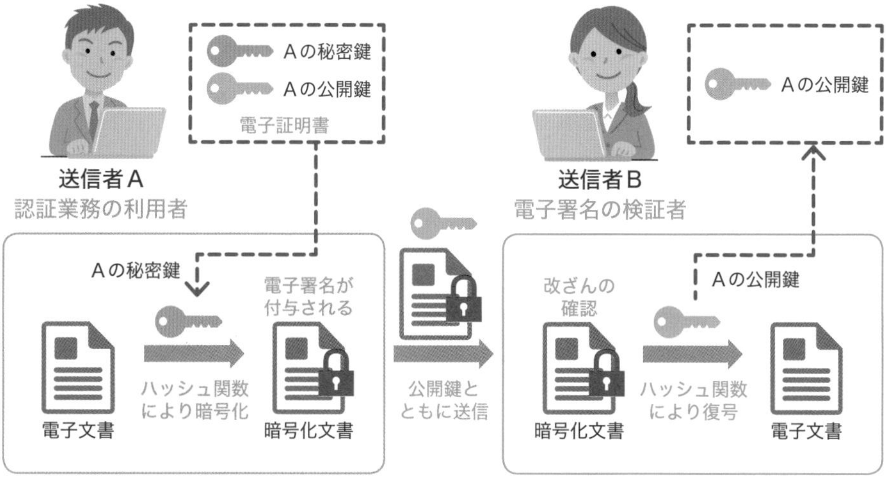

Aの秘密鍵
Aの公開鍵
電子証明書
送信者A
認証業務の利用者
送信者B
電子署名の検証者
Aの公開鍵
Aの秘密鍵
電子署名が
付与される
ハッシュ関数
により暗号化
電子文書
暗号化文書
公開鍵と
ともに送信
改ざんの
確認
Aの公開鍵
ハッシュ関数
により復号
暗号化文書
電子文書

》電子証明書の発行の流れ

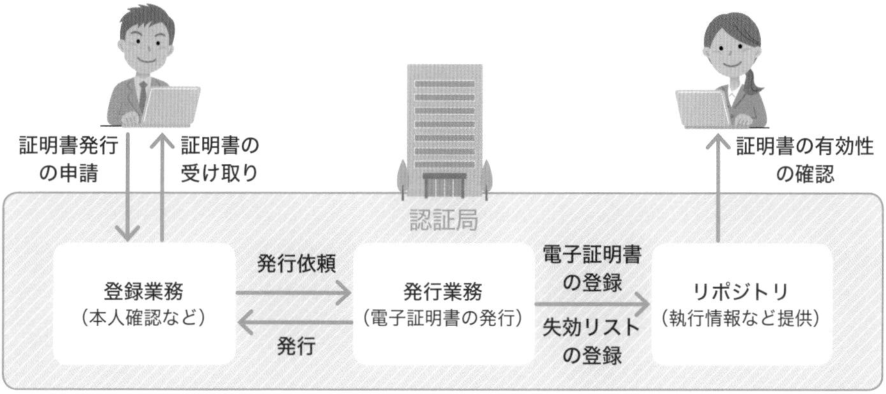

証明書発行
の申請
証明書の
受け取り
証明書の有効性
の確認
認証局
登録業務
(本人確認など)
発行依頼
発行
発行業務
(電子証明書の発行)
電子証明書
の登録
失効リスト
の登録
リポジトリ
(執行情報など提供)

ONE POINT

ハッシュ関数

図中にある「ハッシュ関数」とは、入力された値を、入力値の長さに関係なく、あらかじめ決められた長さの出力値に変換する関数です。得られた値(出力値)は「ハッシュ値」と呼ばれます。ハッシュ関数において、入力値と出力値の間に規則性がなく、入力値が少しでも異なれば全く異なる出力値になります。このため、認証情報のハッシュ値から個人情報を抽出したり、電子署名が施された文書を改ざんして署名を付け直したりといった不正を防止できると考えられています。

関連用語 テレワーク(P.132)

COLUMN 4

新たな商流を支えるロジスティクス

ネットの発達で生まれた取引

インターネットの発達により新たな商取引が次々と生まれています。Amazonなどのコマースは、いまや日常生活に欠かせないものとなっていますが、これは企業と一般消費者の取引でありB to C（Business to Consumer）と呼ばれます。これに対し、個人と個人（一般消費者）の間で行われる取引をC to C（Consumer to Consumer）と呼びます。メルカリなどのフリーマーケットやネットオークションなどがその一例であり、すでに大きな市場を形成しているのはご存知のとおりです。

これら以外にも個人や企業が所有する遊休資産を貸し出して顧客と共有するシェアリングや、定額制・継続課金により商品やサービスを提供するサブスクリプションなどの取引が現れています。物を所有せずに必要なときだけ利用できるサービスが生まれています。

このような多様な商取引を支えているのは、実は高度に発達した物流網なのです。日本は国土が狭いという要因もありますが、小口の宅配便が非常に発達しています。地域差はありますが、宅配便で「今日注文すれば翌日には自宅に届く」というスピーディーな配送が実現しているのはご存知のとおりです。多品種、多頻度、小ロットでの物流の実現は、さまざまな商取引の利便性を高めている大きな要因なのです。インターネットの取引と物流は連動する両輪であることを知っておいてください。

（小宮紳一）

ネットサービスの物流条件比較

	取引形態	配送・返送	品種	頻度
Eコマース（B to C）	1対多	配送のみ	多	多
Eコマース（C to C）	多対多	配送のみ	多	多
シェアリング	多対多	配送・返送	多	多
サブスクリプション	1対多	配送・返送	多	多

第5章

開発関連で知っておきたいIT用語

ソースコードやアルゴリズムなどの基本用語から、開発の手法や環境などに関連する用語まで取り上げます。システム設計やソフトウェア開発などを担当する際には必ず押さえておきたい用語です。

01 フレームワーク

フレームワークは、一般的には「構造」「枠組み」「骨組み」などと訳されます。IT分野では、アプリケーション開発の骨組みとなるプログラム部品のことを指し、フレームワークを利用することで、すばやく開発できます。

☑ アプリケーションをすばやく開発する骨組み

アプリケーションのフレームワークには、アプリケーション開発時に必要となるソフトウェアの主要部分のひな形（テンプレート）や、汎用的で再利用可能なクラス、ライブラリ、モジュール、API（エーピーアイ）などが含まれます。さらに、開発者がコードを記述して機能の追加や拡張を行うための方法や規約を定めています。フレームワークを骨組みとして、一部を改変したり、必要な機能を追加したりすればよいので、一から設計する必要がなく、迅速にアプリケーションを完成させることができます。

☑ Webアプリケーションフレームワークの種類

フレームワークとしてよく知られているものに、Webアプリケーション開発で使用される「Webアプリケーションフレームワーク」があり、特定のプログラミング言語向けに提供されています。

①**Spring Framework**（スプリング フレームワーク）：Java（ジャバ）プラットフォーム向けのオープンソースのWebアプリケーションフレームワークです。さまざまな機能を提供する統合されたフレームワークであり、Spring Tool Suiteと呼ばれる専用ツールが提供されています。

②**Ruby**（ルビー）**on Rails**：**スクリプト言語**のRuby向けに開発されたオープンソースのフレームワークです。Rubyで記述されたMVC（Model-View-Controller）アーキテクチャに基づくWebアプリケーションを迅速に開発するためのツールを提供します。

③**Angular**（アンギュラー）：**TypeScript**（タイプスクリプト）ベースのオープンソースのフロントエンドWebアプリケーションフレームワークです。

フレームワークのメリットは、アプリケーションをゼロから開発する必要がないので、開発工程を短縮できることにあります。

スクリプト言語
プログラムの記述や実行を比較的簡易にできる言語の総称。

TypeScript
Microsoftが開発し、メンテナンスをしているオープンソースのプログラミング言語。

≫ フレームワークを利用したアプリケーション開発のイメージ

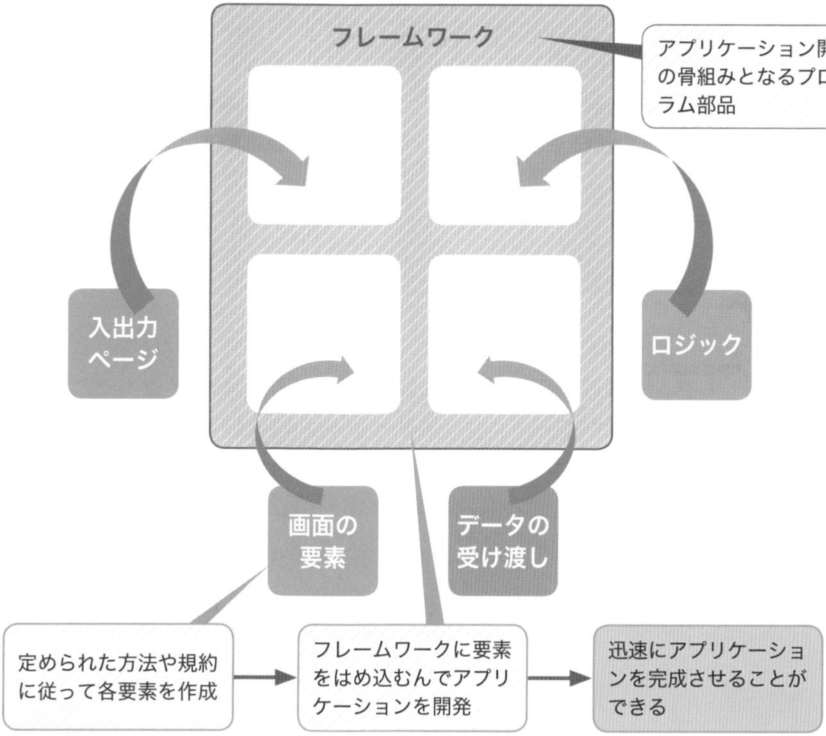
フレームワーク
アプリケーション開発の骨組みとなるプログラム部品
入出力ページ
ロジック
画面の要素
データの受け渡し
定められた方法や規約に従って各要素を作成
フレームワークに要素をはめ込むんでアプリケーションを開発
迅速にアプリケーションを完成させることができる

≫ Ruby on Railsを使ったアプリケーション開発のイメージ

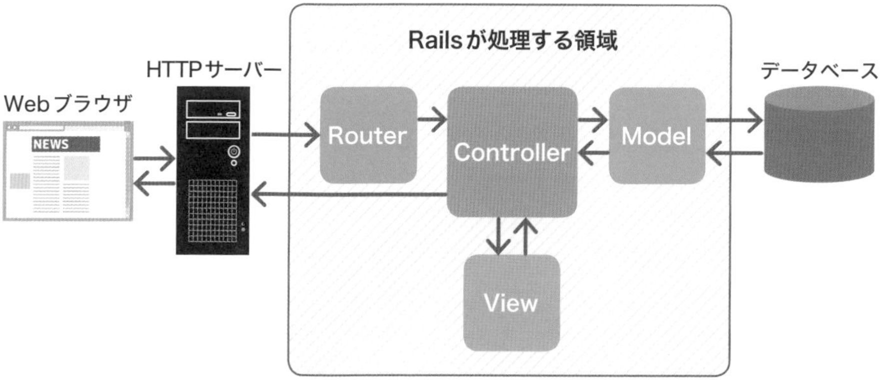
Railsが処理する領域
HTTPサーバー
Webブラウザ
NEWS
データベース
Router
Controller
Model
View

関連用語 オブジェクト指向(P.178)、ソースコード(P.180)、ライブラリ(P.182)、
オープンソース(P.192)、API(P.196)、SDK(P.198)、MVC(P.200)、Python(P.220)

02 オブジェクト指向

オブジェクト指向とは、ソフトウェアの開発手法の１つです。関連するデータと処理手順を、オブジェクトと呼ばれる１つの部品として定義し、これらを組み合わせてソフトウェア全体を構築します。

☑ 部品化による開発工程の効率化

オブジェクト指向では、関連するデータ(プロパティ)とその処理手順（メソッド）を１つの「オブジェクト」としてまとめ、複数のオブジェクトを組み合わせてソフトウェア全体を構築します。独立したオブジェクトが連携してソフトウェアを構成するので、開発工程の効率化や仕様変更への容易な対応などが実現します。

オブジェクト指向は、「クラス」というひな形をもとにオブジェクトを生成していきます。クラスには、固有のデータ（プロパティ）と「メソッド」が含まれます。このクラスを**実体化**したオブジェクトを「インスタンス」と呼びます。

実体化
クラスをひな形としてコンピューターのメモリーを確保することを指す。実体化によりデータを保持したりメソッドを動かしたりできる。

☑ オブジェクト指向の３つの特徴

オブジェクト指向には、①継承、②カプセル化、③多相性（ポリモーフィズム)、という特徴があります。

①継承は、クラスのプロパティやメソッドなどの定義を受け継ぎながら、別のクラスを作成することです。このメリットは、既存のクラスで指定されたプロパティやメソッドなどの要素を取り込むことで、同じ記述を繰り返すことなく新しいクラスを作成できることです。継承して作成されたクラスを「サブクラス」といいます。②カプセル化は、データとメソッドを１つにまとめ、内部の構造や状態は隠し、外部から直接、内部の操作ができないようにすることです。これにより、オブジェクト内部の構造やメソッドの実装などを変更しても、ほかのオブジェクトに影響を及ぼしにくくなるというメリットがあります。③多相性は、複数のサブクラスに対して同一名のメッセージを送信した場合、それぞれのサブクラスが固有の振る舞いを実行できることです。

》 オブジェクト指向の概念

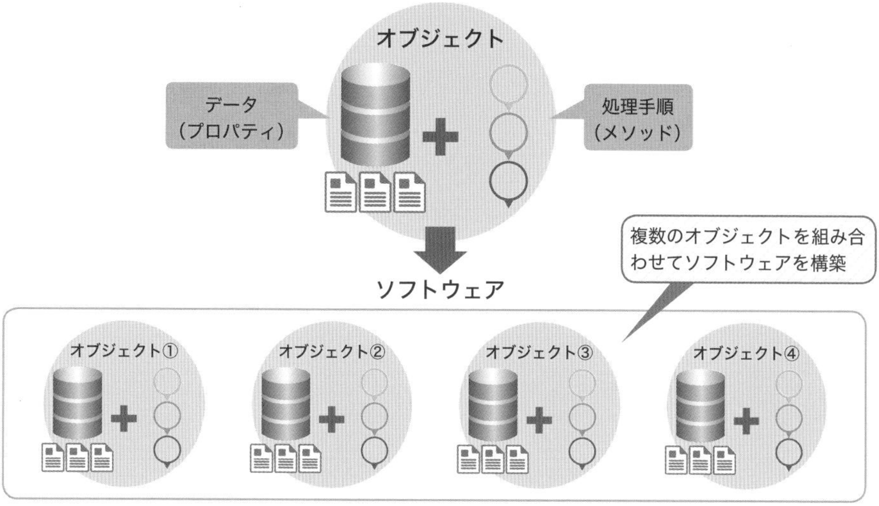
オブジェクト
データ
（プロパティ）
処理手順
（メソッド）
ソフトウェア
複数のオブジェクトを組み合わせてソフトウェアを構築
オブジェクト①
オブジェクト②
オブジェクト③
オブジェクト④

》 クラスとインスタンスの考え方

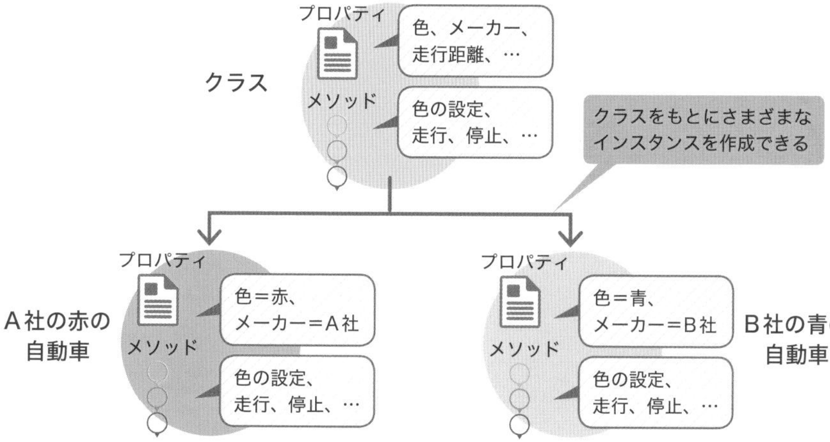
クラス
プロパティ
色、メーカー、
走行距離、…
メソッド
色の設定、
走行、停止、…
クラスをもとにさまざまなインスタンスを作成できる
A社の赤の自動車
プロパティ
色＝赤、
メーカー＝A社
メソッド
色の設定、
走行、停止、…
B社の青の自動車
プロパティ
色＝青、
メーカー＝B社
メソッド
色の設定、
走行、停止、…

ONE POINT

オブジェクト指向プログラミング

代表的なオブジェクト指向プログラミングの言語として、C++（シープラスプラス）、Java（ジャバ）、C#（シーシャープ）、JavaScript（ジャバスクリプト）、Ruby（ルビー）、Python（パイソン）などがあります。また、オブジェクト指向プログラミングの考えを取り入れた「オブジェクト指向データベース」もあります。

関連用語 フレームワーク（P.176）、ライブラリ（P.182）、API（P.196）、MVC（P.200）、データベース（P.202）、Python（P.220）、要求定義／要件定義（P.238）

ソースコード

コンピューターが処理すべき一連の命令をプログラミング言語で記述したテキストファイルがソースコードです。ソースコードを実行する方法には、大きく分けて2種類があります。

☑ コンピューターが処理すべき命令の記述

ソースコードは、コンピューターが処理すべき一連の命令をプログラミング言語で記述したもので、ソース、コード、ソースプログラムと呼ばれることもあります。ソースコードはテキストファイル形式であり、使用するプログラミング言語に応じた拡張子が使われます。たとえば、C言語であれば「.c」、Pythonであれば「.py」、Javaであれば「.java」となります。

CやC++の場合、そのままではコンピューターで実行できないため、**コンパイラ**によってコンピューターに合わせた**機械語**（オブジェクトコードやバイナリーコードなどと呼ばれる）に変換されます。一方、PythonやPHPなどのスクリプト言語は、**インタプリタ**と呼ばれるしくみにより、ソースコードが1行ずつ直接実行されます。

コンパイラ
プログラムのソースコードを、コンピューターが解読できるコードに変換するツール。

機械語
コンピューターが直接解読して実行できる命令語からなる言語。

インタプリタ
プログラムのソースコードを機械語に逐次翻訳しながら、そのプログラムを実行すること。具体例としてBASICやJava Scriptなど。

☑ ソースコードは重要な資産

ソースコードは、アプリケーションやソフトウェアの保守に必要不可欠であり、類似アプリケーションの開発にも有用です。とくにソフトウェアの開発や運用などを事業とするソフトウェア産業においては、ソースコードは製品そのものであり、保護・独占すべき重要な資産となります。

一方で、ソースコードを戦略的に公開することで、そのソフトウェアを普及させ、市場拡大に役立てようとする動きもあります。たとえば、LinuxやAndroidのように、オペレーティングシステム（OS）のソースコードを公開し、ライセンスの範囲内で自由に利用できるようにしたことで、プラットフォームの普及が加速した例もあります。

≫ ソースコードの2種類の実行方法

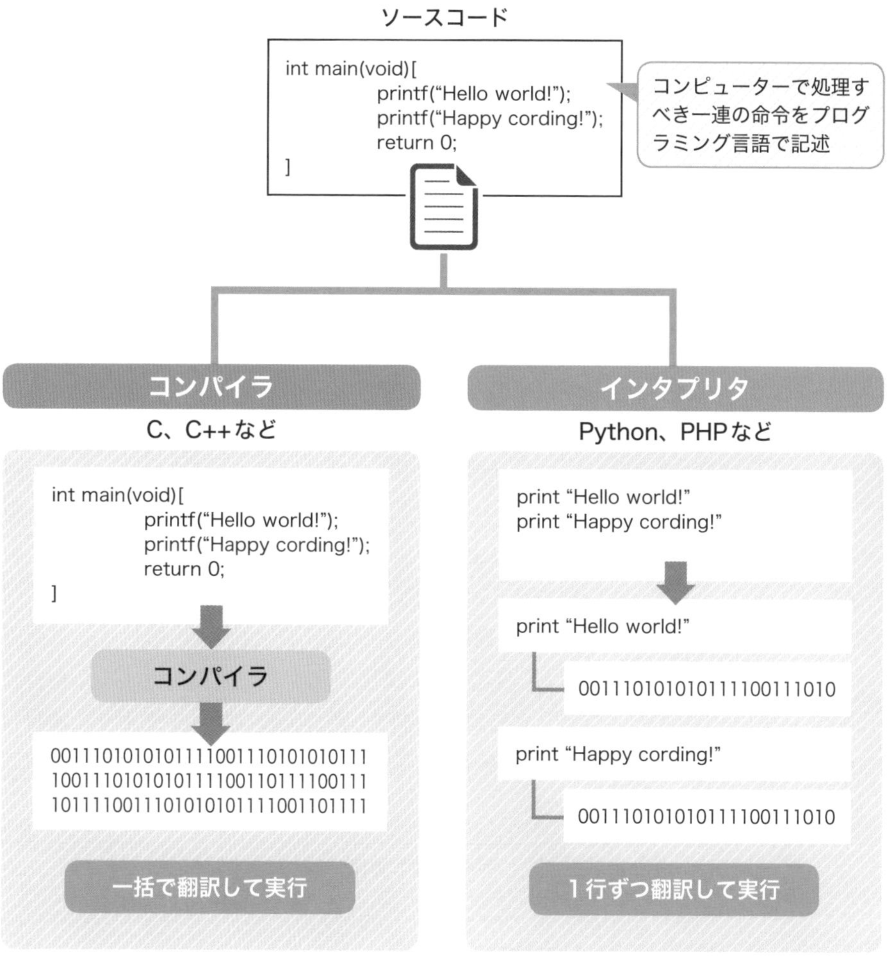
ソースコード
int main(void)[
printf("Hello world!");
printf("Happy cording!");
return 0;
]
コンピューターで処理すべき一連の命令をプログラミング言語で記述
コンパイラ
C、C++など
int main(void)[
printf("Hello world!");
printf("Happy cording!");
return 0;
]
コンパイラ
001110101010111100111010101010111
100111010101011110011011110011 1
101111001110101010111100110111 1
一括で翻訳して実行
インタプリタ
Python、PHPなど
print "Hello world!"
print "Happy cording!"
print "Hello world!"
0011101010101111 00111010
print "Happy cording!"
0011101010101111 00111010
1行ずつ翻訳して実行

ONE POINT

コーディングとは

ソースコードは多くの場合、開発者が入力して記述します。この作業をコーディングと呼びます。実際には、人がすべて入力するのではなく、開発ツールを用いて必要な部分だけを入力するのが一般的です。また、オブジェクトコードから逆変換を行い、ソースコードに戻す方法（リバースエンジニアリング）も用いられます。

関連用語 フレームワーク(P.176)、ライブラリ(P.182)、オープンソース(P.192)、API(P.196)、SDK(P.198)、ローコード開発(P.210)、Python(P.220)

04 ライブラリ

ライブラリとは、ある特定の機能を持ったコンピュータープログラムを、ほかのプログラムから呼び出して利用できるように部品化し、そのような部品を複数集めて1つのファイルにしたものです。

☑ 実行可能ファイルと組み合わせて利用する

オブジェクトコード
コンパイラを使用し、ソースコードから機械語に変換したもの。

ライブラリは通常、**オブジェクトコード**として記述されますが、ライブラリ単体では実行できず、ほかのプログラムの一部としてリンクすることで動作します。ライブラリには2種類の形態があります。1つは「静的ライブラリ」と呼ばれるもので、実行可能ファイルを作成する時点で、その内部に結合されるライブラリです。リンク時にライブラリから必要な機能がすべて結合されるので、実行可能ファイルのみでプログラムを実行できます。

もう1つは、「動的ライブラリ」と呼ばれるものです。実行可能ファイルとライブラリを別々にし、実行可能ファイルの実行時にライブラリが結合されます。動的ライブラリを使用する実行可能ファイルは、単体では実行できず、あるべき場所にライブラリが存在しないと、リンクに失敗してプログラムを実行できません。

☑ ソフトウェア開発環境の一部として提供

標準的なライブラリは、オペレーティングシステム（OS)、プログラミング言語、ソフトウェア開発環境（SDK：Software Development Kit）の一部として提供されます。また、大規模なアプリケーション開発の場合は、アプリケーション全体の共通機能を切り出し、固有のライブラリを開発することもあります。

類似語に「モジュール」「パッケージ」がありますが、Python（パイソン）の場合、モジュールは単一の機能を定義した1つのスクリプトファイルを指します。このモジュールを複数格納したフォルダーをパッケージと呼びます。ライブラリは、複数のパッケージをまとめたもので、**標準ライブラリ**と**外部ライブラリ**があります。また、関数やモジュール、パッケージの総称としても用いられます。

標準ライブラリ
インストールした時点で一緒に存在するライブラリ。

外部ライブラリ
あとから追加可能なライブラリ。

静的ライブラリと動的ライブラリ

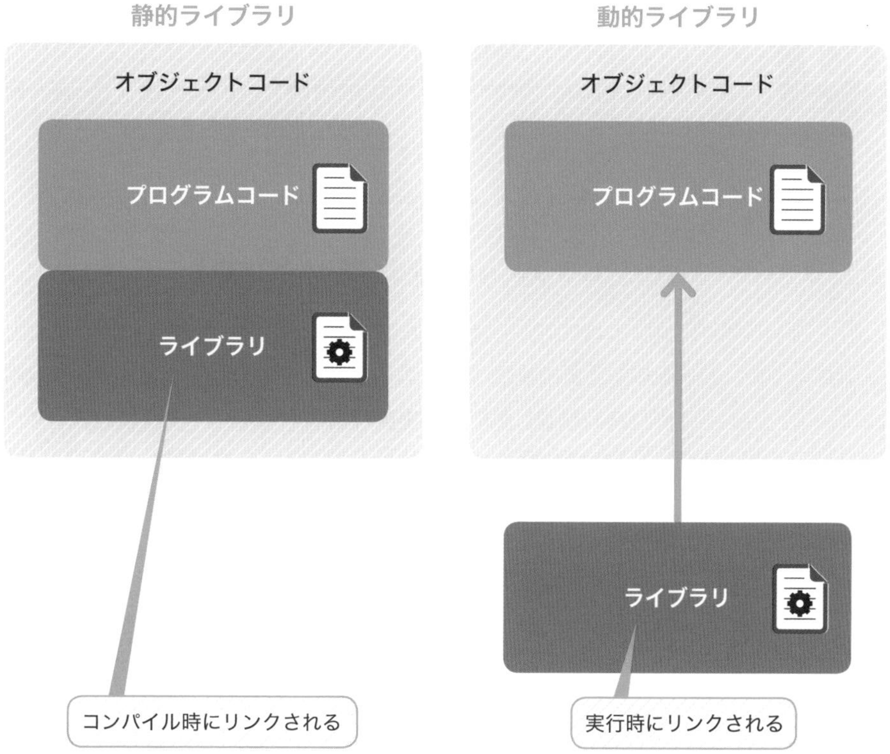

静的ライブラリ
オブジェクトコード
プログラムコード
ライブラリ
コンパイル時にリンクされる
動的ライブラリ
オブジェクトコード
プログラムコード
ライブラリ
実行時にリンクされる

Pythonライブラリの例

Numpy	科学計算や数値計算を行う際に使われるライブラリ
sklearn	さまざまな機械学習の手法が実装されているライブラリ
datetime	日付や時刻を扱うライブラリ
Matplotlib	棒グラフや線グラフ、3Dグラフなど、グラフ作成のライブラリ
pandas	データの処理・分析を行うためのライブラリ
Pillow	基本的な画像処理を行うためのライブラリ
SciPy	数値積分や線形代数などの複雑な数値処理を行うためのライブラリ
TensorFlow	Googleが提供している機械学習のライブラリ

関連用語 フレームワーク(P.176)、API(P.196)、SDK(P.198)、MVC(P.200)、
データベース(P.202)、Python(P.220)

05 アルゴリズム

アルゴリズムとは、問題を解決する方法や手順を、単純な計算や操作などの組み合わせとして定義したものです。数学の解法や計算手順、プログラム作成などを行ううえでの基礎となります。

☑ アルゴリズムの目的は問題を解決すること

アルゴリズムとは、問題を解決するための手順や計算方法などを指す言葉です。「算法」とも呼ばれ、四則演算や比較、条件分岐、繰り返しなど、あいまいでない単純で明確な手順の組み合わせとして記述されます。つまり、アルゴリズムの定義に従っていれば、誰でも問題の解答を得られることになります。

具体例としては、数値を大きい順または小さい順に並べ替える、たくさんのデータの中から目的のものを探し出すといった基本的なものから、ビッグデータの分析、ディープラーニングやニューラルネットワーク、画像から特定の物体を検出するといったAIや機械学習に関連するもの、**データ暗号化**などの複雑なものまで、数多くの種類のアルゴリズムがあります。

データ暗号化
暗号化に使われるアルゴリズムを暗号アルゴリズムという。暗号アルゴリズムにはさまざまな種類があり、暗号化の強度や処理に使われる鍵などにより処理の時間や結果が変わる。

☑ アルゴリズムを目的に応じて使い分ける

アルゴリズムの記述は、文による方法もありますが、図による方法も多く用いられます。代表的なものがフローチャート（流れ図）です。フローチャートでは、あらかじめ規定された記号を使って処理の流れを記述します。その記号はJIS（ジス）（日本工業規格：JIS X 0121）で標準化されています。

アルゴリズムは、1つの問題に対して複数存在することがあります。また、手順を少し変えるだけで処理時間が大幅に短縮できる場合もあれば、扱うデータ量によって適用の可否が分かれる場合もあります。そのため、問題解決にかかる時間、計算量、記憶領域の大きさ、手順の簡潔さ、解答の精度（最適か最良か）、汎用性などの特性を明らかにして、目的に応じて使い分けることが必要となります。

フローチャートの見本

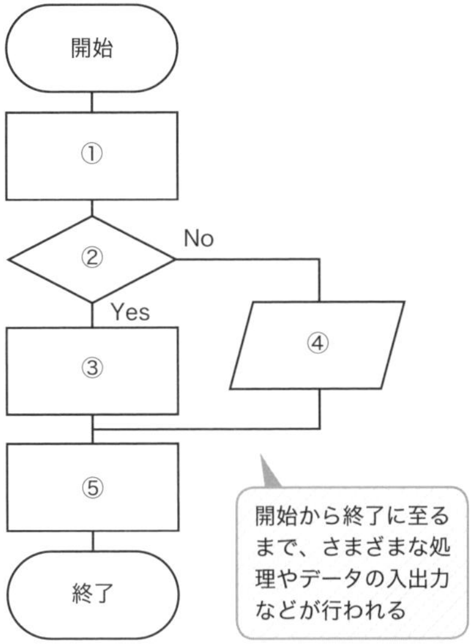

開始
①
②
No
Yes
③
④
⑤
終了
開始から終了に至るまで、さまざまな処理やデータの入出力などが行われる

記号	名称と利用目的
	**端子** 始まりと終わり
	**データ** データの入出力
	**処理** 処理や演算
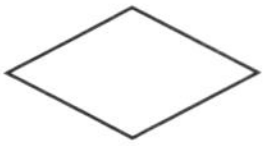	**判断** 処理の分岐
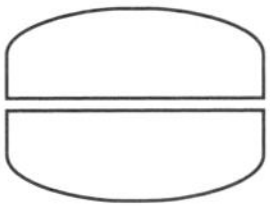	**ループ端** 処理の繰り返し （上：始端、下：終端）

アルゴリズムの例

線形探索法（リニアサーチ）

探索値を配列の先頭から順番に探していくアルゴリズム。シンプルだが、パフォーマンスが悪い

探索値：11
配列名：array
4
7
11
16
要素番号
0
1
2
3
配列の先頭から順番に探索値を探していく

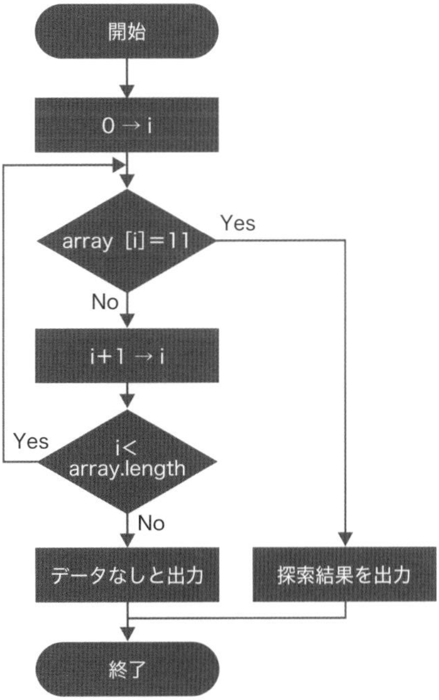

開始
0 → i
array [i]＝11
Yes
No
i+1 → i
i<
array.length
Yes
No
データなしと出力
探索結果を出力
終了

関連用語 AI (P.12)、機械学習 (P.24)、ニューラルネットワーク (P.26)、ディープラーニング (P.28)、ソースコード (P.180)、データマイニング (P.206)、Python (P.220)

Chapter5

06

開発

バグ／デバッグ

プログラムに含まれる誤り（バグ）を見つける作業（デバッグ）は、プログラム開発の中でも最も難しい作業といわれています。正常に動作するプログラムを作成するうえでデバッグ作業は欠かせません。

☑ バグの発生原因は多種多様

プログラムが仕様と異なる動作をするなど、誤った動作を引き起こすプログラム上の欠陥や誤りをバグ（bug）といいます。

バグは、プログラムの実行中に何らかのエラーが発生するといったわかりやすいものもありますが、表面化せずにわかりにくいものもあります。また、その影響範囲も多様で、画面表示が微妙にズレるという軽微なものもあれば、**セキュリティの脆弱性**のようにシステムの根本に関わるバグもあります。

セキュリティの脆弱性
悪意のある第三者が欠陥や誤りなどを利用して操作を行うことで、故意に故障などを引き起こすことができるものもバグの一種といえる。

バグの発生原因も、プログラミング時の入力ミスのような単純なもの、開発者の仕様の理解不足、アルゴリズムの選定や実装のミスなど、さまざまなものがあります。

☑ バグを特定して修正するデバッグ作業

デバッグとは、テストなどによって発見されたプログラムの誤作動・不具合などについて、その原因を探索・特定し、意図したとおり動作するように修正する作業です。バグフィックスと呼ぶこともあります。

デバッグ作業ではまず、バグがプログラムのどこに潜んでいるのかを探索します。バグはエラーが発生した箇所そのものにあるとは限りません。別な場所で誤ったデータが生成され、そのデータを使って処理した結果、エラーが発生することもあります。したがって、問題が表面化した場所を場当たり的に修正するのではなく、根本原因を突き止めて修正しなければなりません。また、外部から提供されるライブラリに根本的な原因が存在することもあるため、バグの原因特定は手間のかかる作業です。デバッガなどを活用し、効率よくバグを特定する必要があります。

» デバッグ作業の具体的な流れ

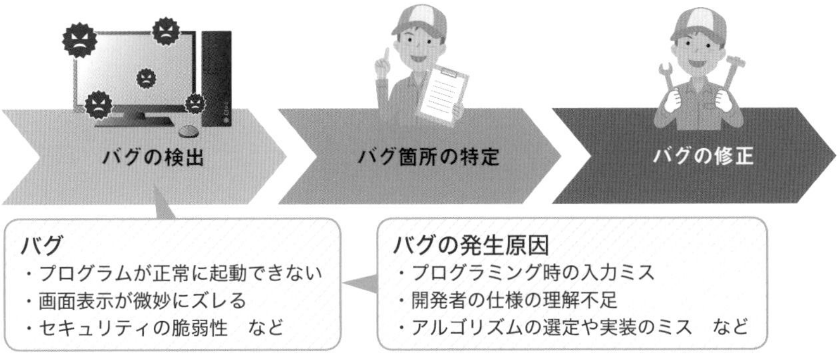
バグの検出
バグ箇所の特定
バグの修正
バグ
・プログラムが正常に起動できない
・画面表示が微妙にズレる
・セキュリティの脆弱性　など
バグの発生原因
・プログラミング時の入力ミス
・開発者の仕様の理解不足
・アルゴリズムの選定や実装のミス　など

» デバッグ作業の例

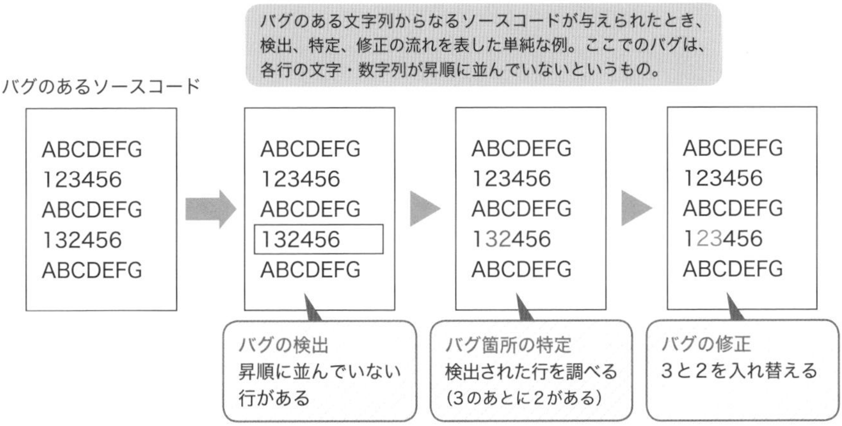
バグのある文字列からなるソースコードが与えられたとき、
検出、特定、修正の流れを表した単純な例。ここでのバグは、
各行の文字・数字列が昇順に並んでいないというもの。
バグのあるソースコード
ABCDEFG
123456
ABCDEFG
132456
ABCDEFG
ABCDEFG
123456
ABCDEFG
132456
ABCDEFG
ABCDEFG
123456
ABCDEFG
132456
ABCDEFG
ABCDEFG
123456
ABCDEFG
123456
ABCDEFG
バグの検出
昇順に並んでいない
行がある
バグ箇所の特定
検出された行を調べる
(3のあとに2がある)
バグの修正
3と2を入れ替える

ONE POINT

デバッグ作業を支援する
ソフトウェア「デバッガ」

デバッグ作業を支援するソフトウェアを「デバッガ」あるいは「デバッグツール」といいます。デバッガはバグの位置を特定するために、プログラムの動作状況を解析し、可視化する機能などがあります。
バグの発見後は、正しい動作を行うプログラムコードに差し替えます。ただし、オペレーティングシステム（OS）などのような基盤ソフトウェアでは、その上で動作するアプリケーションに影響するため、修正によって思わぬ挙動が発生する場合もあります。そこで、バグをあえて放置し、別の方法で悪影響を抑えるというアプローチがとられることもあります。

関連用語 ソースコード (P.180)、ライブラリ (P.182)、テスト／レビュー (P.188)、API (P.196)、Python (P.220)

テスト／レビュー

開発したソフトウェアの安全を担保するのが、開発工程で実施されるテストとレビューです。開発したソフトウェアが仕様どおりの機能を満たしているか、意図したとおりの性能かなどを検証します。

☑ 成果物の動作を確認するテスト作業

テストとは、開発したソフトウェアが正しく動作するか、仕様書どおりに作成されているか、性能に問題はないかなど、その完成度を確認する作業です。

ソフトウェアのテストにはさまざまな種類があり、「工程」「品質の観点」「実行方法」「テスト技法」の４つに分類できます。工程では、単体テスト、統合テスト、システムテストの順番で、段階を踏んで進めるものです。品質の観点では、機能や性能、負荷、**ユーザビリティ**など、品質を検証する観点に応じて用いられるものです。実行方法には、動的テストと静的テストがあり、実行するテストの方法によって分類されます。テスト技法には、ブラックボックステストとホワイトボックステストがあり、どのようなテストで何を確認するかという技法別に分類されています。

ユーザビリティ
コンピューターやソフトウェア、機器などの使いやすさや使い勝手のよさを意味する言葉（P.246参照）。

☑ 品質と納期を左右するレビュー作業

レビューとは、開発プロジェクトの各段階で行われる、成果物の品質を検証する作業です。１つの工程において、仕様や機能などの誤りや不具合などが残ったまま次工程に進まないようにチェックします。レビューを行うことで、開発プロジェクトの後戻りを減らし、改修コストを抑えることができます。

レビューには、「インスペクション」と「ウォークスルー」の２種類があります。インスペクションは、プロジェクトメンバー以外の第三者が参加し、評価基準に基づき、仕様書やソースコードなどの成果物に潜在的な不具合や問題がないかを検証します。ウォークスルーは、第三者が参加しない非公式なチーム内の打ち合わせです。

»テスト実施の具体的な流れ

	①計画	②設計	③実行	④報告
評価フェーズ	・テストの目的 ・品質目標 ・スケジュール作成 ・テスト戦略 ・テスト体制	・テスト設計 ・テストデータ作成	・環境構築 ・テスト実施 ・インシデント報告	・問題点の分析 ・サマリーレポート
成果物・ドキュメント	・テスト計画書 ・機能一覧 ・WBS(作業分解構成図)	・テスト計画仕様書 ・因子水準表 ・状態遷移表 ・機能観点一覧	・テストケース ・テストログ ・インシデントレポート ・テスト実施結果	・テストサマリーレポート

»ソフトウェア開発における主なテストの種類

工程での分類	単体テスト	個々のプログラムがきちんと動作するかを確認する、ソフトウェアテストの最小単位
	統合テスト	単体テストの成功後、複数のモジュールを組み合わせて行うテスト
	システムテスト	モジュールをすべて統合し、ハードウェアなども統合して行う、開発の最終段階のテスト
品質の観点での分類	機能テスト	テスト対象が目的の機能を持っているかを確認するテスト
	性能テスト	ソフトウェアが目標とする性能を達成するか、限界はどれくらいかを確認するテスト
	負荷テスト	ソフトウェアが目標とする負荷に耐えられるかを確認し、負荷の限界値を明らかにするテスト
	ユーザビリティテスト	ソフトウェアを使う利用者が使いやすいかを確認するテスト
	信頼性テスト	ソフトウェアが一定時間継続することや障害発生時に機能が動作することを確認するテスト
実行方法での分類	動的テスト	実際にプログラムを動作させて問題がないかを検証するテスト
	静的テスト	プログラムは動作させずに、問題がないかを検証するテスト
テスト技法での分類	ブラックボックステスト	プログラムの中身を考慮せず、入力データに対する出力データが正しいことを検証するテスト
	ホワイトボックステスト	プログラムの中身を考慮し、入力データを各プログラムがどう処理しているかを検証するテスト

関連用語 ソースコード(P.180)、バグ/デバッグ(P.186)、要求定義/要件定義(P.238)

Chapter5 08

開発

ストレージ

ストレージとは、データを保管する装置のことで、記録方式や媒体、アクセス方法などによってさまざまな種類があります。最近では、インターネット上でストレージ機能を提供するサービスの活用も進んでいます。

☑ データを記憶する装置

補助記憶装置
コンピューターの主記憶装置を補助する記憶装置で、具体的にはハードディスクやSSDなどがある。

ストレージ（storage）とは、「貯蔵」や「保管」などを意味する言葉で、データを保管するための**補助記憶装置**のことをいいます。ストレージは一般的に、通電しなくても記憶内容が維持される記憶装置を指し、コンピューターが利用するプログラム、OS、データなどを長期間にわたって永続的に保存するために用いられます。コンピューターやスマートフォン、タブレット端末には、何らかのストレージが必ず内蔵されています。また、外部装置としてコンピューターなどに接続して利用するものもあります。時代とともにストレージは大きく進化しており、その形状や容量にはさまざまな種類があります。具体的には、磁気ディスク（ハードディスクなど）、光学ディスク（CD、DVD、Blu-ray（ブルーレイ） Discなど）、フラッシュメモリー記憶装置（USBメモリー、メモリーカード、SSDなど）、磁気テープなどが該当します。

記憶装置の進歩は速く、大容量化が進んでいます。現在の主流は、ハードディスクではTB（テラバイト）、フラッシュメモリー記憶装置では数十から数百GBです。

☑ オンラインストレージの活用で業務を効率化

近年、インターネット上でディスクスペースを貸し出す「オンラインストレージ」（クラウドストレージ）と呼ばれるサービスが普及しています。無料で使えるものや有料のもの、保存期間が限定されるものや永続的なものなど、さまざまなサービスがあります。パソコン、スマートフォン、タブレット端末などからファイルを送受信でき、データの保管や共有、バックアップなどに活用されています。

» オンラインストレージのイメージ

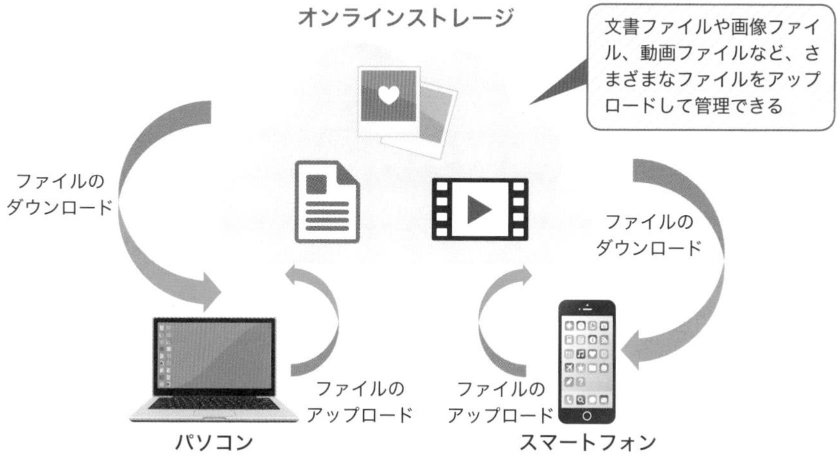

オンラインストレージ
文書ファイルや画像ファイル、動画ファイルなど、さまざまなファイルをアップロードして管理できる
ファイルのダウンロード
ファイルのダウンロード
ファイルのアップロード
ファイルのアップロード
パソコン
スマートフォン

» ストレージの種類

HDD (ハードディスクドライブ)	パソコンのOSなどを格納する内部ストレージや、バックアップなどの目的で使われる外部ストレージとして広く使われている。
SSD (ソリッドステートドライブ)	HDDに代わり、内部ストレージとしての利用が増えている。データ転送速度が速く、衝撃に強い点が特長。
光ディスク	CDやDVD、Blu-ray Discといったディスク型のストレージ。軽量で持ち運びに優れている。
磁気テープ	大容量の保存に優れ、利便性が再認識されている。主流は1巻当たり最大6TBの保存が可能だが、すでに580TBの容量を持つ磁気テープの開発も進んでいる。
USBフラッシュメモリー／SDカード	持ち運びに優れ、大容量化が進んでいる。紛失や盗難が多く、企業によってはセキュリティ上、使用を禁止していることもある。

ONE POINT

オンラインストレージの活用

オンラインストレージは、インターネットに接続できれば、どの端末でも利用したいときファイルにアクセスできます。たとえば、オフィスで作成した資料を自宅で閲覧したり、オフィスで作成したファイルを使って得意先でプレゼンをしたりすることが可能です。また、データを共有したいときにも、複数メンバーで共同編集などを行うこともできます。編集権限を設定して適切なメンバーのみアクセスできるようにすることも可能です。データの一元管理も容易となり、情報共有が効率よくできるので、組織での生産性向上にもつながります。

関連用語 データベース(P.202)、仮想化(P.212)、リソース(P.242)

Chapter5

09

開発

オープンソース

オープンソースとは、ソースコードを公開し、誰でも自由に改変や再配布などができるようにしたソフトウェアです。ソースコードを公開すると、拡張時や修正時に柔軟に対応できるメリットがあります。

☑ 誰でも利用できるソースコード

ソースコード
人間に理解しやすいプログラミング言語で、コンピューターが処理する一連の命令（プログラム）を記述したもの（P.180参照）。

オープンソースは、**ソースコード**を広く一般に公開し、誰でも自由に扱ってよいとする考え方であり、そのような考え方に基づいて公開されたソフトウェアをオープンソースソフトウェア（OSS）と呼びます。

オープンソースソフトウェアは、商用・非商用を問わず、誰でも無償で自由に利用、複製、改変、再配布などを行い、自ら開発したプログラムに組み込むことができます。ただし、利用には、一定の条件、制約、利用者への義務などが課せられます。オープンソースイニシアティブはオープンソースと名乗るための要件として「オープンソースの定義」を掲げており、これを満たすものがオープンソースライセンスとされます。GPL（GNUパブリックライセンス）、BSDライセンス、Apache（アパッチ）ライセンスなど、いくつかのオープンソースライセンスが存在します。

☑ オープンソースソフトウェアの例

オープンソースソフトウェアの代表例としては、オペレーティングシステム（OS）の1つであるLinux（リナックス）があります。当時の大学院生により開発されたLinuxカーネルは、今やUbuntu（ウブントゥ）、Debian（デビアン）、Red Hat（レッドハット）、Slackware（スラックウェア）など、複数のLinux OSとして派生し、商用利用も進んでいます。また、モバイル用のOSであるAndroid（アンドロイド）もオープンソースとして提供されており、そのほかにもオープンソースデータベースであるMySQL（マイエスキューエル）、MariaDB（マリアディービー）、MongoDB（モンゴディービー）、Webサーバーである Apache、プログラミング言語であるJava（ジャバ）、Go、ビッグデータプラットフォームであるHadoop（ハドゥープ）など、幅広く存在します。

オープンソースの定義

- 自由な再頒布ができる
- ソースコードを入手できる
- 派生物が存在でき、派生物に同じライセンスを適用できる
- 差分情報の配布を認める場合、同一性の保持を要求してよい
- 個人やグループを差別しない
- 利用する分野を差別しない
- 再配布で追加ライセンスを必要としない
- 特定製品に依存しない
- 同じ媒体で配布される他ソフトを制限しない
- 技術的な中立を保っている

オープンソースイニシアティブでは、オープンソースの定義を策定し、オープンソースの普及に力を入れている

参考：The Open Source Definition

オープンソースソフトウェア（OSS）の代表例

OS	Android、Linux（CentOS、Fedoraなど）
仮想化	Docker、VirtualBox、OpenStack、Kubernetes
運用管理	Hinemos、Zabbix、Puppet
Webサーバー・データベース	Apache Tomcat、GlassFish、MySQL、PostgreSQL
プログラミング言語	Java（OpenJDK）、Go、PHP、Ruby、Python
コンテンツ管理	WordPress、Drupal、moodle、XOOPS
デスクトップアプリケーション	Firefox、Chromium、Thunderbird、LibreOffice

参考：日本OSS推進フォーラム「OSS鳥瞰図」

ONE POINT

オープンソースコミュニティ

オープンソースソフトウェアの開発や保守、その他の活動を行うグループをオープンソースコミュニティと呼びます。オープンソースコミュニティには法人格を有する団体組織から、有志で個人が連携して活動するものまであります。
オープンソースコミュニティでは、ソフトウェア開発だけではなく、バグの修正、ドキュメントの多言語化、セミナーやカンファレンスの開催など、オープンソースソフトウェアの普及を促進する活動を主体的に行っています。

関連用語 フレームワーク（P.176）、ソースコード（P.180）、ライブラリ（P.182）、API（P.196）、SDK（P.198）、データベース（P.202）、Python（P.220）

10 クライアントサーバーシステム(C/S)

クライアントサーバーシステム(C/S)は、サービスを提供するサーバーと、サービスを要求するクライアントに役割を分けた分散処理システムの形態の1つです。システムへの負荷を軽減し、柔軟性を強化する目的があります。

☑ パソコンの普及により登場したシステム

クライアントサーバーシステムの考え方が登場する前は、大型コンピューター（ホスト）に入出力専用端末を接続し、処理はすべてホストで行う方法が一般的でした。1980年代に入り、パソコンがビジネスの現場で使われるようになると、主要な業務処理や共有データの管理、計算量の多い処理などはサーバー側で、データの加工や編集などの軽微な処理はパソコン（クライアント）側と、役割分担が可能となりました。

その一方で、クライアント側には必要なソフトウェアをインストールし、適宜アップデートしなければならず、運用管理の負担増大という課題をもたらしました。その後、Web技術の発展により、クライアントサーバーシステムはWebシステムへと移行が進みます。Webシステムは、**Webブラウザ**をクライアントにするもので、しくみはクライアントサーバーシステムに似ています。ただし、Webブラウザには多くのデータを保持せず、処理はサーバー側で行われることから、一般にはWebシステムとクライアントサーバーシステムは区別されています。

Webブラウザ
インターネット上のWebページの情報を画面上に表示するための閲覧ソフト。

☑ 3つの階層に分割してシステムを構築

クライアントサーバーシステムを構築する方式として「3層**アーキテクチャ**」があります。3層アーキテクチャとは、対象となるシステムを、データの入出力を行うプレゼンテーション層、業務処理によるデータ加工を行うアプリケーション層、データベース処理を行うデータ層、の3つの階層に分割するものです。Webシステムでも、3層アーキテクチャで構築されているものが多くあります。

アーキテクチャ
システムの設計方法や設計思想、構築様式、システムの構造を指す。

ユーザーから見たクライアントサーバーシステムの処理

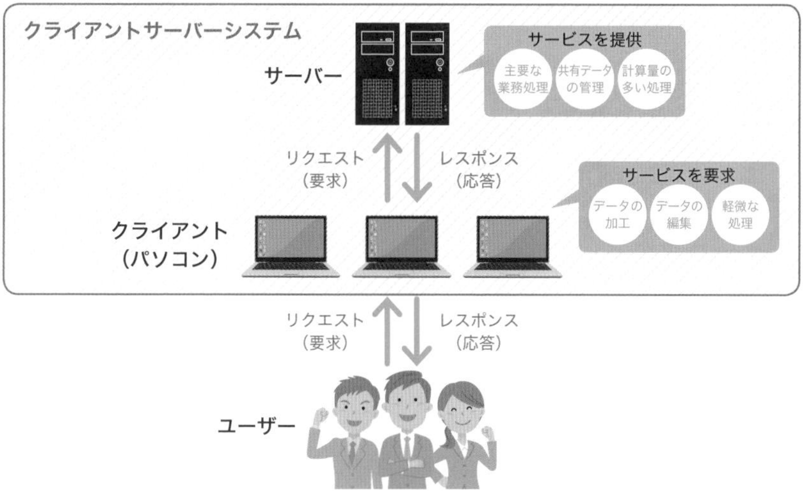
クライアントサーバーシステム
サーバー
サービスを提供
主要な業務処理
共有データの管理
計算量の多い処理
リクエスト（要求）
レスポンス（応答）
サービスを要求
データの加工
データの編集
軽微な処理
クライアント（パソコン）
リクエスト（要求）
レスポンス（応答）
ユーザー

3層アーキテクチャの構造

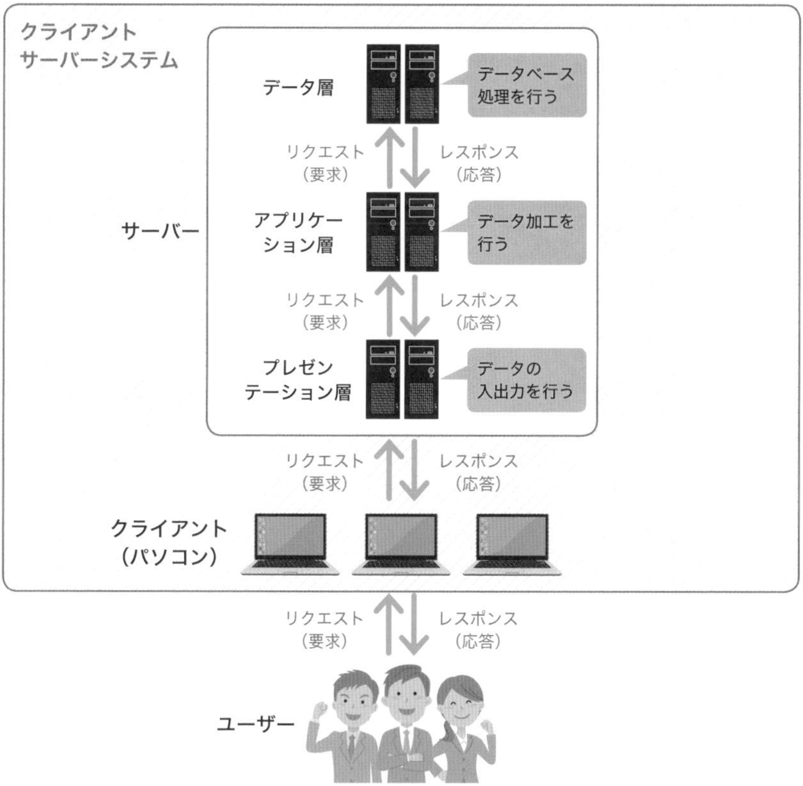
クライアントサーバーシステム
データ層
データベース処理を行う
リクエスト（要求）
レスポンス（応答）
サーバー
アプリケーション層
データ加工を行う
リクエスト（要求）
レスポンス（応答）
プレゼンテーション層
データの入出力を行う
リクエスト（要求）
レスポンス（応答）
クライアント（パソコン）
リクエスト（要求）
レスポンス（応答）
ユーザー

関連用語 クラウド（P.70）、MVC（P.200）、データベース（P.202）、UI／UX（P.248）

エーピーアイ
API（Application Programming Interface）

APIとは、コンピュータープログラムの機能や管理するデータなどを、ほかのプログラムから呼び出して利用するための手順やデータ形式などを定めたものです。開発生産性の向上やサービス連携の容易さなどが特長です。

☑ データ型や定義、仕様などを含むAPIの形式

APIは、原則としてプログラミング言語ごとに定義され、開発者が記述・理解しやすい形式で定められます。APIには、プログラムの入力値や出力値に関するデータのタイプ（データ型）、取り得る値の意味や定義、関連する変数や定数、複合的なデータ構造の仕様、オブジェクト指向言語の場合はクラスやプロパティ、メソッドの仕様などを含みます。また、通信回線により遠隔から呼び出すものでは、送受信するパケットやメッセージの形式、**通信プロトコル（通信規約）**などで定義されることもあります。

通信プロトコル（通信規約）
異なるサービス間で通信を行う際に必要な約束事や手順のこと。

☑ 生産性が向上してサービスの連携もしやすい

APIを利用するメリットは、①開発生産性の向上、②他社サービスとの連携の容易さが挙げられます。

APIを利用すれば、個々の開発者はAPIに従って機能を呼び出す短いコードを記述するだけで、その機能を利用したソフトウェアを作成できます。自分で一から機能の呼び出しの処理内容を記述する必要がなく、複雑なプログラミングや高度な処理の記述などを行う必要もありません。また将来、その機能の実装内容が変わった場合でも、APIそのものが変わらなければアプリケーションプログラム側の変更は不要であり、APIに関連する部分の変更で済みます。このため、アプリケーションの開発効率が向上し、コストも抑えることが可能です。

Webのプロトコル（HTTP）を使って呼び出せるものはWeb APIと呼ばれます。Web APIとしては、「Facebook」「Twitter」「YouTube」「Googleマップ」などが有名です。これらを使い、さまざまなサービスやアプリが提供されています。

» APIとAPIエコノミーのイメージ

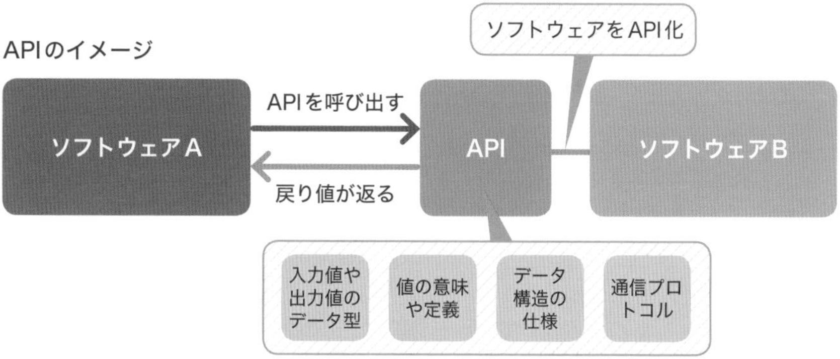
APIのイメージ
ソフトウェアをAPI化
ソフトウェアA
APIを呼び出す
API
ソフトウェアB
戻り値が返る
入力値や出力値のデータ型
値の意味や定義
データ構造の仕様
通信プロトコル

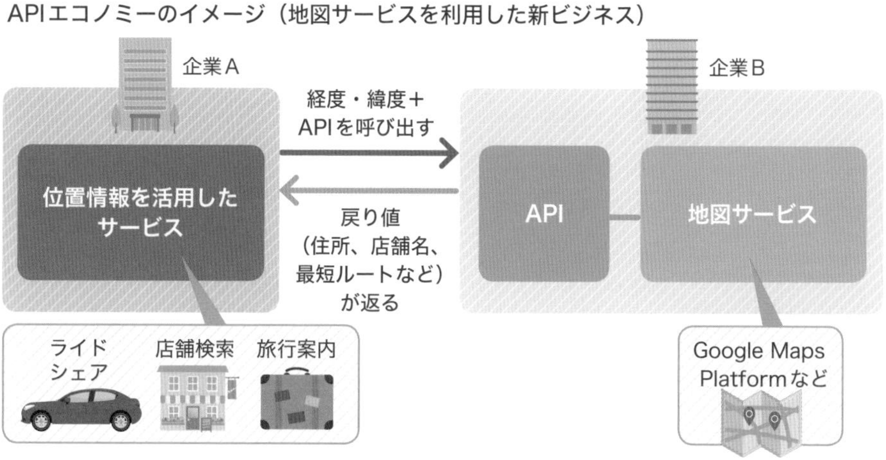
APIエコノミーのイメージ（地図サービスを利用した新ビジネス）
企業A
企業B
経度・緯度＋APIを呼び出す
位置情報を活用したサービス
API
地図サービス
戻り値（住所、店舗名、最短ルートなど）が返る
ライドシェア
店舗検索
旅行案内
Google Maps Platformなど

ONE POINT

他社サービスとの連携が容易になるメリット

APIを利用すると、他社サービスとの連携が容易になり、新たなビジネスチャンスにつながります。その結果、これまでリーチできなかった顧客層へアプローチすることも可能になります。このようにAPI利用によって広がる商圏（経済圏）のことをAPIエコノミーといいます。APIエコノミーにより、企業どうしがつながり、互いの強みを活かした新たな価値を創出することが可能です。たとえば、ライドシェアサービスを手がけるUber（ウーバー）では、Webアプリやモバイルアプリとして提供される配車のための地図機能、コミュニケーション機能、決済機能を、いずれも外部APIを連携して構築しています。

関連用語 フレームワーク（P.176）、オブジェクト指向（P.178）、ソースコード（P.180）、ライブラリ（P.182）、オープンソース（P.192）、SDK（P.198）、データベース（P.202）、Python（P.220）

SDK（Software Development Kit）

SDKとは、ソフトウェア開発に必要なプログラムやAPI仕様などがまとめてパッケージ化されたものをいいます。特定のプログラミング言語のインターフェイスを定義したものやハードウェアを含むものなどがあります。

☑ ソフトウェア開発に必要なツールの集まり

SDKは、「Software Development Kit」（ソフトウェア開発キット）の頭文字をとった略称です。特定のシステムに対応したソフトウェアを開発するために、必要なプログラムやAPI仕様を記述したドキュメントなどをまとめたパッケージを意味します。システムの開発元が作成・配布し、特定のプログラミング言語やプラットフォーム（OS）向けに提供されます。

何が含まれるかはSDKによってさまざまで、一概には言えませんが、コンパイラ、リンカー、デバッグツールなどの開発ツール類や、ライブラリ、サンプルコードなどを含むことが多いです。組み込みシステムの場合は、装置やケーブルなど、ハードウェアが添付されることもあります。Java開発キット（Java Development Kit）の場合は、実行環境も含みます。

☑ Androidアプリ開発のAndroid SDKが代表例

一般的にはSDK単体でソフトウェアを開発できるように設計されていますが、特定の**IDE（統合開発環境）**や、ほかのSDKを前提に提供される場合もあります。

IDE（統合開発環境）
ソフトウェア開発に必要な複数の機能を、統一されたユーザーインターフェイスから利用できるようにするアプリケーション。

たとえば、スマートフォンアプリの開発キットである「Android SDK」は、パソコンなどでAndroid端末向けのアプリを開発するためのプログラム、ライブラリ、IDE向けのプラグイン、コンパイラ、デバッグツール、デバイスドライバー、ドキュメント、サンプルコード、エミュレーター（パソコン上で端末の動作を再現）、開発環境と端末間の通信ソフトを提供します。開発者はAndroid SDKをダウンロードしてインストールすればアプリ開発に着手できますが、IDE以外にもJava開発キットが必要になります。

SDKにはさまざまなものが含まれる

ドキュメント
SDKの利用方法などの説明が書かれた文書
サンプルコード
開発の際に参考になるアプリケーションコード
チュートリアル
SDKの基本的な操作方法を解説した資料
API
データ型や値の意味、変数や定数、データ構造などを定義したもの
ライブラリ
汎用性の高い特定の機能の集まり
プラグイン
追加機能として実行できる外部のプログラム
実行環境
開発したアプリケーションの実行に必要なソフトウェア
コンパイラ
プログラムを機械語に変換するソフトウェア
デバッグツール
デバッグのためのソフトウェア

SDKを使ったソフトウェア開発の流れ

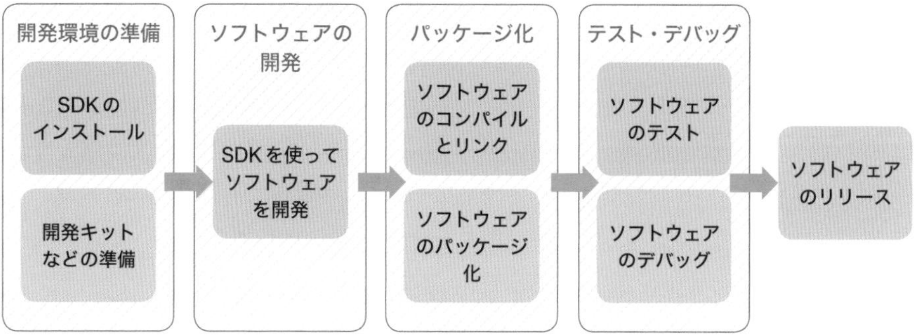
開発環境の準備
SDKのインストール
開発キットなどの準備
ソフトウェアの開発
SDKを使ってソフトウェアを開発
パッケージ化
ソフトウェアのコンパイルとリンク
ソフトウェアのパッケージ化
テスト・デバッグ
ソフトウェアのテスト
ソフトウェアのデバッグ
ソフトウェアのリリース

ONE POINT

企業によるSDK提供の狙い

企業がSDKを配布する理由として、自社製品やサービスを使ったソフトウェア開発を促進することが挙げられます。このため、多くの企業はSDKを無償で配布し、常に最新バージョンを提供しています。製品の利用を検討している人にとっては、製品の購入前にSDKを使ったアプリケーションの開発やテストを無償で行えるので、製品購入のハードルが下がる効果が期待できます。

関連用語 フレームワーク (P.176)、ソースコード (P.180)、ライブラリ (P.182)、オープンソース (P.192)、API (P.196)、データベース (P.202)、Python (P.220)

13 MVC（エムブイシー）（Model View Controller）

MVCモデルとは、ユーザーインターフェイスを備えたソフトウェアを開発する際に、プログラムの要素を整理するための手法です。「Model」「View」「Controller」の3つに分離し、管理、表示、制御の役割を担わせます。

☑ ソフトウェアの機能を3つの役割に分離

MVCモデルは、ソフトウェアの要素を「Model」（モデル）、「View」（ビュー）、「Controller」（コントローラー）の3つの役割に分離して実装する手法です。

Modelはデータの管理や手続きといったソフトウェアの中核部分の処理を定義します。Modelがデータ管理を行うことで、ViewやControllerではデータ管理に関連するコードを省略でき、データ管理上の問題が発生した場合はModelを調査すればよいことになります。

Viewは画面表示や入出力などの役割を担います。Modelからデータを取り出し、ユーザーが見えるように適切に表示します。ControllerはModelとViewの制御の役割を担います。ユーザーからのリクエストをViewから受け取り、Modelへのメッセージに変換して送信します。ModelとViewの仲介役といえます。

☑ MVCモデルのメリット

MVCモデルにより、役割に応じて各要素を分離することで、**内部設計**や開発を分業しやすくなり、変更が必要な場合も部分的な改修にとどめられます。

内部設計
ソフトウェア内部の動作や機能、データなど、ユーザーから見えにくい部分の詳細な設計を行うソフトウェア開発の工程。

たとえば、ユーザーインターフェイスのデザインや操作方法のみを改良する場合、内部のデータ変更や制御修正などを最小限に抑えることができます。

MVCモデルは、Webシステムの開発によく利用されています。MVCモデルが採用されたフレームワークは数多く存在し、代表的なものとしてJava（ジャバ）言語の『Struts（ストラッツ）』、PHP（ピーエイチピー）言語の『CakePHP（ケイクピーエイチピー）』、Ruby（ルビー）の『Ruby on Rails（ルビー オン レイルズ）』などがあります。

MVCの各要素の役割と関係

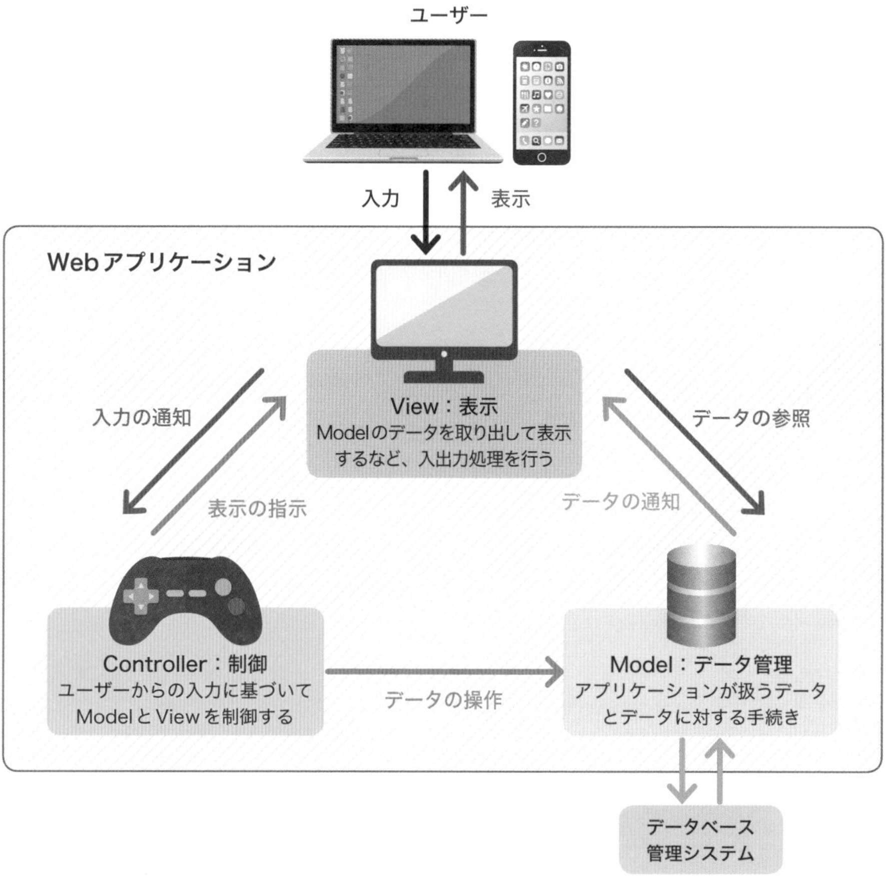

ユーザー
入力
表示
Webアプリケーション
View：表示
Modelのデータを取り出して表示するなど、入出力処理を行う
入力の通知
表示の指示
データの参照
データの通知
Controller：制御
ユーザーからの入力に基づいてModelとViewを制御する
データの操作
Model：データ管理
アプリケーションが扱うデータとデータに対する手続き
データベース管理システム

ONE POINT

MVCの派生モデル

MVCモデルには、いくつか派生したモデルがあります。たとえばMVP（Model View Presenter）は、MVCのViewとControllerの役割をより明確にするために考案されたモデルです。PresenterはModelとViewの仲介役です。MVCではModelにデータ変更が加わると、直接Viewに通知して変更を加えますが、MVPではPresenterを介して処理されます。また、MVVM（Model View View Model）はControllerの代わりにView Modelという、Viewに対応したデータと処理を定義する要素を使います。

関連用語 フレームワーク（P.176）、ライブラリ（P.182）、API（P.196）、データベース（P.202）、Python（P.220）、要求定義／要件定義（P.238）

14 データベース

データベースとは、一定の規則に従って大量のデータを整理・統合し、一元的に管理できるようにしたものです。データの重複や散逸などを防ぎ、特定のデータのみを取り出せるなど、効率的なデータ利用を可能とします。

☑ データを関連付けて管理するデータベース

　データベースとは、主にコンピューター上で管理される大量のデータのことですが、紙でまとめられた電話帳や住所録、医療用カルテなどもデータベースといえます。

　データベースには、データの構造や管理の方式などにより、さまざまな種類があります。たとえばリレーショナルデータベース（Relational DataBase）は、行と列によって構成される表形式のデータの集合（テーブル）に関係性を設定し、データどうしを関連付けていくものです。そのほか、データとデータへの手続きを一体化して扱うオブジェクトデータベースや、**XML**文書を格納するXMLデータベース、キーと値のコレクションとしてデータを格納するKey-Value（キーバリュー）データベースなどがあります。

XML
XML（Extensible Markup Language）はデータの内容や構造を示すために使用するマークアップ言語。HTMLなどと同様にタグを使い、記述形式がわかりやすいなどの特徴がある。

☑ データベースを管理するシステム

　コンピューター上でデータベースの操作や管理などを行うシステムはDBMS（DataBase Management System）と呼ばれます。DBMSには、データベースの定義や、データの検索・更新・削除などの操作、運用管理を行う機能があり、データベースを参照するアプリケーションとデータベースの間を取り持ちます。代表的なDBMSとして、リレーショナルデータベースでは、Oracle社のOracle、Microsoft社のSQL Server（エスキューエル サーバー）、OSSとして配布されているMySQL（マイエスキューエル）、PostgreSQL（ポストグレスキューエル）などがあります。オブジェクトデータベースでは、Caché（キャシエ）やObjectStore（オブジェクトストア）、XMLデータベースでは、NeoCoreXMS（ネオコアエックスエムエス）やThe Apache Software FoundationのXindice（ジンディーチェ）などがあります。データベースに対する処理は、SQLというデータベース言語を使って定義します。

» データベース管理システム（DBMS）のイメージ

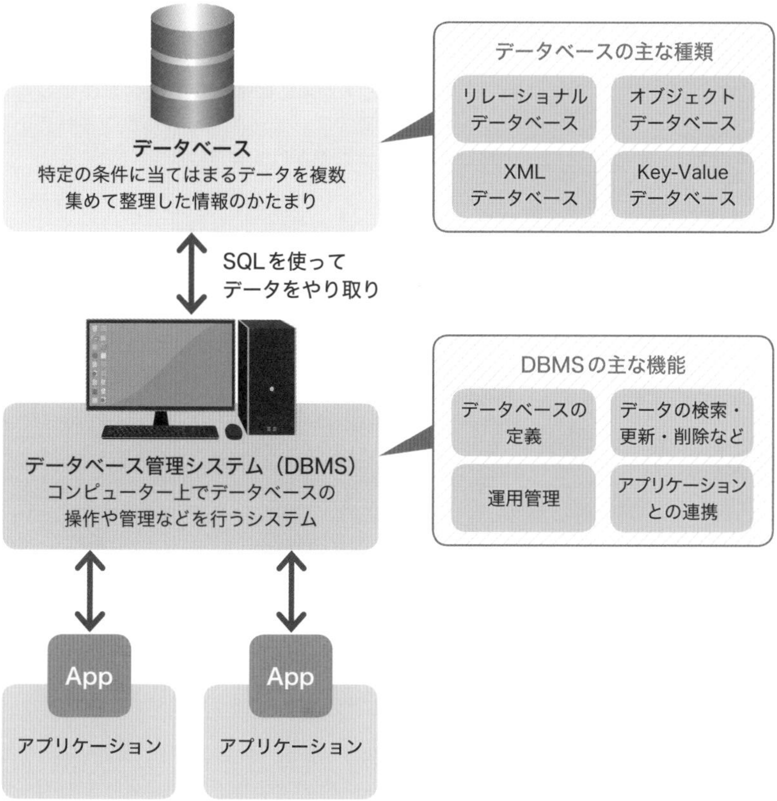

データベース
特定の条件に当てはまるデータを複数集めて整理した情報のかたまり
データベースの主な種類
リレーショナルデータベース
オブジェクトデータベース
XMLデータベース
Key-Valueデータベース
SQLを使ってデータをやり取り
データベース管理システム（DBMS）
コンピューター上でデータベースの操作や管理などを行うシステム
DBMSの主な機能
データベースの定義
データの検索・更新・削除など
運用管理
アプリケーションとの連携
App
アプリケーション
App
アプリケーション

ONE POINT

データベースの機能と目的

データベースとは、データを一括して管理し、アプリケーション間でデータを効率よく共有するための機能です。データベースが存在しないころはアプリケーションがそれぞれデータを持ち、必要なデータをアプリケーション間で相互にやり取りしていました。しかし、この方式では、アプリケーション間で重複してデータが存在するので、無駄にディスク領域が消費され、データの一貫性を保つ更新処理が必要になります。そこで、データをアプリケーションから独立させることで、データを一括管理し、どのアプリケーションにも同じようにデータを提供できる機能としてデータベースが生まれました。

関連用語 クラウド（P.70）、IaaS／PaaS／SaaS（P.72）、フレームワーク（P.176）、ソースコード（P.180）、ライブラリ（P.182）、ストレージ（P.190）、オープンソース（P.192）、API（P.196）、SQL（P.204）、データマイニング（P.206）、仮想化（P.212）

Chapter5

15

開発

SQL（Structured Query Language）

エスキューエル

SQLは、リレーショナルデータベースに蓄積したデータを操作したり定義したりするためのプログラム言語です。データベースに保存されている大量のデータの効率的な検索・更新・削除が行えます。

☑ IBMに端を発するSQLの国際標準化

RDBMS
リレーショナルデータベースを統合的に管理するソフトウェア。

SQLは、1970年代にIBM社が開発した**RDBMS**（Relational DataBase Management System）である「System R」を制御・操作する言語として開発された「SEQUEL（Structured English Query Language）」（シーケルもしくはシークェル）がもとになっています。

1980年代以降、他社のRDBMSもSQLを採用することになり、事実上の標準となりました。しかし、企業ごとに言語仕様が少しずつ異なっていたため、1986年にANSI（アンシ）（米国国家規格協会）によって標準規格である「SQL86」が制定され、さらにISO（国際標準化機構）とIEC（国際電気標準会議）の情報分野の合同委員会JTC 1が、この規格をISO/IEC 9075という国際標準規格としました。その後、同規格の改訂が進み、最新はSQL:2016です。

☑ SQLの文法

SQLは非手続き型の言語（宣言型言語）です。「どのような手順で操作をするか」を指定するのではなく、「何をしたいか」を指定します。たとえば、住所録のデータベースに対し、「氏名に“東”を含む人の住所一覧を検索する」や、「住所が“XXXX市”のデータをすべて“YYYY市ZZZ区”に更新する」などの形で指定します。

SQLの命令は大きく3種類に分けられます。データベースの構造を定義する「データ定義言語」（DDL：Data Definition Language）、データベースの検索・更新・削除などを行う「データ操作言語」（DML：Data Manipulation Language）、データベースに対するアクセス制御を行う「データ制御言語」（DCL：Data Control Language）があります。

» SQLの機能

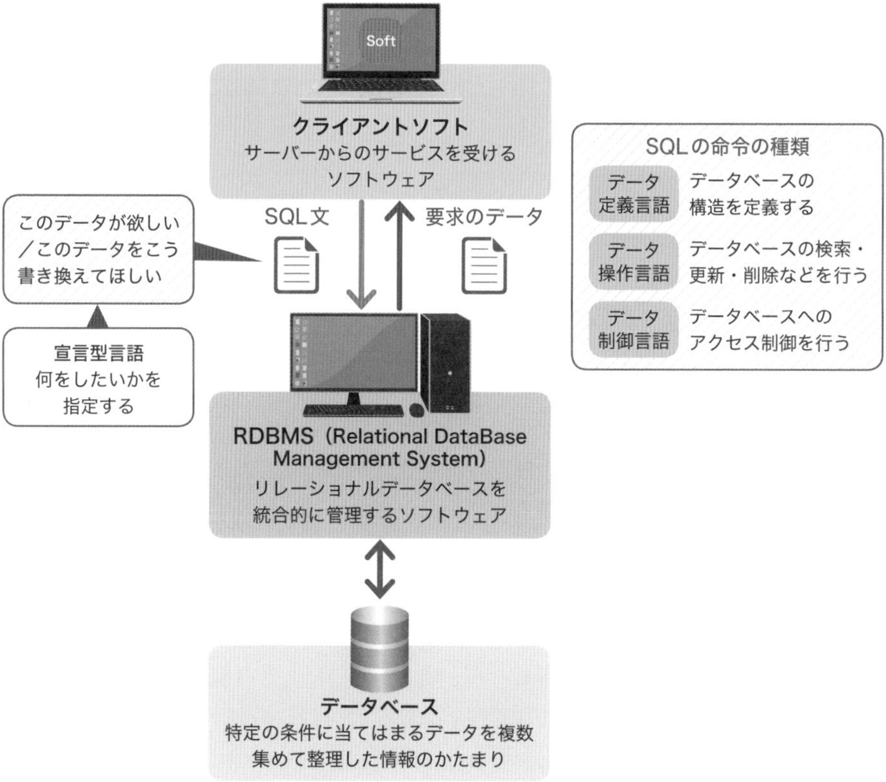
Soft
クライアントソフト
サーバーからのサービスを受ける
ソフトウェア
SQL文
要求のデータ
このデータが欲しい
／このデータをこう
書き換えてほしい
宣言型言語
何をしたいかを
指定する
RDBMS（Relational DataBase
Management System）
リレーショナルデータベースを
統合的に管理するソフトウェア
データベース
特定の条件に当てはまるデータを複数
集めて整理した情報のかたまり
SQLの命令の種類
データ
定義言語
データベースの
構造を定義する
データ
操作言語
データベースの検索・
更新・削除などを行う
データ
制御言語
データベースへの
アクセス制御を行う

ONE POINT

SQLの3種類の命令

●**データ定義言語（DDL：Data Definition Language）**
データベースの構造を定義する。新しいテーブルの定義（CREATE文）や、テーブルの変更（ALTER文）、不要なテーブルの削除（DROP文）など。

●**データ操作言語（DML：Data Manipulation Language）**
データベースに検索、更新、削除などの操作を行う。テーブルのデータの照会（SELECT文）、挿入（INSERT文）、更新（UPDATE文）、削除（DELETE文）など。

●**データ制御言語（DCL：Data Control Language）**
データベースに対するアクセス制御を行う。トランザクションの開始（BEGIN文）、確定（COMMIT文）、取り消し（ROLLBACK文）など。

関連用語 ソースコード（P.180）、オープンソース（P.192）、API（P.196）、データベース（P.202）、データマイニング（P.206）

16 データマイニング

データマイニングとは、膨大なデータを、統計的手法や機械学習の手法などを活用して分析し、これまで知られていなかった規則性や傾向などの有用な知見を探し出す技術です。

☑ 膨大なデータの鉱山から金脈の知識を探す

マイニング（mining）とは、「採掘」を意味する言葉であり、膨大なデータの蓄積を「鉱山」になぞらえ、鉱山から「金脈」の知識を発見することにたとえた表現です。

例として、顧客の購買履歴から商品の併売傾向を探し出すことが挙げられます。アメリカの大手スーパーマーケットチェーンで膨大な販売データを分析した結果、顧客はビールと紙おむつを一緒に買う傾向があることがわかりました。子どものいる家庭では、母親が父親にかさばる紙おむつを買うように頼み、店に来た父親はついでに缶ビールを購入していたことが調査で明らかになったのです。そこで、これらの２つの商品を並べて陳列したところ、売上が上昇したということです。

データマイニングは、マーケティング分野だけではなく、ビジネスのあらゆる分野へ応用されています。企業が蓄積したビッグデータを活用する手段としても注目されており、意思決定や計画立案、販売促進などで有用な知見を得るのに利用されています。

☑ データマイニングの分析手法

データマイニングの分析手法としては、クラスタリング、ロジスティック回帰分析、マーケットバスケット分析の３つの手法がよく利用されます。

クラスタリングとは、類似性に基づいてデータを分類するための手法です。ロジスティック回帰分析は、ある事象の発生確率を予測するための手法です。マーケットバスケット分析は、アソシエーション分析の一種であり、データどうしの**結び付きの強さ**を求めるための手法です。

結び付きの強さ
１つの事象が発生したとき、もう１つの事象が発生する確率が高いような事象どうしの関連性の強さのこと。

》データを分析することで意外な発見を探す

時間
12
納期
天気
在庫
顧客
売上
意外な組み合わせを
発見！
ビール
と
オムツ

》データマイニングの流れ

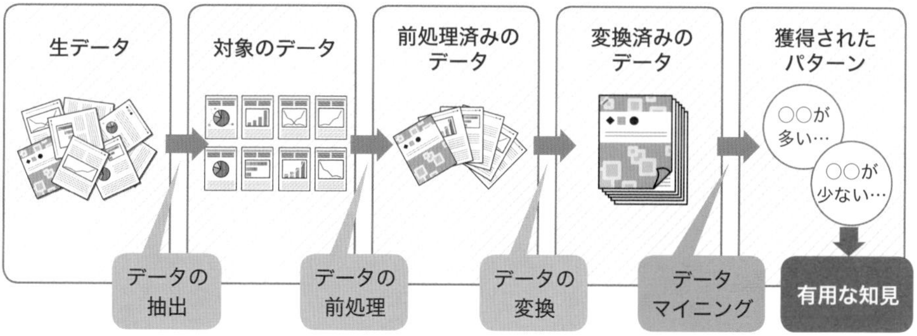

生データ
対象のデータ
前処理済みの
データ
変換済みの
データ
獲得された
パターン
○○が
多い…
○○が
少ない…
データの
抽出
データの
前処理
データの
変換
データ
マイニング
有用な知見

ONE POINT

データマイニングの３つの分析手法

●**クラスタリング**

類似性に基づいてデータを分類する手法。同じ購買行動をしている顧客をグループに分類し、効果的なマーケティング施策を実施したいときに役立ちます。

●**ロジスティック回帰分析**

ある事象の発生確率を予測する手法。キャンペーン実施時に、DM（ダイレクトメール）を送付した顧客が商品を購入するかを予測したいときなどに利用されます。

●**アソシエーション分析**

データどうしの結び付きの強さを求める手法。代表的なものにマーケットバスケット分析があります。販売データから同時に購入されることの多い商品を見つけたいときなどに使用されます。商品どうしの関連性を見いだし、その関連性に応じた商品陳列を行うことで、売上を向上させることなどに役立ちます。

関連用語 AI（P.12）、機械学習（P.24）、データサイエンス（P.54）、クラウド（P.70）、
ストレージ（P.190）、SQL（P.204）

ERP (Enterprise Resource Planning)

イーアールピー

ERPとは、企業活動で必要な経営資源や情報などを一元的に管理し、限られた資源を効率的に活用しようとする考え方です。ERPの考え方に基づき、情報を管理できるITシステムをERPパッケージと呼びます。

☑ 企業の資産を統合的に管理

ERPとは、企業の持つ資金や人材、設備、情報など、さまざまな経営資源を統合的に管理・配分し、業務の効率化や経営全体の最適化を目指す考え方を指します。また、その考え方に基づいて提供される業務横断型の業務ソフトウェアパッケージ（ERPパッケージ）を指すこともあります。

企業のさまざまな部門や業務で扱う資源や情報などを、統一的かつ一元的に管理することで、部門ごとの部分最適化による非効率を排除したり、調達、生産、販売など、互いに関連する各業務を円滑に連結したりすることを目指しています。

ERPのメリットは、企業内に散在している情報を１箇所に集め、その情報をもとに企業の状況を正確かつタイムリーに把握できる点にあります。経営判断や意思決定を迅速にし、企業活動を効率化できるだけではなく、**リアルタイムマネジメント**の強化、業務の統合化、グローバル化への対応など、さまざまな波及効果や付加価値の創造につながります。

リアルタイムマネジメント
組織全体でリアルタイムに経営状況や業務内容などを把握できるようにすること。

☑ 業務のシステムを統合したERPパッケージ

ERPは通常、個別に開発された情報システムではなく、大手ソフトウェア企業などが開発・販売する「ERPパッケージ」の導入によって実現されます。

ERPパッケージは、さまざまな業務に対応したシステムが共通のデータベースや基盤システムで統合された、大規模なソフトウェアです。ERPパッケージを全社的に導入することにより、部門間の情報共有や緊密な連携などが可能となります。

さまざまな業務の情報を一元管理するERPパッケージ

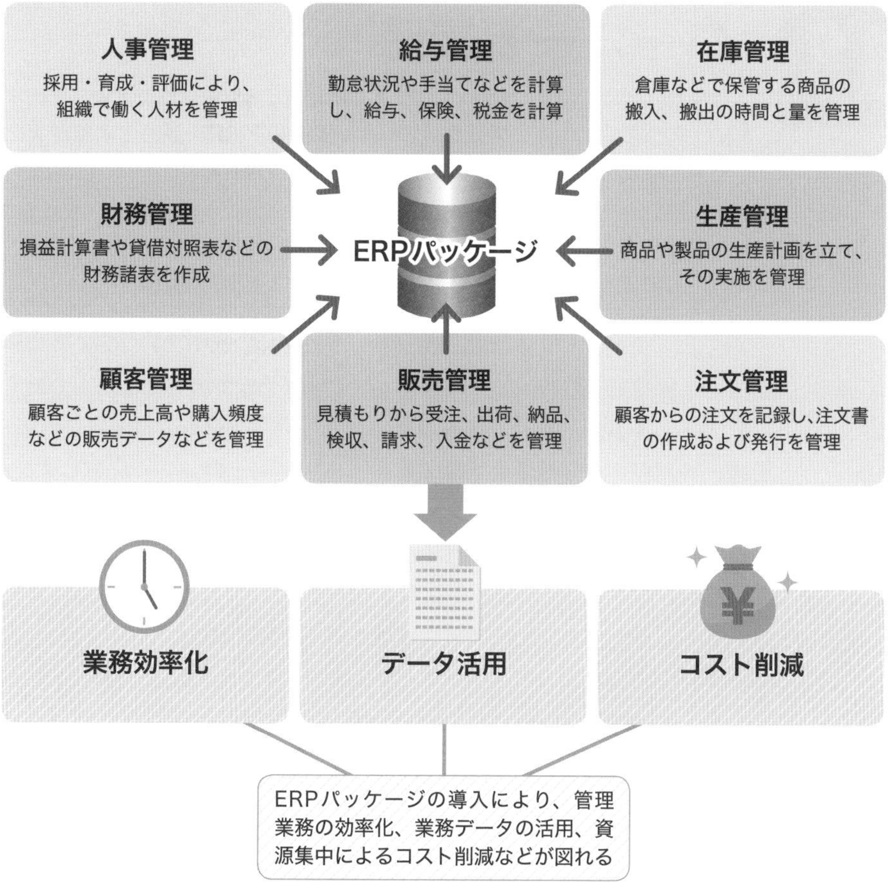
人事管理
採用・育成・評価により、
組織で働く人材を管理
給与管理
勤怠状況や手当てなどを計算
し、給与、保険、税金を計算
在庫管理
倉庫などで保管する商品の
搬入、搬出の時間と量を管理
財務管理
損益計算書や貸借対照表などの
財務諸表を作成
ERPパッケージ
生産管理
商品や製品の生産計画を立て、
その実施を管理
顧客管理
顧客ごとの売上高や購入頻度
などの販売データなどを管理
販売管理
見積もりから受注、出荷、納品、
検収、請求、入金などを管理
注文管理
顧客からの注文を記録し、注文書
の作成および発行を管理
業務効率化
データ活用
コスト削減
ERPパッケージの導入により、管理
業務の効率化、業務データの活用、資
源集中によるコスト削減などが図れる

ONE POINT

ERPパッケージの種類

代表的なERPパッケージには、SAPの「SAP S/4HANA」(旧SAP R/3) や「SAP Business One」(中小企業向け)、Oracleの「Oracle E-Business Suite」(旧Oracle Applications) や「NetSuite」、Microsoftの「Microsoft Dynamics 365」などがあります。最近では、コストや運用作業の軽減のため、自社運用型(オンプレミス型) からクラウドサービス (SaaS(サース)型ERP) へとシフトする傾向にあります。

関連用語 クラウド(P.70)、オンプレミス(P.76)、データベース(P.202)、要求定義／要件定義(P.238)

18 ローコード開発

ローコード開発とは、プログラミング言語を使ってコードを記述する代わりに、グラフィカルユーザーインターフェイス（GUI）や設定により、ソフトウェアやアプリケーションを開発する手法のことです。

☑ 短期間かつ低コストでソフトウェアを開発

ローコード開発は、最小限のコード記述でソフトウェアの開発が可能なため、開発のスピードアップや低コスト化が見込めます。ローコード開発と従来の開発（コーディング中心の開発）では、次のような相違点があります。

・開発可能なソフトウェアの自由度が高く、必要に応じて細やかな拡張ができる。
・単なるソースコード生成ツールではなく、ロジックやユーザーインターフェイスを含めたソフトウェア全体の自動生成を実現できる。

☑ モバイルアプリから企業システムへ

ローコード開発が注目されたのは、モバイルアプリの開発においてです。モバイルアプリの開発では、スピードが重視され、**マルチデバイス**にも対応しなければなりません。こうした背景の中、ローコード開発により、短期間でアプリケーションをリリースできる点が注目されました。

マルチデバイス
パソコンやスマートフォン、タブレット端末など、さまざまな種類の端末から、コンテンツやサービスなどを同じように利用できること。このような状態にすることを「マルチデバイス化」という。

ローコード開発は現在、企業のシステムにおいても、いわゆるDX（デジタルトランスフォーメーション）の観点で注目されています。激変する事業環境に対応するため、ITの専門家や開発者などではない一般のビジネスパーソンや現場担当者など比較的ITリテラシーが低い人でも、プロに近いレベルで開発ができるローコード開発に関心が集まっています。

また、開発はベンダーが用意した環境を利用するので、一から新規で開発する場合に比べ、セキュリティ対策の面でも負担が減ります。

ローコード開発による開発期間の圧縮

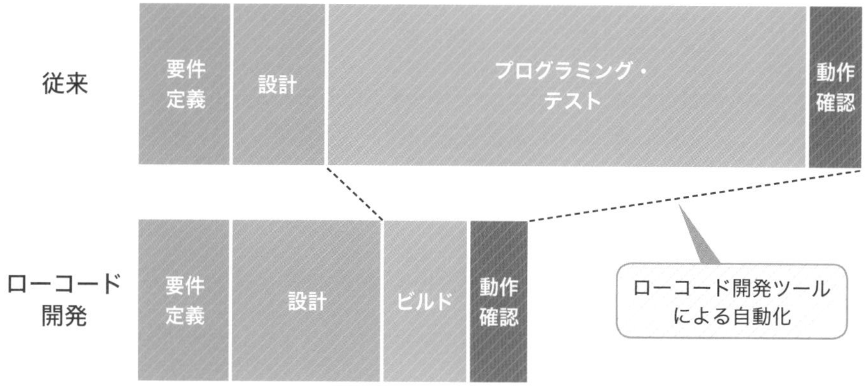

従来
要件定義
設計
プログラミング・テスト
動作確認
ローコード開発
要件定義
設計
ビルド
動作確認
ローコード開発ツールによる自動化

ローコード開発が行えるソフトウェア製品

製品名	概要
OutSystems	ユーザーインターフェイス、ビジネスプロセス、ロジック、データモデルなどをドラッグ＆ドロップするだけでアプリケーション開発が可能。他システムとの連携、プロジェクトの管理や分析など、多くの機能を提供する。
Mendix	クラウド型（PaaS）のアプリケーション開発のプラットフォーム。モデル駆動によるアプリケーション設計に加え、統合開発環境を提供する。
ServiceNow	ITサービス管理（ITSM）ソリューションが起源。独自のワークフローアプリケーションをローコードまたはノーコードで開発できる。
Salesforce	CRMパッケージが起源。PaaS開発環境としてSalesforce Lightning Platformを提供している。スプレッドシートからアプリケーションを自動変換したり、プロセスを自動化したりする機能も持つ。

ONE POINT

ノーコード開発

プログラミング言語によるコードの記述が不要な開発手法として、ノーコード開発というものもあります。ノーコード開発では、あらかじめ用意されたパーツをドラッグ＆ドロップなどで組み立てていくだけで、ソフトウェア開発が可能です。専門的な知識がなくても手軽に開発を進められることで注目されていますが、できることや開発ツールなどに制限があり、複雑な仕様でソフトウェアを開発したい場合などには向いていません。

関連用語 DX (P.16)、クラウド (P.70)、PaaS (P.72)、フレームワーク (P.176)、ライブラリ (P.182)、テスト (P.188)、API (P.196)、MVC (P.200)、データベース (P.202)、デプロイ (P.240)

19 仮想化

仮想化とは、コンピューターシステムの資源（CPU、メモリー、ストレージ、OSなど）を、論理的な単位で編成することをいいます。複数の資源を1つに見せたり1つの資源を複数に分割したりすることが可能になります。

☑ サーバーを仮想化する3つの方式

「CPU仮想化」や「ストレージ仮想化」など、対象によりさまざまな「〇〇仮想化」があります。単に「仮想化」という場合は「サーバー仮想化」を指すことが多く、実装方式によりホストOS型、**ハイパーバイザー型**、コンテナ型などに分類されます。

ホストOS型は、ホストOS上で**仮想化ソフトウェア**を動作させる方式です。通常、ホストOSに仮想化ソフトウェアをインストールし、**仮想イメージ**を作成して利用します。ハイパーバイザー型は、ホストOSを必要とせず、ハードウェア上で直接、仮想化ソフトウェアを動作させる方式です。ホストOSによる余計な負荷がない分、動作が高速です。コンテナ型は、ホスト型と同じく、ホストOSを必要とする方式です。仮想化ソフトウェアによって仮想化される空間は「コンテナ」と呼ばれ、目的のアプリケーションを使うための最低限の機能に絞って構築されたものです。**仮想マシン**を作成するため、OSの機能をすべて仮想化するホスト型に比べ、無駄なサービスを起動しないので高速です。

ハイパーバイザー型
仮想化するためのソフトウェアを直接サーバーにインストールする方式。

仮想化ソフトウェア
仮想化の環境を実現するためのソフトウェア。

仮想イメージ
アプリケーションやオペレーティングシステムなどをあらかじめまとめたデータ。

仮想マシン
物理マシンの動作と同じように振る舞うソフトウェア。

☑ ストレージやネットワークの仮想化

ストレージの仮想化は、複数のディスクを1つのストレージとして扱うことで**可用性**が高まります。仮に1つのディスクに障害が発生しても、引き続きシステムを運用したり、データの消失を防いだりすることができます。

ネットワークの仮想化は、ネットワークの回線や機器を仮想化することを示し、物理的にではなく、ソフトウェア制御によりネットワークを構築することが可能です。ネットワーク構成を柔軟に再構築できます。

可用性
システムが継続して稼働できる能力のこと。

サーバー仮想化の主な方式

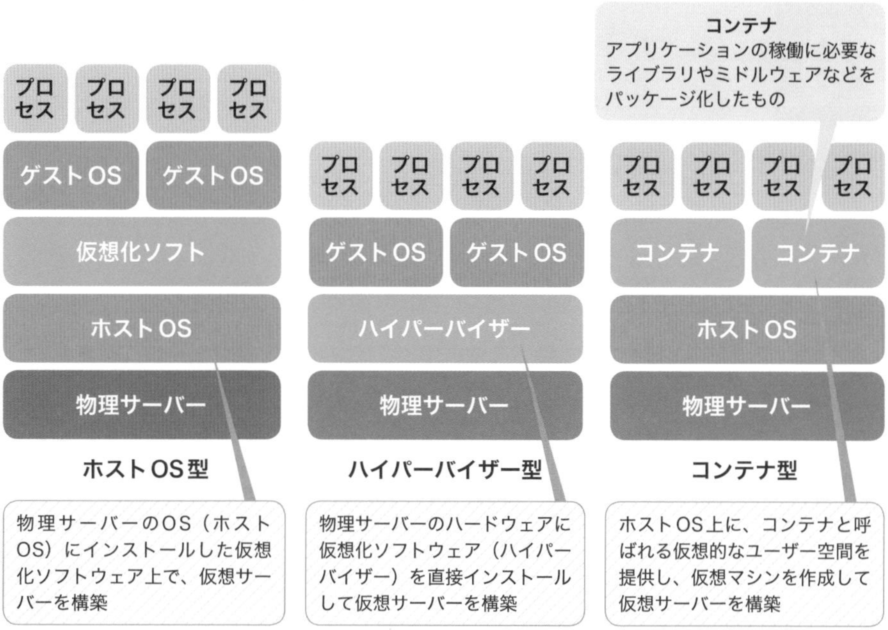
コンテナ
アプリケーションの稼働に必要なライブラリやミドルウェアなどをパッケージ化したもの
プロセス
ゲストOS
仮想化ソフト
ホストOS
物理サーバー
ホストOS型
物理サーバーのOS（ホストOS）にインストールした仮想化ソフトウェア上で、仮想サーバーを構築
ゲストOS
ハイパーバイザー
物理サーバー
ハイパーバイザー型
物理サーバーのハードウェアに仮想化ソフトウェア（ハイパーバイザー）を直接インストールして仮想サーバーを構築
コンテナ
ホストOS
物理サーバー
コンテナ型
ホストOS上に、コンテナと呼ばれる仮想的なユーザー空間を提供し、仮想マシンを作成して仮想サーバーを構築

仮想化の主なメリット

サーバー集約によるコスト削減	サーバーの稼働率は通常20～30%程度といわれる。仮想化により1台のサーバーを効率的に運用でき、その分サーバーの台数を減らせる。初期導入時だけではなく、サーバーの入れ替え時のコストも抑えられる。
省スペース化	複数の物理サーバーを仮想サーバーとして構築すれば、物理サーバーの台数を減らすことができ、省スペースになる。
運用管理業務の軽減	仮想化ソフトウェアをインストールして設定するだけでサーバーを構築でき、物理サーバーの構築に比べると容易で、短時間で対応できる。サーバーの集約化により、運用管理業務が軽減できる。

ONE POINT

デスクトップの仮想化

「クライアント仮想化」とも呼びますが、サーバー上に置いたパソコン環境のデスクトップを遠隔地の端末に転送して利用する技術です。端末側にデータやアプリケーションを置かなくてもサーバーにアクセスすることで利用可能となり、またデータやアプリケーションをサーバー側で一元管理できるので、セキュリティ対策やDX（デジタルトランスフォーメーション）実現などの目的で導入が進んでいます。

関連用語 DX（P.16）、ストレージ（P.190）、ネットワーク仮想化（P.214）、コンテナ（P.216）、リソース（P.242）

ネットワーク仮想化

仮想化サーバーの普及により、ネットワークの構築や制御にも柔軟な変更が求められるようになりました。このような要望に応え、拡張性の高いネットワークを構築する技術としてネットワーク仮想化が注目されています。

☑ ネットワークの構築や制御を柔軟に変更

仮想化とは、コンピューターシステムのサーバーやストレージなど、物理的に１つのものを、論理的な単位で編成することをいいます。複数のものを１つに見せたり、１つのものを複数に分割したりすることが可能になります。この仮想化の技術をネットワークに応用したものがネットワーク仮想化です。

近年、サーバーの仮想化が普及したことにより、１台のコンピューター上に複数の**仮想マシン**を動作させて利用することが増えてきました。仮想マシンが増え、ネットワークの規模が拡大するのに伴い、ネットワークの構築や制御に関しても柔軟な変更が求められるようになりました。このような要望に応え、スピーディーかつ拡張性の高いネットワークを構築する技術としてネットワーク仮想化が注目されています。

仮想マシン
物理マシンの動作と同じように振る舞うソフトウェア。

☑ 仮想化により費用低減や機能向上などを実現

ネットワーク仮想化の中心的なコンセプトがSDN（Software Defined Networking）です。SDNは、ネットワーク構成の変更や動作状態の監視などをソフトウェアによって行うものです。またネットワークの特定の機能を仮想化する考え方として、NFV（Network Function Virtualization）があります。これは、不要な通信を遮断するファイアウォール機能や、ネットワークへの負荷を分散させるロードバランサー機能などを、仮想マシンに入れて機能させようというものです。ネットワーク仮想化のメリットとしては、ネットワークの構築および運用の費用低減、開発やサービス提供のスピードアップ、ネットワークサービスの信頼性向上、ネットワーク混雑時のつながりやすさの向上などが挙げられます。

» ネットワーク仮想化による変化（NFV）

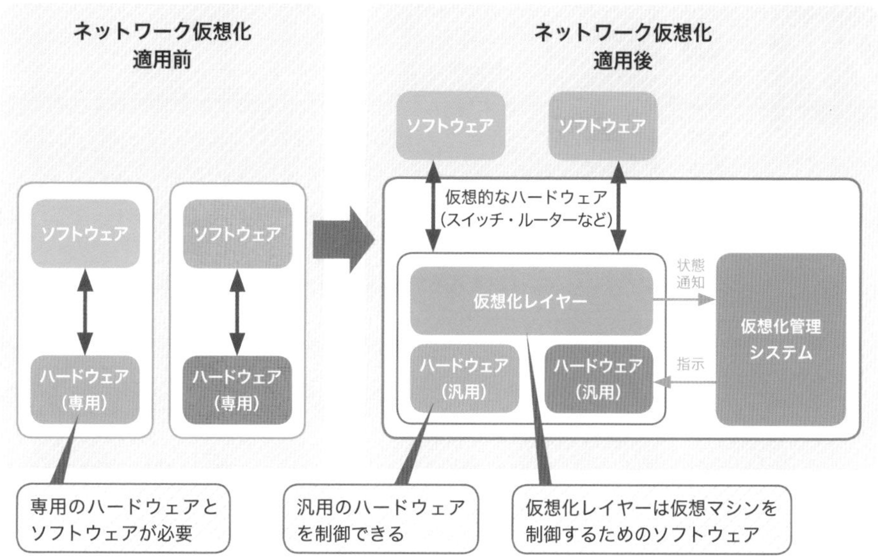
ネットワーク仮想化
適用前
ソフトウェア
ソフトウェア
ハードウェア
（専用）
ハードウェア
（専用）
ネットワーク仮想化
適用後
ソフトウェア
ソフトウェア
仮想的なハードウェア
（スイッチ・ルーターなど）
状態
通知
仮想化レイヤー
仮想化管理
システム
指示
ハードウェア
（汎用）
ハードウェア
（汎用）
専用のハードウェアと
ソフトウェアが必要
汎用のハードウェア
を制御できる
仮想化レイヤーは仮想マシンを
制御するためのソフトウェア

» ネットワーク仮想化による費用の低減（NFV）

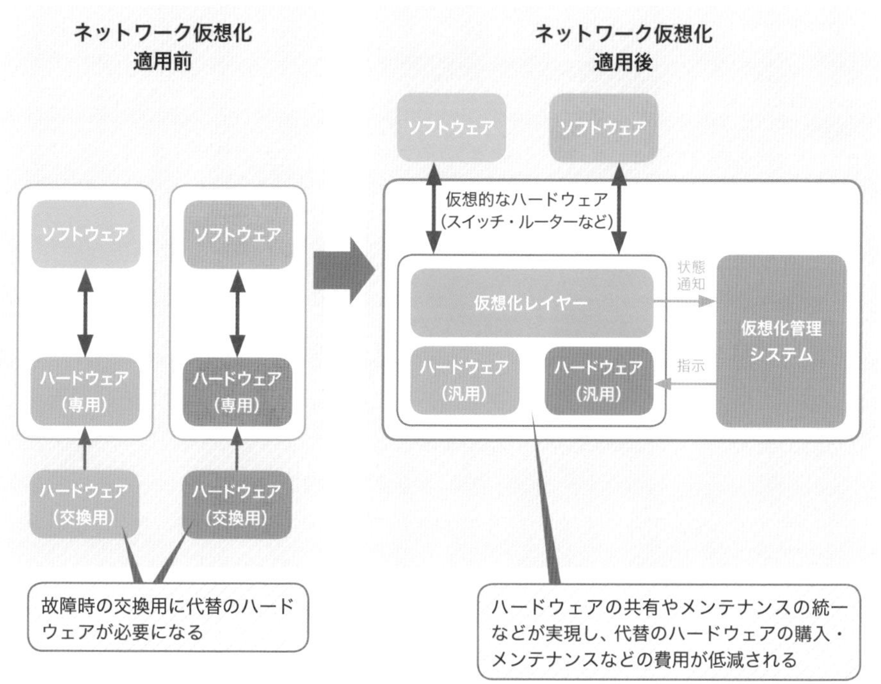
ネットワーク仮想化
適用前
ソフトウェア
ソフトウェア
ハードウェア
（専用）
ハードウェア
（専用）
ハードウェア
（交換用）
ハードウェア
（交換用）
ネットワーク仮想化
適用後
ソフトウェア
ソフトウェア
仮想的なハードウェア
（スイッチ・ルーターなど）
状態
通知
仮想化レイヤー
仮想化管理
システム
指示
ハードウェア
（汎用）
ハードウェア
（汎用）
故障時の交換用に代替のハード
ウェアが必要になる
ハードウェアの共有やメンテナンスの統一
などが実現し、代替のハードウェアの購入・
メンテナンスなどの費用が低減される

関連用語 サーバーレス（P.78）、仮想化（P.212）

コンテナ

コンテナ（container）とは、「入れ物」「箱」「容器」などを意味する言葉で、ITの分野ではサーバーを管理する技術や手法を指します。サーバー管理を、安全・かんたん・高速・低コストで行うことを目指したものです。

☑ サーバー管理を効率化するコンテナ技術

コンテナ技術は、アジャイル開発やDevOps（デブオプス）など、システムの開発や運用の高速化を促進するものとして、2010年代半ばごろから注目されています。

サーバー管理を効率化する手法には「仮想化技術」がありますが、コンテナ技術はこれを発展させたものです。ホストOS型やハイパーバイザー型では、仮想マシン上でゲストOSを起動するので、個別にCPUやメモリー、ストレージなどを割り当てる必要があります。これに対し、コンテナ型では、システム資源の**オーバーヘッド**（仮想化のために割り当てられる資源や能力）が少なくて済みます。つまり、同性能のハードウェアであれば、より多くのコンテナが作れるわけです。コンテナは、ホストOS上で実行される1つのプログラムなので、その作成、編集、破棄などが容易です。そのため、人間がコンピューターにOSを導入して起動するのに比べ、かんたんかつ迅速に特定の環境を構築したり別の環境に切り替えたりすることができます。

オーバーヘッド
コンピューターで何らかの処理を行う際に、その処理に必要となる付加的・間接的な処理や手続きなどのこと。

☑ コンテナはファイルとして利用可能

作成したコンテナは、丸ごとファイルとして保存し、ほかのコンピューターで起動することが可能です。このため、ソフトウェアパッケージとして、設定済みのコンテナをファイル形式で提供することもあります。利用者はこのファイルを入手し、OS上で展開するだけで、すぐにソフトウェアを起動できます。

コンテナのデファクトスタンダードとして広く使われている技術に「Docker（ドッカー）」があります。また、複数のホストOSで構成されるコンテナの管理を容易にする技術に「Kubernetes（クバネティス）」があります。

≫ コンテナ化のイメージと仮想化サーバーとの違い

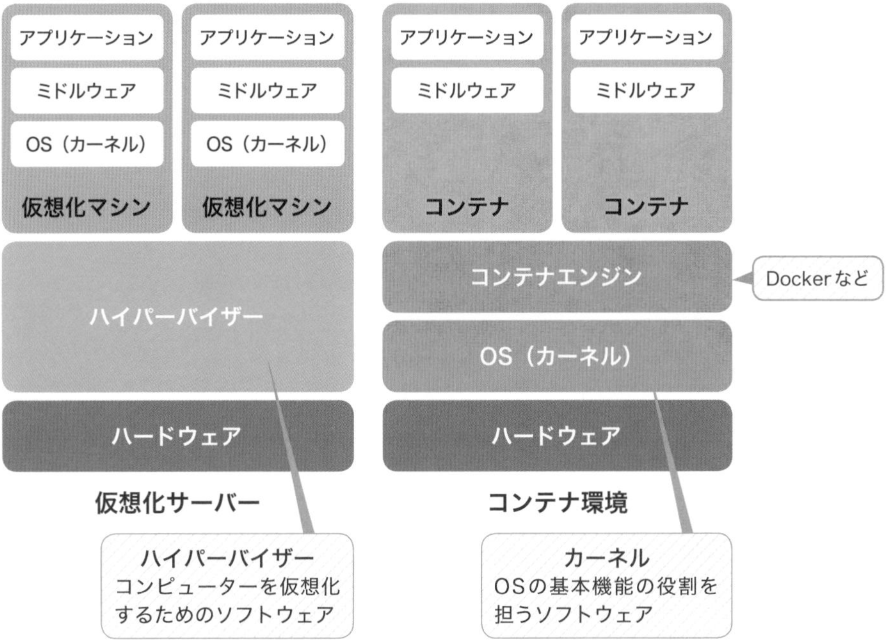

アプリケーション
ミドルウェア
OS（カーネル）
仮想化マシン
アプリケーション
ミドルウェア
OS（カーネル）
仮想化マシン
アプリケーション
ミドルウェア
コンテナ
アプリケーション
ミドルウェア
コンテナ
ハイパーバイザー
コンテナエンジン
Dockerなど
OS（カーネル）
ハードウェア
ハードウェア
仮想化サーバー
コンテナ環境
ハイパーバイザー
コンピューターを仮想化するためのソフトウェア
カーネル
OSの基本機能の役割を担うソフトウェア

≫ コンテナはファイルとしてコンピューターで起動できる

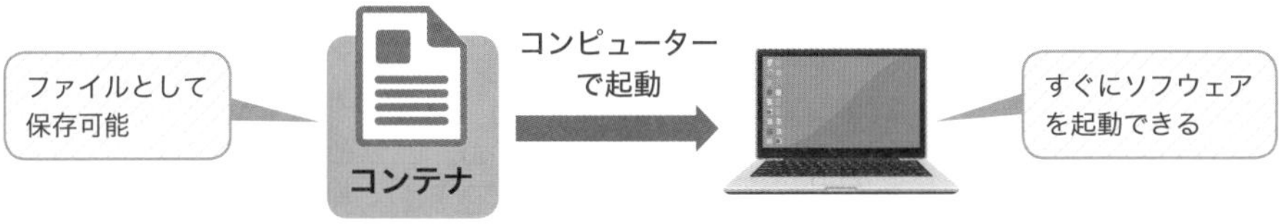

ファイルとして保存可能
コンテナ
コンピューターで起動
すぐにソフウェアを起動できる

ONE POINT

コンテナブームを牽引するDockerとKubernetes

Dockerは、非常に軽量なコンテナのアプリケーション実行環境を実現します。このようなサービスを利用することで、利用者は仮想サーバーを意識せずに、コンテナを動作させることができます。
またKubernetesを利用すると、複数台のサーバーで構成される実行環境を、あたかも1台のように扱えます。たとえば、コンテナ起動時はイメージと台数を指定すればよく、サーバー選択とコンテナ配置はKubernetesに任せることができます。

関連用語 仮想化（P.212）、DevOps（P.218）、デファクトスタンダード（P.226）、アジャイル（P.236）

DevOps（デブオプス）

DevOpsとは、「Development」（開発）と「Operations」（運用）を組み合わせた造語です。ソフトウェアやシステムなどの開発者と運用者が密接に協力する体制を構築し、その導入や更新などを迅速に進めるためのしくみです。

☑ ソフトウェアの開発と運用の流れを統合

ソフトウェアの開発者と運用者はそれぞれ異なる目標を持ち、組織の文化や業務の方針など、しばしば考え方や利害などが対立することがあります。両者の壁を乗り越え、コミュニケーションや情報共有などを密接に行い、開発と運用のサイクルを統合することで、ソフトウェアの迅速な開発や導入、更新などを可能にする方法を、総称してDevOpsと呼びます。

DevOpsにより、製品やサービスの市場投入までの期間短縮、製品やサービスの品質向上、顧客満足度の向上、**ソフトウェアデリバリープロセス**の自動化、生産性や効率性の改善、開発スキルの育成、組織の強化など、さまざまな観点により相乗効果が期待されます。

ソフトウェアデリバリープロセス
ソフトウェアの実装、テスト、デプロイといった一連の流れのこと。

☑ アジャイル型で頻繁に更新して完成度を向上

DevOpsそのものは抽象的な概念であり、この概念のもとにさまざまな手法が提唱されています。代表的な手法には、**継続的インテグレーション**（CI：Continuous Integration）ツールによる導入・展開の自動化、**テスト駆動開発**、**マイクロサービス**、設定自動化ツールによる環境設定の自動化・コード化（IaC：Infrastructure as Code）などがあります。

またDevOpsでは、ソフトウェアの頻繁な更新が要求されるため、ウォーターフォール型ではなく、アジャイル方式の反復型の開発手法が採用されます。シンプルあるいは小規模なソフトウェアを先にリリースし、これを頻繁に更新することで完成度を高め、状況の変化に対応させていきます。さらに、システムの稼働後も運用側からのフィードバックに迅速に対応できるようになります。

継続的インテグレーション
すべての開発者の作業のコピーを、共有のメインラインに定期的に統合する開発手法。

テスト駆動開発
プログラムの実装前にテストコードを書き、そのコードに適合するように実装する開発方法。

マイクロサービス
アプリケーションを独立した複数の小さなサービスに分割して連携させる方式のこと。

ソフトウェアの開発と運用の壁

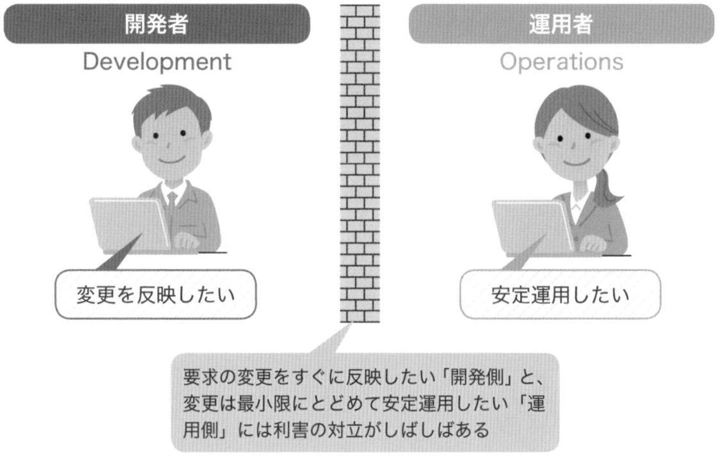
開発者
Development
運用者
Operations
変更を反映したい
安定運用したい
要求の変更をすぐに反映したい「開発側」と、変更は最小限にとどめて安定運用したい「運用側」には利害の対立がしばしばある

DevOpsの考え方

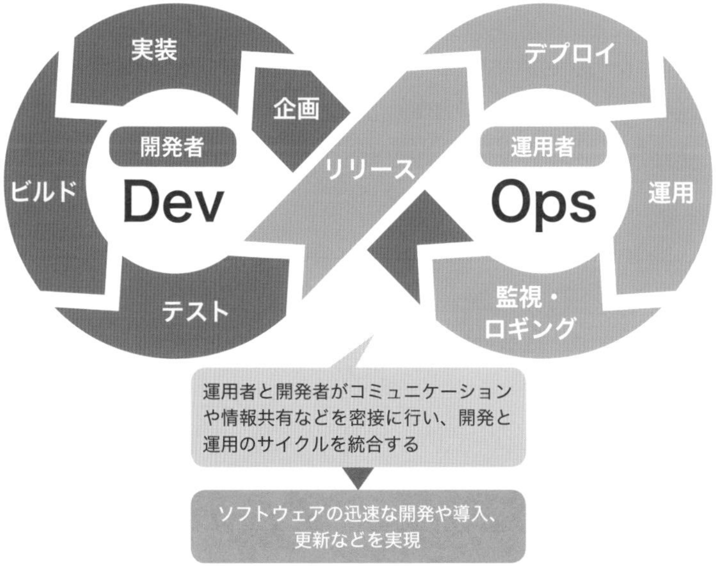
実装
企画
ビルド
開発者
Dev
テスト
リリース
デプロイ
運用者
Ops
運用
監視・ロギング
運用者と開発者がコミュニケーションや情報共有などを密接に行い、開発と運用のサイクルを統合する
ソフトウェアの迅速な開発や導入、更新などを実現

関連用語 テスト／レビュー(P.188)、PDCAサイクル(P.234)、ウォーターフォール／アジャイル(P.236)、デプロイ(P.240)

Python（パイソン）

Pythonは、世界で人気のあるプログラミング言語の1つです。データ分析、AI、機械学習、組み込みソフトウェア、Webアプリケーションなど、さまざまな分野のアプリケーション開発に貢献しています。

☑ 初心者にもわかりやすいプログラミング言語

Pythonは、シンプルで読みやすい文法が特長の、インタプリタ型（P.180参照）のオープンソースのスクリプト言語です。1991年にオランダのグイド・ヴァン・ロッサム氏によって開発されました。初心者にもわかりやすく、計算処理のライブラリも豊富にあることから、Webアプリケーション開発で人気が高いほか、データ分析や統計解析、最近ではAIや深層学習まで、さまざまな分野で利用されています。

ほかの言語や環境との連携機能も充実しており、Pythonからアクセスできない機能をC言語で記述し、**拡張モジュール**として組み入れるしくみが提供されています。またJavaライブラリを利用できる実行環境のJython（ジャイソン）、Microsoft .NET環境で.NET Frameworkの機能を利用できる処理系のIronPython（アイアンパイソン）などもあります。

拡張モジュール
Pythonだけでは実現できない機能を実装したもの。

☑ シンプルな文法、豊富なライブラリ

Pythonは、言語自体の文法や語彙、記述法などがシンプルに設計されており、初心者にも読み書きが容易です。加えて、初期状態で豊富な標準ライブラリを有しているため、コードの記述量が少なくて済むという特長があります。また、豊富なフレームワークが存在することも人気の要因の１つとして挙げられます。

代表的なWebアプリケーションとして、YouTube（ユーチューブ）、Instagram（インスタグラム）、Dropbox（ドロップボックス）といった身近なアプリケーションはPythonで実装されています。また、音楽配信サービスのSpotify（スポティファイ）のデスクトップアプリ開発もPythonが貢献しています。さらに、Googleが提供するクラウドサービスのApp Engineでは、アプリケーションの開発言語としてPythonを推奨しています。

» シンプルな記述が特長のPython

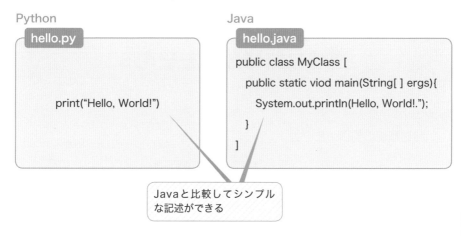

Python

hello.py

```
print("Hello, World!")
```

Java

hello.java

```
public class MyClass [
  public static viod main(String[ ] ergs){
    System.out.println(Hello, World!.");
  }
]
```

Javaと比較してシンプルな記述ができる

» Pythonで開発された身近なアプリケーション

名称	内容
YouTube	世界最大の動画共有サービス
Instagram	写真共有サービス
Dropbox	オンラインストレージサービス
Uber	自動車配車のWebサイトおよび配車サービスの提供
Skyscanner	格安航空券の検索システム
Tableau	Pythonと連携してデータ分析・可視化を行うツール
マクロミル	マーケティングリサーチ
ぐるなび	ポータルサイト「ぐるなび」のデータ解析

ONE POINT

サードパーティ製のライブラリも充実

Pythonはサードパーティ製のライブラリも各種揃っていて、scikit-learn(サイキットラーン)、NumPy(ナンパイ)、pandas(パンダス)、Matplotlib(マットプロットリブ)などはデータ分析や機械学習において欠かせません。また、Django(ジャンゴ)やFlask(フラスク)といったWebアプリケーションフレームワークが充実しており、Webアプリケーション開発で多く使われています。

関連用語 フレームワーク(P.176)、ライブラリ(P.182)、テスト(P.188)、オープンソース(P.192)、API(P.196)、MVC(P.200)、データベース(P.202)

COLUMN 5

適切な開発環境を整える

開発環境の整備の重要性

ソフトウェア開発において、プログラミング言語の習得、ライブラリやフレームワークなどの活用に加え、これらのテクノロジーを効果的に使うための環境を整えることも大切な仕事です。

たとえば、モバイルアプリケーションの開発環境では、iOS用やAndroid用などの純正開発環境以外にも、さまざまな環境が存在し、プログラミング言語、ライブラリ、フレームワークによって対応できる環境とそうでないものがあります。また、今使用されているツールやフレームワークなどが、未来永劫使い続けられる保証は一切ありません。常にバージョンアップは行われており、新しいものに取って代わるかもしれません。開発者は常に適切な開発環境を選択し、維持することが求められます。

統合開発環境(IDE)もクラウドへ

IDEとは、グラフィカルユーザーインターフェイスを備えた対話型の開発ツールです。エディター、コンパイラ、デバッガといった機能を備え、開発作業の効率化、開発成果物の管理、チーム開発の促進などに欠かせないツールです。

IDEはオープンソースソフトウェアもあれば、Microsoft、IBM、Googleなどの企業から製品としてリリースされているものまでさまざまです。製品はインストールするタイプだけではなく、最近は「クラウドIDE」というWebブラウザ上で使えるIDEも登場しています。つまり、IDEがSaaSとして提供されているわけです。

そのメリットは、一般的なSaaS製品と同様です。まずインストール作業がなく、開発者はすぐに開発を始めることができます。チームメンバーの開発環境を標準化し、開発したコードも含めてサーバー側に一元管理ができます。これは知的財産の管理やセキュリティ上の懸念の解消に役立ちます。ビルドやテストといったコンピューターリソースを消費する重い処理もサーバー側で行われるので、多少性能が見劣りするマシンでも利用できます。　(西村一彦)

第6章

IT＆Web業界で使われる用語

設計や開発などを進める際に必要とされる手法や工程、仕様などに関連する用語を取り上げます。
顧客満足度の高いサービスを提供するために基本用語を押さえ、円滑なコミュニケーションを図りましょう。

SIer（エスアイアー）／SE（エスイー）

SIerとSEはともに、システムなどの開発に関連する職業を指す言葉としてよく使われます。両者は、システムの要件定義、設計、開発、運用のサポートという一連の流れに関わりますが、SIerは企業を、SEは人を指す言葉です。

☑ システムの構築や運用をサポートするSIer

SIerとは、「Systems Integrator」（システムインテグレーター）の略語で、「Systems Integration」の略語である「SI」に英語で「仕事に携わる人」を意味する「er」を付けた和製英語です。

システムインテグレーターとは、企業や組織などのシステムを構築し、システム運用のサポートまでを行う企業を指します。企業内にさまざまあるシステムをまとめ、全体として正しく機能させる役割を担います。

SIerは、顧客企業などで構築するシステムについて、企画立案やコンサルティングからはじまり、構築のための要件定義、設計、開発、運用、ハードウェアの選定などを一挙に請け負います。また、システム運用後のサポートを請け負うSIerも存在します。

要件定義
開発するシステムに実装すべき機能や、必要とされる性能などを明確にする作業のこと(P.238参照)。

SIerはその成り立ちにより、５つに分類できます。顧客企業の特徴により、提案方針やシステム開発の手法も異なってきます。

☑ SIerは企業、SEは職種

SEとは、「System Engineer」（システムエンジニア）の略語で、顧客企業の要望するシステムの開発全般に関わります。SIerとSEの違いは、SIerが「企業」であるのに対し、SEが「人」であるという点にあります。つまり、企業としてシステム開発などのソリューションを提供するのがSIer、そのソリューションの構築や運用を実際に行う人がSEといえます。なお、同じSEでも、自社システムの開発や運用を行う「社内SE」と、顧客企業向けのシステム開発を担う「SE」では、仕事内容や求められるスキルが異なります。社内SEには開発スキルだけではなく、予算管理や委託先の管理といったより広範囲なスキルが求められます。

SIerの分類

分類	成り立ち	代表的な企業
ユーザー系	企業内のシステム部門が独立・分社化し、親会社や関連会社などのグループ企業からの仕事を受けて成長。その後、グループ外の企業からも仕事を請け負うようになったSIer。	エヌ・ティ・ティ・データ、伊藤忠テクノソリューションズ、ヤマトシステム開発など
メーカー系	コンピューターなどのハードウェアを製造する企業とそのグループ企業が独立したSIer。自社のハードウェアでシステム開発を行うことで、ワンストップかつ安価なソリューション提案ができることを強みとしている。	日本電気（NEC）、富士通、日立グループの関連会社など
独立系	独自のスタイルでシステム開発を中心に行うSIer。親会社がないため、特定のベンダーやメーカーなどにとらわれないシステム構築を顧客へ提案できる。	大塚商会、トランスコスモス、電算など
コンサル系	顧客企業の経営戦略に主眼を置くSIer。システム開発や運用・保守よりコンサルティング業務に重点を置いている。	野村総合研究所、アクセンチュア、日本総合研究所など
外資系	グローバルな市場でシステムインテグレーション事業を展開するSIer。アメリカ発祥の企業が多い中、近年はインドの企業の成長が著しい傾向にある。	Oracle、SAP、タタ・コンサルタンシー・サービシズなど

SEの位置付け

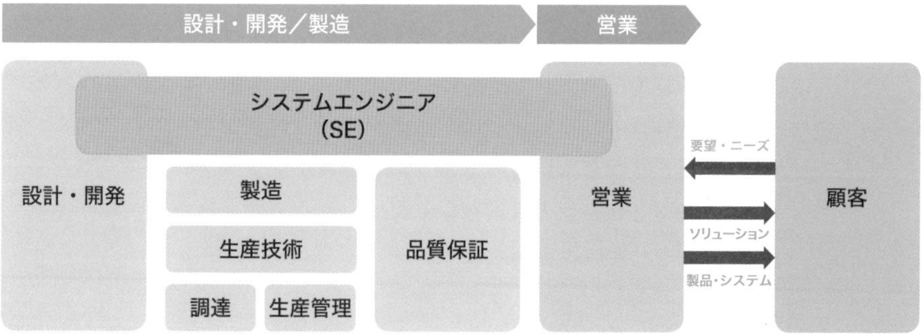

設計・開発／製造
営業
システムエンジニア
(SE)
設計・開発
製造
生産技術
調達
生産管理
品質保証
営業
要望・ニーズ
ソリューション
製品・システム
顧客

ONE POINT

SEの仕事内容

SEは職種を指す言葉であり、実際の仕事内容は、所属する企業の事業やプロジェクトなどの内容によって異なります。開発の上流工程で必要なコンサルティング的な仕事の場合もあれば（ITコンサルタントとも呼ばれます）、プログラム開発を中心とした仕事の場合もあります。また、プロジェクト管理や品質管理などがメインというケースもあります。さらに、ネットワークエンジニアやデータベースエンジニア、セキュリティエンジニアなど、特定の技術を専門とするエキスパートを指す場合もあります。

関連用語 要求定義／要件定義（P.238）

02 デファクトスタンダード

デファクトスタンダードとは、国際機関や標準化団体などによる公的な標準ではなく、市場で事実上の標準とみなされるようになった仕様や規格などのことです。「de facto」はラテン語で「事実上の」を意味します。

☑ 多くの人に利用される事実上の標準

デファクトスタンダードとは、ISO（アイエスオー）、DIN（ディン）、JIS（ジス）などの標準化団体などが定めた規格ではなく、市場における競争や消費者からの支持などにより、「事実上の標準の地位を獲得した仕様や規格」を指します。インターネットの通信規格であるTCP/IP（ティーシーピーアイピー）、パソコン向けOSのWindows、キーボードのキー配列であるQWERTY（クワティ）、USB端子などが例として挙げられます。

デファクトスタンダードは、多くの顧客に利用される事実上の標準です。そのため、ある仕様や規格がデファクトスタンダードとして認められると、それに基づいて製品やサービスなどが開発されるようになり、企業は市場の動向に左右されることなく、安定した収益を見込めるようになります。デファクトスタンダードの確立を狙うのは単独企業だけとは限らず、複数の企業が連携する取り組みもみられます。

☑ デファクトスタンダードの弊害

一方で、デファクトスタンダードの積極的な確立が、かえって市場の独占を推し進め、結果として製品の価格を引き上げたり、競争を鈍化させたりすることもあります。また、デファクトスタンダードを目指す複数の規格の対立により、製品間やサービス間で連携したいときに、消費者が不便を強いられる問題（規格争い、顧客囲い込み、ベンダーロックインなど）も生じています。具体的な例としては、ビデオテープレコーダーの規格であるVHSとベータマックスの対立や、光ディスク（Blu-ray DiscとHD DVD）、SDカード、CFカード、メモリースティックなどのフラッシュメモリーの規格乱立などがあります。

ベンダーロックイン
システムの中核部分が特定企業の製品に依存し、他社製品への切り替えが困難になること。

デファクトスタンダードをめぐる競争の例

分野	製品
スマートフォンOS	iOSとAndroid
Webブラウザ	Microsoft EdgeとChrome
ビデオ	VHSとベータ
光ディスク	Blu-ray DiscとHD DVD
記憶媒体	メモリースティックとSDカード

標準の種類

デファクトスタンダード
事実上の標準。個々の企業など市場の取捨選択や淘汰などによって支配的となったもの。

例：OSのWindowsなど

デジュールスタンダード
公的な標準。標準化団体などにより公的に明文化され、公開された手続きによって作成されたもの。

例：写真フィルム感度(ISO100、ISO400)など

フォーラムスタンダード
関心のある企業などが集まってフォーラムを結成し、作成した標準。

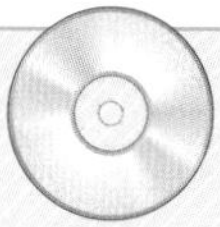

例：DVDなど

出典：知的財産戦略本部 知的創造サイクル専門調査会「国際標準に関する基礎概念の整理」をもとに作成

ONE POINT

標準化団体が定めるデジュールスタンダード

デファクトスタンダードに対し、標準化団体により標準規格とされたものは、「デジュールスタンダード」と呼ばれます。「de jure」はラテン語で「法律上の」を意味します。公的に標準を決めることで、市場競争に影響がなく、かつ世界の消費者にとって便利になるケースに定められるようです。IT業界におけるデジュールスタンダードの例としては、XML(エックスエムエル)やUnicode(ユニコード)などが挙げられます。また、JavaScriptの仕様がECMA(エクマ)によってECMAScriptとして標準化されたように、デファクトスタンダードが標準化団体での議論を経て標準規格化され、デジュールスタンダードになる例もあります。

関連用語 プロトコル(P.66)、オープンソース(P.192)

デフォルト

ハードウェアやソフトウェアなどを使う際には、使用環境に合わせてさまざまな設定を行う必要があります。このとき、あらかじめ設定されている一般的な設定もしくは設定値をデフォルトといいます。

☑ パソコンなどの初期設定の状態

デフォルトは、英語の「default」に由来し、ITの分野では「初期設定」「初期値」などの意味で用いられます。たとえば、パソコンのデフォルト設定とは、工場出荷時の設定の状態のことを表しています。また、初期値以外にも、「標準値」「既定値」「省略値」の意味で用いられることもあります。たとえば、「デフォルトのWebブラウザ」という場合は、Webサイトを閲覧する際に標準で使うWebブラウザのことを意味します。iPhoneの場合は、SafariがデフォルトのWebブラウザとなっています。

既定値
設定変更を行っていない場合に使用される初期設定のこと。

多くの場合、デフォルトのままの設定でハードウェアやソフトウェアを利用することが可能ですが、設定をカスタマイズすることで、利用者に合った使い方ができます。

なお、金融分野で用いられるときは、「(義務などの) 不履行」「怠慢」などの意味であり、銀行や証券会社などの金融機関がデフォルトになると市場が混乱に陥るケースがあります。

☑ デフォルトのセキュリティ設定に注意

初期設定の際に使用環境に合わせてデフォルトの設定値を変更する作業をインストールと呼びます。設定を行うには、高度な知識や技術が必要とされるものもあり、細かい設定項目はデフォルトのまま利用するのが一般的です。ただし、製品出荷時に設定されたIDやパスワードをデフォルトのまま使うと、同じ設定や単純なルールでつくられたものがあり、他人に悪用される可能性があります。たとえば、家庭用のWi-Fiルーターなどの IT機器ではかんたんな単語が設定されていることが多く、変更せずに利用しているケースもあるので注意が必要です。

デフォルトのイメージ

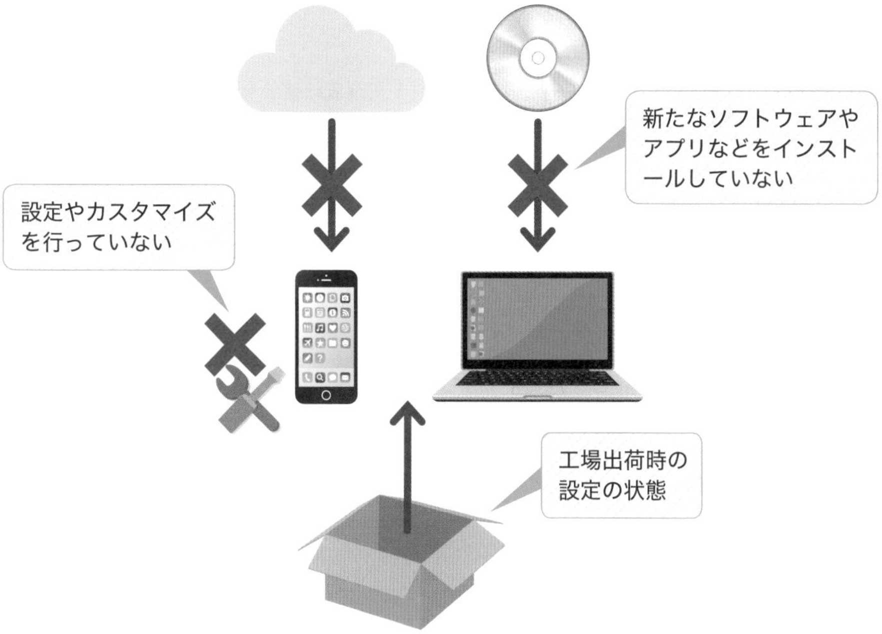
新たなソフトウェアや
アプリなどをインスト
ールしていない
設定やカスタマイズ
を行っていない
工場出荷時の
設定の状態

スマートフォンのデフォルト設定の例

	iPhone	Android
Webブラウザ	Safari	Chrome
電子メール	メール	Gmail
カレンダーアプリ	カレンダー	Googleカレンダー
音声アシスタント	Siri	Googleアシスタント
バックアップ	iCloud	Googleドライブ、Googleフォト など
地域 （初期設定を実施した場所に依存）	日本	日本

関連用語 デファクトスタンダード (P.226)

工数（こうすう）／人月（にんげつ）

システム開発におけるプロジェクト管理者の重要な役割の１つに、工数管理があります。プロジェクトの工数を正しく把握し、円滑に遂行することは、プロジェクト運営者に欠かせません。

☑ プロジェクトを完遂するのに必要な作業量

あるプロジェクトを完遂するのに必要とされる作業量のことを「工数（こうすう）」と呼びます。通常は、作業の着手から完了までに費やす作業期間の合計値で表し、人日（にんにち）や人月（にんげつ）という単位で示されます。「１人日」は１人で行うと１日かかる作業量、「１人月」は１人で行うと１か月かかる作業量のことです。１人で行うと３か月かかる作業量は「３人月」となります。

複数の人が作業する場合は、各人の作業期間の総和となります。たとえば、３人の作業者がそれぞれ10日、20日、30日かかる作業の工数は、10人日＋20人日＋30人日＝60人日となります。

工数計算では、作業の人数を示す「要員」と、完了までに費やす「期間」の間に、「期間＝工数÷要員」という関係があります。たとえば、工数が10人月の作業の場合、２人の要員では５か月の期間が必要となります。これにより、工数と要員から期間を求めたり、工数と期間から要員を求めたりすることができます。

期間＝工数÷要員
期間や工数、要員をもとに、１人当たりの費用月額（人月単価）を算出することで、システム開発費の見積もりなどに利用される。

☑ 要員を増やせば期間は短縮するのか

人月で工数を表すには、作業者の能力がほぼ等しく、投入する要員に正比例して作業が速く進むことが前提となります。単純作業や定型業務などには適用しやすいですが、システム開発のような能力差の大きい業務では注意が必要です。

たとえば、24人月の工数の作業の場合、３人×８か月でも、６人×４か月でも成立することから、要員を増やすことで期間短縮につながると思われがちです。しかし、一般的に６人の能力にはバラツキがあり、要員が増えると要員間の意思疎通の時間も増えることから、全体としては４か月以上になることもあります。

工数と人月

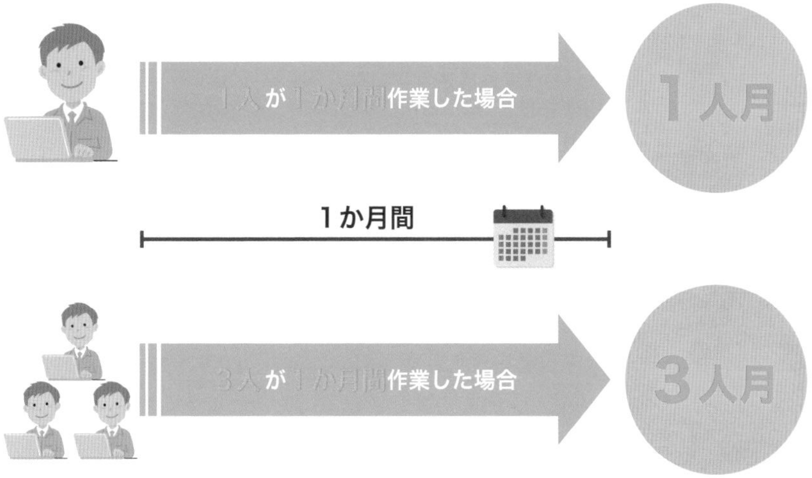
1人が1か月間作業した場合
1人月
1か月間
3人が1か月間作業した場合
3人月

要員を増やした場合の期間の短縮

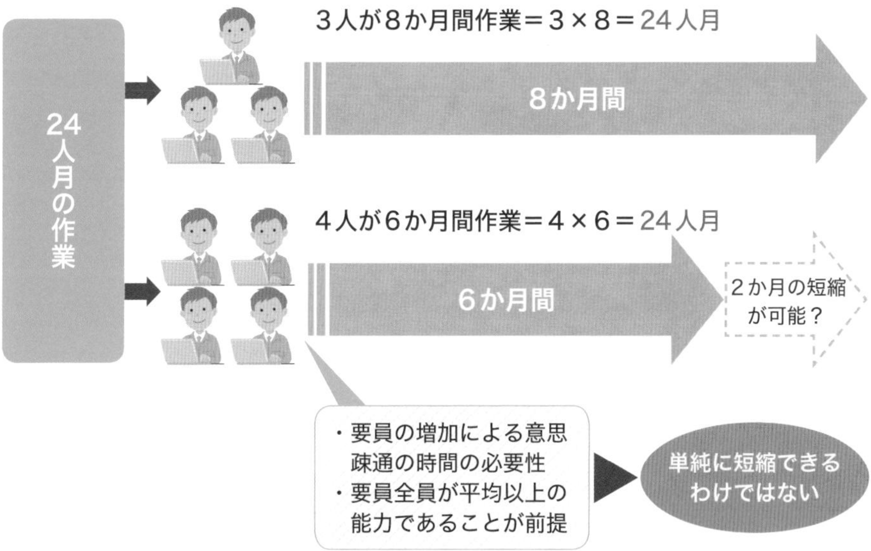
24人月の作業
3人が8か月間作業＝3×8＝24人月
8か月間
4人が6か月間作業＝4×6＝24人月
6か月間
2か月の短縮が可能？
・要員の増加による意思疎通の時間の必要性
・要員全員が平均以上の能力であることが前提
単純に短縮できるわけではない

関連用語 SIer／SE（P.224）、ウォーターフォール／アジャイル（P.236）、要求定義／要件定義（P.238）

KPI(Key Performance Indicator)／CV(Conversion)

ケーピーアイ／シーブイ

KPIとは、事業目標などの達成度を評価するために、継続的に測定・監視できる定量的な指標を表します。目標達成に向けた活動の状況を把握することで、最終目標とのギャップを明確化することができます。

☑ 目標を達成するための評価指標

KPIは「重要経営指標」や「重要業績指標」とも呼ばれます。企業全体の目標を示す指標（KGI：Key Goal Indicator）を達成するため、各プロセスで設定されるのがKPIです。たとえば、ECサイトの運営を考えると、KGIは売上であり、KPIはページビュー数、セッション数、会員登録者数、資料請求数などに相当します。サイト訪問者が増加すれば、商品購入にもつながる可能性が増え、おのずと売上にも貢献します。

KPIとして扱われる指標は無数に存在するため、その中から適切なものを選ぶことが重要です。具体的にKPIを設定する際には、「ロジックツリー」などのツールを使います。まずは、「KGIを達成するためにどうすればよいか」という観点で、ブレイクダウンします。同様に、「中間のKPIを達成するためにどうすればよいか」をブレイクダウンして具体化していきます。

ブレイクダウンの際には、①KPIが具体的な施策につながっていること、②KGIに直結すること、③定量的な指標であること、の３点を満たしていることも大切です。

ページビュー数
Webサイト内にあるWebページが表示された回数のこと。PVと略される。

セッション数
ユーザーがWebサイトを訪問した回数のこと。基本的に訪問してから離脱するまでを1セッションとする。

ロジックツリー
目標や課題などを、木が枝を広げていくように分解して掘り下げ、達成方法や解決方法などを論理的に探すための手法のこと。次ページ上図が該当する。

ブレイクダウン
細かく分解し、掘り下げて分析すること。

☑ Webサイトの成果を評価するコンバージョン

コンバージョン（conversion）とは、英語で「変換」を意味します。Webマーケティングの分野では、「見込み客」から「顧客」への変換を指し、Webサイトの訪問者が製品購入のための申し込み、資料請求、問い合わせ、会員登録などのアクションを行うことをコンバージョンとして設定する場合が多いです。Webサイトへアクセスした訪問者からコンバージョンに結び付いた割合をコンバージョン率と呼びます。

ロジックツリーによるKPIの設定方法

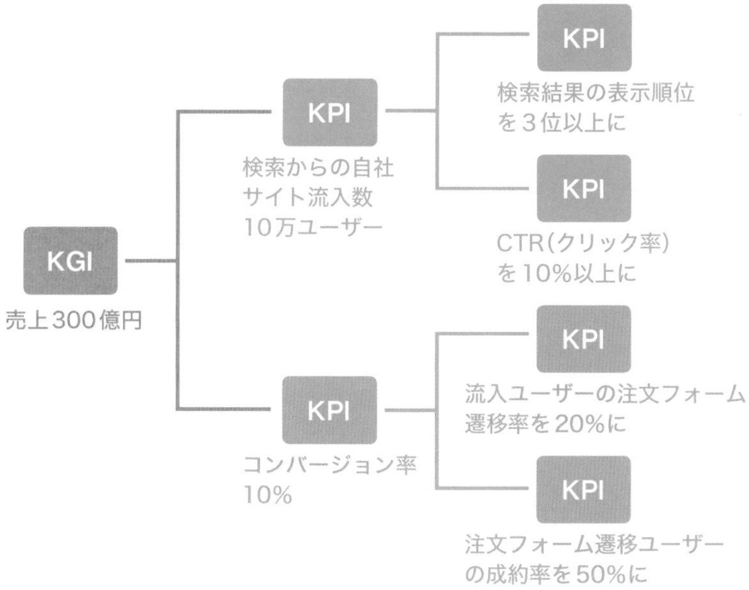
KGI
売上300億円
KPI
検索からの自社サイト流入数10万ユーザー
KPI
検索結果の表示順位を3位以上に
KPI
CTR(クリック率)を10%以上に
KPI
コンバージョン率10%
KPI
流入ユーザーの注文フォーム遷移率を20%に
KPI
注文フォーム遷移ユーザーの成約率を50%に

コンバージョンのイメージ

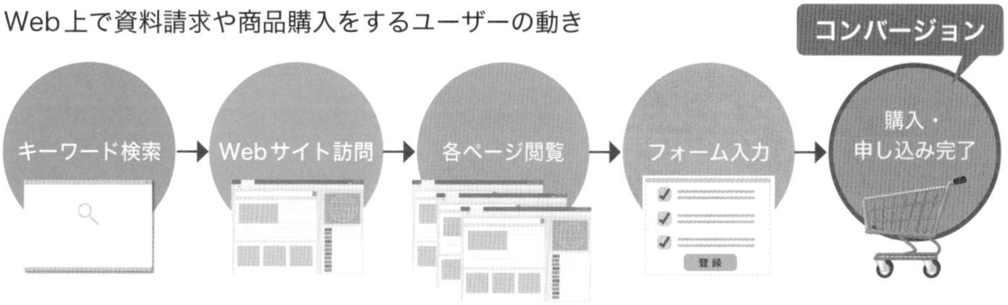
Web上で資料請求や商品購入をするユーザーの動き
コンバージョン
キーワード検索
Webサイト訪問
各ページ閲覧
フォーム入力
購入・申し込み完了
登録

ONE POINT

コンバージョン率

コンバージョンが起こる割合のことをコンバージョン率（CVR）といいます。コンバージョン率は「コンバージョン数÷サイト訪問者数」で算出できます。たとえば、訪問者数が100でコンバージョン数が5であれば、「(5÷100)×100＝5％」となります。ユーザビリティはコンバージョンを左右する重要なものです。ユーザビリティの低いWebサイトは、ユーザーの満足度が低く、すぐに離脱されてしまいます。

関連用語 ユーザビリティ(P.246)、UI／UX(P.248)

PDCAサイクル／OODAループ

PDCAは、「Plan」（計画）、「Do」（実行）、「Check」（検証・評価）、「Action」（改善）の頭文字をとった造語で、計画、実行、検証、改善のサイクルを繰り返し行うことで、継続的に改善を実現していくという考え方です。

☑ 業務改善のためのフレームワーク

PDCA
品質管理の父といわれるW・エドワーズ・デミング博士らが提唱した考え方。

PDCAは、もともと生産管理や品質管理などの管理業務を円滑に進めるためのものでした。現在では、さまざまな業務に適用可能な業務管理の手法として広く知られています。

PDCAサイクルの各段階で行われることは次のとおりです。

①**Plan（計画）**：目標を設定し、達成のための行動計画を立案します。ただ闇雲に目標を立てたり、過去のやり方を踏襲したりするのではなく、自らの仮説に立脚し、論理的に検討します。

②**Do（実行）**：行動計画に則って活動を進めます。

③**Check（評価）**：活動した内容を検証します。目標と実績の差異を把握することで、特に計画どおりに実行できなかった場合、なぜ実行できなかったかの要因分析を入念に行います。

④**Action（改善）**：検証結果を受け、今後どのような対策や改善を行うかを検討し、次のPlanにつなげます。

次のPlanにつなげる
PCDAは一度きりのものではなく、サイクルとして繰り返し行われるため、「PDCAを回す」や「PDCAサイクル」と呼ばれる。

☑ 意思決定のためのフレームワーク

PDCAサイクルは、主に業務改善に用いられるフレームワークであり、明確な目標がある場合に有効な手段です。これに対し、先の見えにくい状況で迅速に意思決定を行うためのフレームワークにOODAループがあります。

ビジネスの現場には、新規事業を構築するなど、具体的な成果を測定しづらい場合があります。このような場合に、現場の状況に応じて迅速に意思決定を行うためのフレームワークがOODAループです。OODAループは「Observe」（観察）、「Orient」（適応・判断）、「Decide」（意思決定）、「実行」（Action）という4つの段階からなり、これらを回すことで意思決定が迅速に行えます。

PDCAサイクル

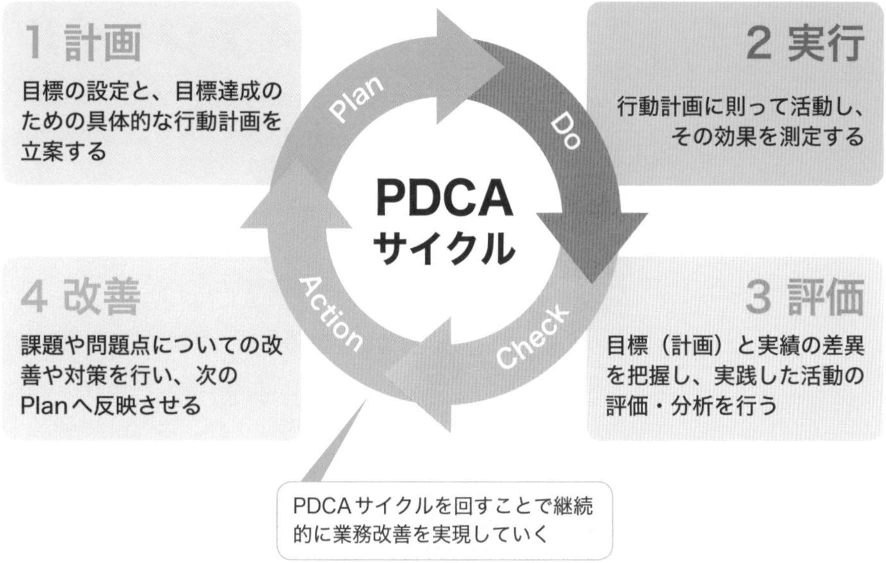
1 計画
目標の設定と、目標達成のための具体的な行動計画を立案する
2 実行
行動計画に則って活動し、その効果を測定する
3 評価
目標（計画）と実績の差異を把握し、実践した活動の評価・分析を行う
4 改善
課題や問題点についての改善や対策を行い、次のPlanへ反映させる
Plan
Do
Check
Action
PDCA
サイクル
PDCAサイクルを回すことで継続的に業務改善を実現していく

OODAループ

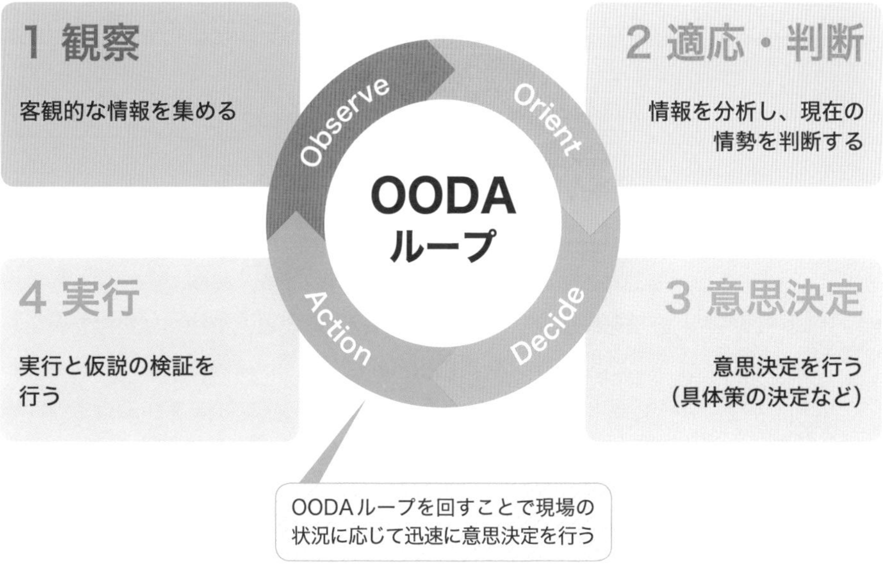
1 観察
客観的な情報を集める
2 適応・判断
情報を分析し、現在の情勢を判断する
3 意思決定
意思決定を行う（具体策の決定など）
4 実行
実行と仮説の検証を行う
Observe
Orient
Decide
Action
OODA
ループ
OODAループを回すことで現場の状況に応じて迅速に意思決定を行う

関連用語 フレームワーク (P.176)、要求定義／要件定義 (P.238)

ウォーターフォール／アジャイル

どちらもシステム開発の手順を表す言葉です。ウォーターフォールは設計や実装といった各工程を１つずつ順番に終わらせていくのに対し、アジャイルは各工程を短期間に何度も反復させて開発を進めていきます。

☑ 大規模向けのウォーターフォールモデル

ウォーターフォールモデルは、要件定義、外部設計、内部設計、開発（実装）、テスト、リリースといった各工程を時系列に並べ、１つの工程が完了したら、その成果物をもとに次の工程を進めるという開発モデルです。水が滝（Waterfall）を流れ落ち、逆戻りしないという意味合いでこのように呼ばれています。

各工程は、原則的に一度だけ行われ、次の工程へ進む前にレビューを厳格に行い、成果物の品質をチェックします。それでも何らかの問題や仕様変更などが起こり、前工程をやり直す必要が生じることもあります。これを「手戻り」「後戻り」といいます。

開発工程や成果物、開発期間などが明確になっているプロジェクトなどでは、ウォーターフォールモデルが採用される傾向があります。工程ごとにやるべきことがはっきりしているため、責任の範囲がわかりやすく、分業化しやすいという特徴があります。

要件定義
開発するシステムに実装すべき機能や、必要とされる性能などを明確にする作業のこと(P.238参照)。

外部設計
システムの基本となる操作画面や操作方法、入出力方式など、ユーザーから見える部分の設計を行う開発工程。

内部設計
システム内部の動作や機能、データなど、ユーザーから見えにくい部分の詳細な設計を行う開発工程。

☑ 変更に柔軟に対応できるアジャイル開発

アジャイル開発は、最初は最低限の機能だけを持たせたソフトウェアの開発を目指し、要件定義、設計、開発、テストの各工程を迅速に進め、これを何度も繰り返すことで徐々に全体を構築していく開発モデルです。開発者や顧客との間で頻繁に議論を交わし、優先度の高い機能から開発を進めていきます。変更する仕様や追加する機能などがあれば、もう一度、各工程を反復します。このサイクルを短い周期で何度も繰り返すことで、ソフトウェアの完成度を徐々に高めていきます。「変更はつきもの」という前提で開発を進めるため、仕様変更などに柔軟に対応でき、成果物の価値を最大化することに重点を置いた開発モデルです。

イテレーション
一連の工程を短期間に何度も反復すること。

ウォーターフォールモデルのイメージ

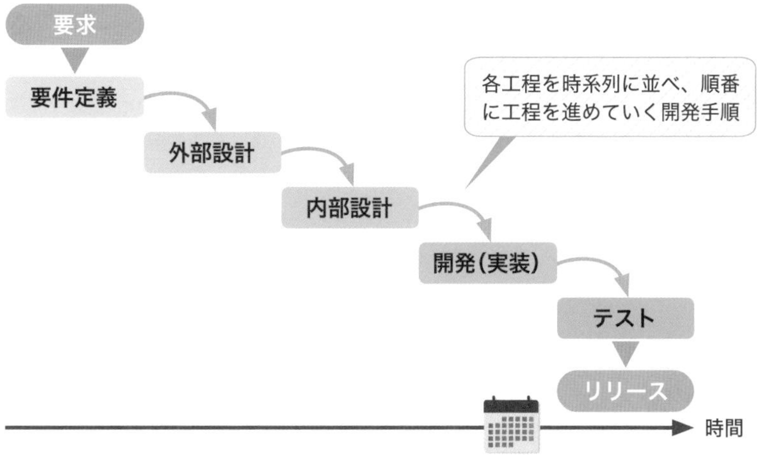

要求
要件定義
外部設計
内部設計
開発(実装)
テスト
リリース
各工程を時系列に並べ、順番に工程を進めていく開発手順
時間

アジャイル開発のイメージ

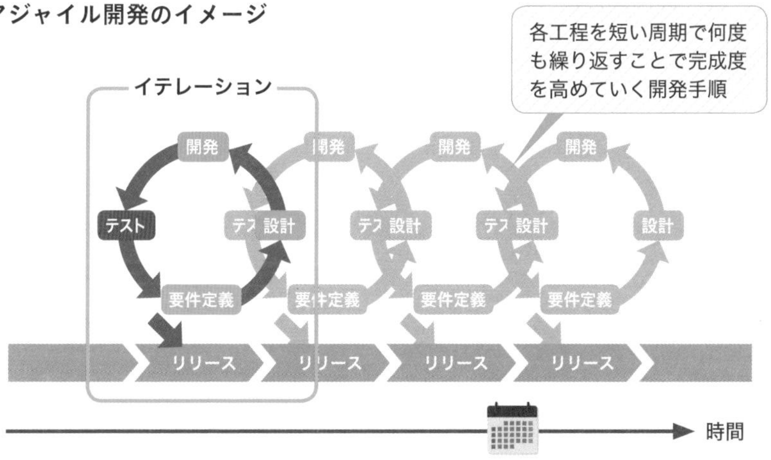

各工程を短い周期で何度も繰り返すことで完成度を高めていく開発手順
イテレーション
開発
テスト
設計
要件定義
リリース
時間

ONE POINT

ウォーターフォールモデルのデメリット

ウォーターフォールモデルは、途中の仕様変更などに柔軟に対応できないため、テストを繰り返しながらユーザーの反応を見て機能改善を進めるようなWebサービスなどの開発には向いていません。また、大規模な案件では、製品としてリリースされるまでの時間がかかるので、企画から数年を要してリリースされ、すでに世の中の流れから外れたシステムができてしまうというリスクもあります。そのため、最近ではアジャイル開発が採用されることが増えています。

関連用語 テスト／レビュー(P.188)、SIer／SE(P.224)、PDCAサイクル／OODAループ(P.234)、要求定義／要件定義(P.238)

要求定義／要件定義

システム開発では、まず利用者がシステムに求めるものを定義（要求定義）し、それをもとに機能などを定義（要件定義）する必要があります。利用者視点の「要求定義」と開発者視点の「要件定義」の違いを押さえましょう。

☑ 利用者が求めるもの（要求）を定義

「要求定義」とは、システム開発の初期段階において、利用者がそのシステムに求めるものを明確にする作業を意味します。「要求」とは、システムの利用者などがシステムに期待すること、システムで実現したいことなどのいわゆるニーズです。このようにシステムに求めるものを明らかにしていく作業を「要求分析」と呼び、要求をまとめた文書を「要求仕様書」といいます。通常は、開発者が利用者にヒアリングを行い、利用者が普段使っている言葉を使ってまとめられます。

要求分析と要求定義
ほぼ同義語だが、要求分析の結果を文書にまとめる作業のみを要求定義とし、要求分析の一工程とみなすという解釈もある。

☑ 必要な機能や性能（要件）を定義

「要件定義」とは、システムやソフトウェアなどの開発の際、実装すべき機能や、必要とされる性能などを明確にする作業を意味します。利用者が求めるもの（要求）をもとに、それを実現するために備えなければならない機能や達成しなければならない性能などを、開発者が検討し、明確にします。「要件」は「必要な条件」という意味で捉えることもできます。

要件をまとめた文書は「要件定義書」と呼ばれます。システムが備えるべき動作や振る舞いといった「機能要件」のほか、性能、信頼性、拡張性、セキュリティなどの機能要件以外の「非機能要件」など、後工程の設計に必要な情報を記述します。

英語では要求定義も要件定義も「Requirement definition」です。しかし、両者の違いは、要求定義が主に利用者側の視点から「システムで何がしたいのか」をまとめる作業であり、要件定義は要求定義をもとに開発者側の視点から「システムが何をすべきか、何が必要か」をまとめる作業という点にあります。

書類の流れで見る要求定義と要件定義

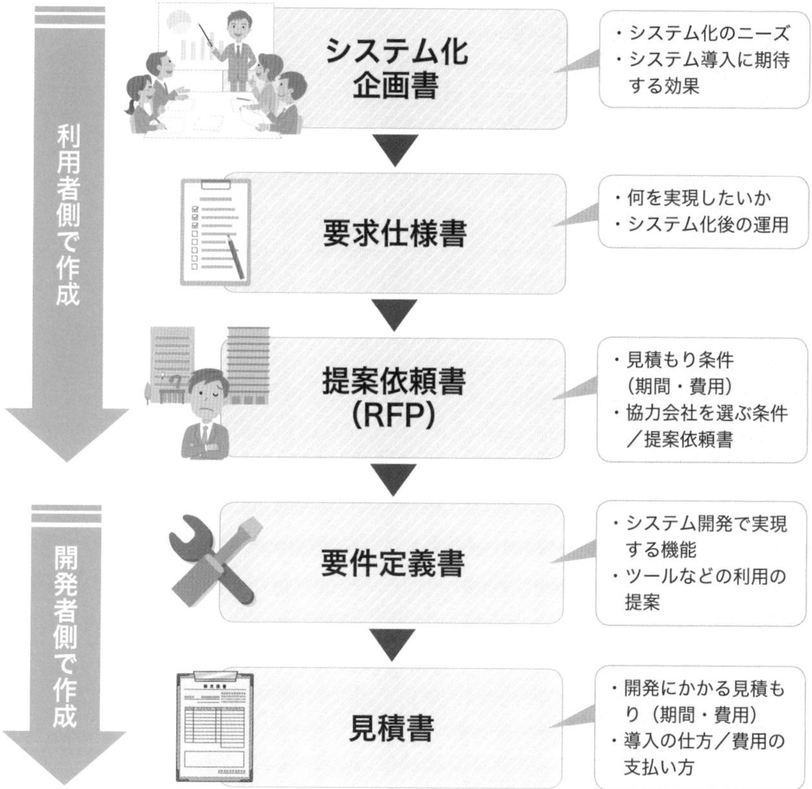

利用者側で作成
開発者側で作成
システム化企画書
・システム化のニーズ
・システム導入に期待する効果
要求仕様書
・何を実現したいか
・システム化後の運用
提案依頼書(RFP)
・見積もり条件（期間・費用）
・協力会社を選ぶ条件／提案依頼書
要件定義書
・システム開発で実現する機能
・ツールなどの利用の提案
見積書
・開発にかかる見積もり（期間・費用）
・導入の仕方／費用の支払い方

ONE POINT

提案依頼書（RFP：Request for Proposal）

システム開発が失敗する原因の１つとして「要求のあいまいさ」が挙げられますが、ビジネス環境の変化が激しく、技術の進歩が速い現代では、正しく緻密に要求を定義することは困難です。そこで、利用者側が作成するものが「提案依頼書」（RFP）です。RFPは、システムの導入や委託を検討する際に、発注先の候補に渡す書類で、現状の課題、システム化の目的、目標、スケジュール、予算など、プロジェクトの全体像を記述します。つまり、RFPは要求定義の一部となります。通常、RFPには提案内容に盛り込むべき項目も指定されるので、提案内容のバラツキや漏れなどを抑え、複数の提案を比較しやすいというメリットがあります。これにより、提案内容の品質も上がり、発注先選定のスピードアップにもつながります。

関連用語　ウォーターフォール／アジャイル（P.236）

デプロイ

デプロイとは、特定の環境下でシステムやアプリケーションなどを使えるようにする一連の作業のことです。日本語では「配置する」や「配備する」という言い方もありますが、「デプロイする」という言葉もしばしば使われます。

☑ 機能を配置して利用できる状態にすること

デプロイには、「配置する」「配備する」「展開する」といった意味があります。システム開発においては、開発した機能やサービスを利用できる状態にする作業を指す言葉です。たとえば、Webアプリケーション開発においては、アプリケーションを開発し、開発したアプリケーションをサーバーにアップロードして、当該サーバーの環境下で利用できる状態にするまでの一連の作業のことをいいます。サーバーに本番用かテスト用かの区別はありません。テスト用の環境へアップロードしてテストに使える状態にすることもデプロイといいます。

デプロイは基本的には動詞を語源としており、名詞としては英語の「Deployment」(デプロイメント)が使われ、「ソフトウェアデプロイメント」のように表現されます。また、DevOpsに関連するものとして、継続的デプロイや継続的デプロイメントという言葉もあります。

継続的デプロイ
開発から運用までのプロセス全体を自動化すること。開発完了と同時に利用者がアプリケーションなどを利用できるようになる。

☑ サーバーダウンの時間をなくす移行手法

デプロイの作業には通常、サーバーの再起動が伴います(必須でないケースもあります)。サーバーの再起動が必要な場合、デプロイ作業が休日や深夜になってしまうことがあります。ブルーグリーンデプロイメントは、ブルーとグリーンという2つの環境を用意しておき、ブルーで現在の本番環境を動作させたまま、グリーンに新環境をデプロイします。そして、デプロイが無事完了したら、スイッチのようにグリーンに切り替えることで、旧環境から新環境へとアップデートさせます。これは、デプロイ作業の自動化とサーバーのダウンタイムゼロを可能にする手法です。

デプロイの流れ

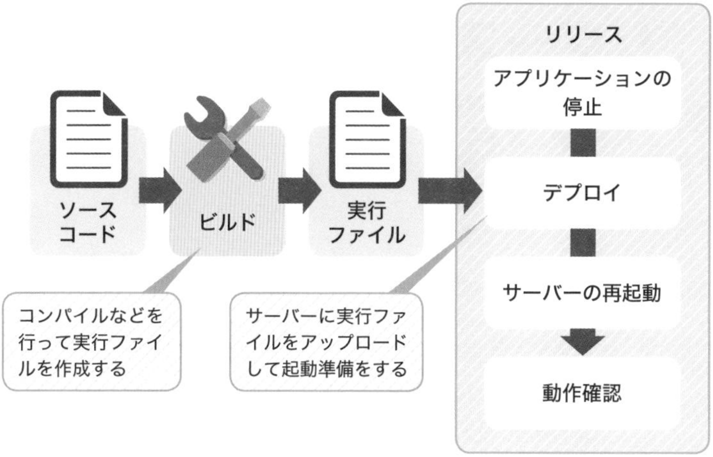
リリース
アプリケーションの停止
ソースコード
ビルド
実行ファイル
デプロイ
サーバーの再起動
動作確認
コンパイルなどを行って実行ファイルを作成する
サーバーに実行ファイルをアップロードして起動準備をする

ブルーグリーンデプロイメント

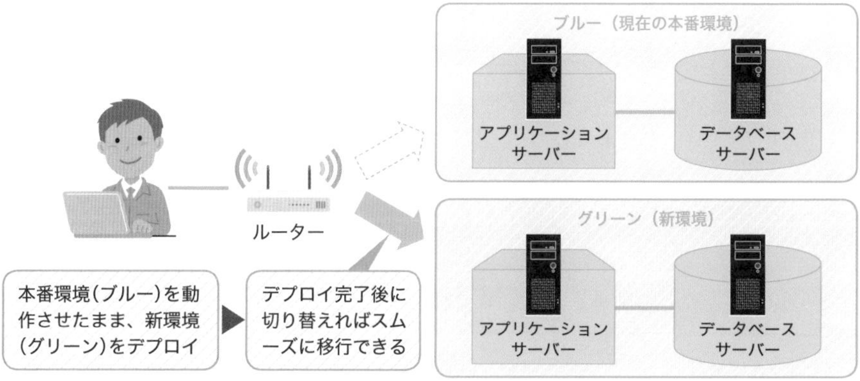
ブルー（現在の本番環境）
アプリケーションサーバー
データベースサーバー
ルーター
グリーン（新環境）
アプリケーションサーバー
データベースサーバー
本番環境(ブルー)を動作させたまま、新環境(グリーン)をデプロイ
デプロイ完了後に切り替えればスムーズに移行できる

ONE POINT

継続的インテグレーション／継続的デリバリー

ソフトウェア開発においては、不具合を早急に見つけることで、対策費を抑えられます。これには、設計やテストを早い段階から頻繁に繰り返し行うという手法があり、「継続的インテグレーション」と呼ばれます。これは開発の効率化や省力化、納期の短縮などを図る手法です。実際にこの繰り返しの作業を行うには、専用のツール（例：Jenkins（ジェンキンス）など）が必要となり、これによって作業を自動化あるいは半自動化できます。「継続的デリバリー」は、継続的インテグレーションの次のフェーズ、すなわちテスト環境へのデプロイまでを含みます。

関連用語 DevOps (P.218)、ウォーターフォール／アジャイル (P.236)

リソース

リソースとは、資源、資産、資料などを意味します。ビジネス用語としては人材、物資、資金などを指し、IT用語としてはシステムを動作させるのに必要なコンピューターの構成要素、能力、容量などを指します。

☑ 処理に必要な容量やデータなどを表す

リソースは、ITの分野ではハードウェアやソフトウェアを動作させるために必要なメモリー容量、ストレージ容量、またはCPUの処理速度などを指します。ただし、使われる場面や状況によって意味合いが異なります。たとえば、Windowsプログラミングにおけるリソースとは、プログラムが使用するデータのことを指します。文字、画像、アイコン、ダイアログボックス、メニューの内容などです。

また、Windowsには「システムリソース」と呼ばれるものもあります。システムリソースとは、特殊なメモリー領域のことで、USERリソース、GDIリソースがあります。この領域はアプリケーションソフトウェアが共通して利用します。たくさんのウィンドウを開くとシステムリソースが不足し、アプリケーションの動作が遅くなったり、Windowsの再起動が必要になったりすることもあります。

システム開発や運用などのプロジェクトの現場では、業務遂行に必要な人材や資金、設備などを意味することがあります。また、資料や情報源を指す場合もあります。

USERリソース
アプリケーションやダイアログボックス、ウィンドウなどの使用、マウスやキーボードからの入力など、ユーザーが行う操作などに使用される。

GDIリソース
画面上に表示するフォントやグラフィックス、アイコンの描画、画面表示の色数やサイズなどに使用される。

☑ システム資源を仮想的に共有するリソースプール

リソースプールとは、サーバー、ストレージ、ネットワークなどのシステム資源を複数の仮想サーバーで共有し、必要なときに必要なだけアプリケーションに資源を割り振るしくみです。システム資源を1箇所にためてあるかのように管理することからリソースプールと呼ばれます。リソースプールにより、リソースの管理がかんたんで効率よく行えるようになります。

》 リソースプールのイメージ

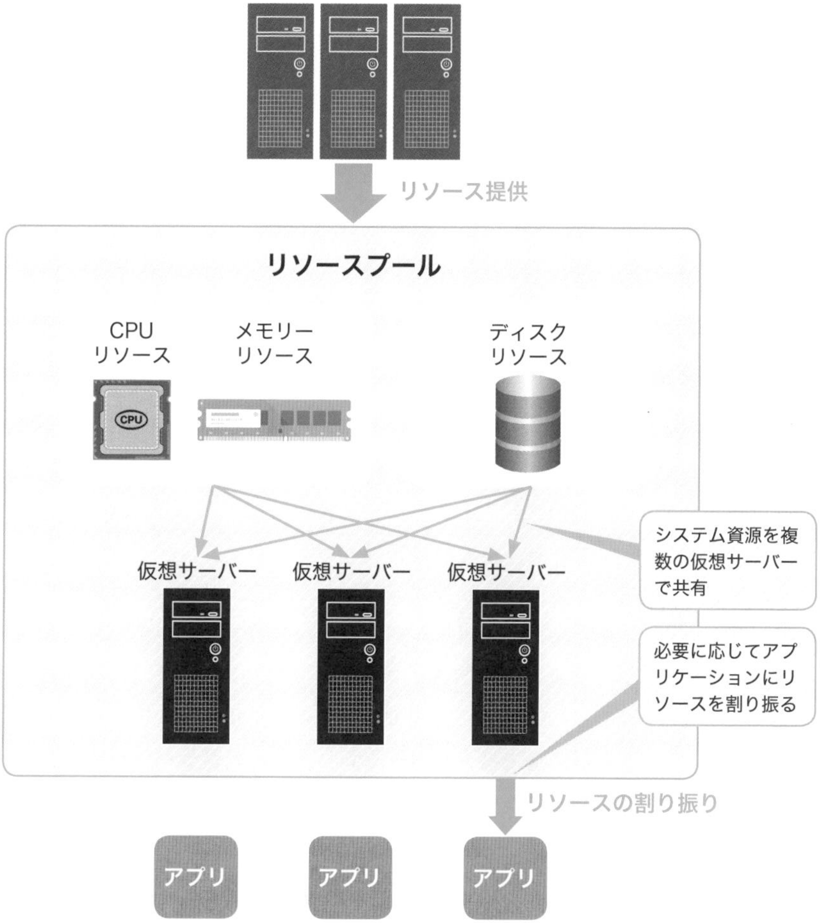

リソース提供
リソースプール
CPU
リソース
メモリー
リソース
ディスク
リソース
CPU
システム資源を複数の仮想サーバーで共有
仮想サーバー
仮想サーバー
仮想サーバー
必要に応じてアプリケーションにリソースを割り振る
リソースの割り振り
アプリ
アプリ
アプリ

ONE POINT

リソース不足の意味

リソースという言葉は、用いられる状況に応じて意味が異なります。たとえば、「このプロジェクトを完遂するだけのリソースがわが社にはない」という場合は、プロジェクト達成のための人員や物資、お金などが社内に不足していることを指しています。しかし、「キャパシティがオーバーしているので、追加のリソースが必要」という場合、対象がプロジェクトであればリソースは人員や資金などを意味します。一方、対象がシステムであれば、システムを稼働させるために必要なメモリーやストレージ、ネットワークを指すことになります。

関連用語 クラウド (P.70)、ストレージ (P.190)、仮想化 (P.212)、ネットワーク仮想化 (P.214)

アクセシビリティ

アクセシビリティ（accessibility）とは、「近づきやすさ」「利用しやすさ」を意味する英語です。身体の状態や能力などの違いによらず、さまざまな人が使えるように、製品やサービスを工夫するという意味で使われます。

☑ 誰もが使いやすいようにする考え方

ITの分野では、ハードウェアやソフトウェア、システム、データなどを使って情報を収集したり加工したりします。たとえば、マウスやキーボードがなくても画面上の特定の位置を指定できれば（音声入力など）、両手が使えない状態でも機器を利用できます。利用のしやすさは、利用者体験（UX：user experience）の土台であり、重要な品質要件です。

インターネット上のアクセシビリティは「Webアクセシビリティ」とも呼ばれ、年齢や身体などの条件に関係なく、オンラインで提供される情報にアクセスして利用できることを指します。つまり、WebサイトやWebページ、Webシステムを、どんな人、どんな環境でも、なるべく同じように閲覧や利用ができる状態を意味します。

☑ Webアクセシビリティが確保されていない障害

Webアクセシビリティが考慮されていない場合、次のような問題が発生する可能性があります。

①避難所などの情報や地図がPDFもしくは画像のみで提供されていると、音声読み上げソフトが使用できないため、視覚障害者が避難情報を得られない。

②マウスやキーボードのみでWebページを操作する設定の場合、手の動作が不自由でマウスを使えない利用者がWebサイトを閲覧できない。

③背景と文字の色のコントラスト比が確保されていない場合、高齢者や色覚障害者がWebページを閲覧しにくい。

④日本語固有の問題により読み上げソフトが適切に対処できない。

音声読み上げソフト
文字データのコンテンツなどを音声に変換して読み上げてくれるソフトウェア。文字を読まなくても聞き取るだけで内容がわかるようになる。

»アクセシビリティとは

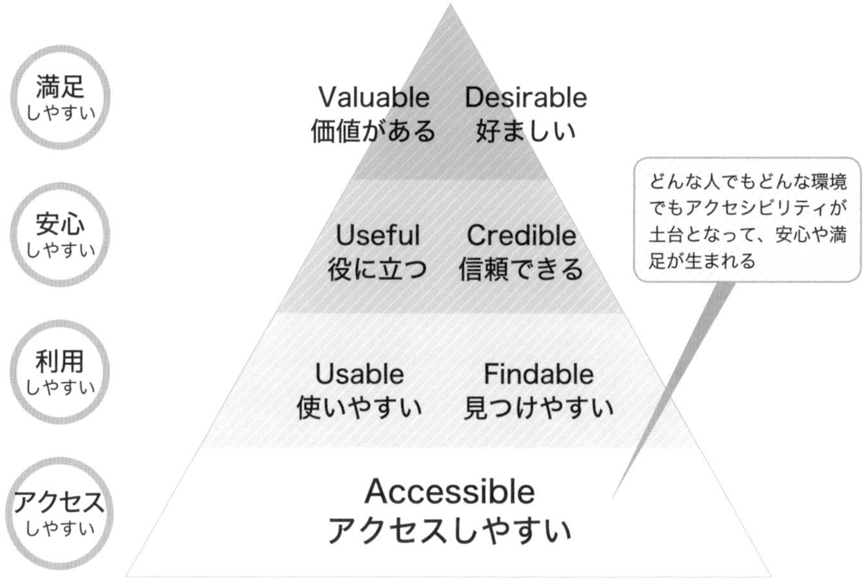
満足
しやすい
安心
しやすい
利用
しやすい
アクセス
しやすい
Valuable
価値がある
Desirable
好ましい
Useful
役に立つ
Credible
信頼できる
Usable
使いやすい
Findable
見つけやすい
Accessible
アクセスしやすい
どんな人でもどんな環境でもアクセシビリティが土台となって、安心や満足が生まれる

出典：bookslope blog「Evaluation method of UX "The User Experience Honeycomb"」をもとに作成

ONE POINT

Webアクセシビリティを高める方法

Webアクセシビリティを高める方法として、具体的には、特定の表示サイズに依存しないレイアウトやメニュー構成にする、文字サイズや配色をかんたんに変更できるようにする、読み上げソフトを使って文字を音声に変換できるようする、画像・動画・音声などの文字以外の情報を説明する代替テキストを付与する、などがあります。視覚に障害を抱える人でも見やすい文字の色やコントラスト、誰でも理解できるコンテンツの作成などを意識したWebページが該当し、「ウェブアクセシビリティ基盤委員会」（WAIC）が定める「Web Content Accessibility Guidelines」（WCAG）というガイドラインも提供されています。
一方、日本工業規格（JIS）にはWebアクセシビリティの国内標準として2004年に「JIS X 8341-3」が策定され、2010年（JIS X 8341-3:2010）と2016年（同:2016）に改訂されました。「ウェブコンテンツJIS」と称される規格は、国や自治体がWebサイトを制作する際の調達要件に含まれることもあります。

関連用語 UI／UX（P.248）

ユーザビリティ

製品やサービスは多機能化しており、利用者視点での使い勝手の改善や満足度の向上を図る手法が用いられています。ユーザビリティとは、「使いやすさ」「使い勝手」「使用性」「利用性」など、さまざまな意味で使われます。

☑ 利用者側から見た利用品質の特性

ユーザビリティとは、製品の品質を表す概念の1つです。製品の品質には、製品が本来備えるべき機能を有しているかということに加え、製品の信頼性や耐久性、性能などの要素もありますが、これらは開発者側から見た品質特性です。一方、利用者側から見た新しい品質として、利用品質が注目されるようになってきました。ユーザビリティは、この利用品質の特性の1つです。

利用品質
利用者が製品やサービスを使ったときの品質。さまざまな人がさまざまな環境で製品やサービスなどを利用したときの満足性やリスク回避性などのこと。

ユーザビリティの定義には、一般にISO（アイエスオー） 9241-11（ユーザビリティの国際規格）が用いられ、「特定の利用状況において、特定のユーザーによって、ある製品が、指定された目標を達成するために用いられる際の、有効さ、効率、ユーザーの満足度の度合い」とされています。

☑ 人間中心設計の必要性の高まり

ユーザビリティの定義をもとに、どのように製品の開発を行えばユーザビリティの向上が実現できるかをプロセスで規定したものがISO 13407（インタラクティブシステムの人間中心設計プロセス）です。ここでは、まず「人間中心設計の必要性の特定を行う必要がある」とし、4つのステップを一連のプロセスとして回していきます。4つのステップは、①利用状況の理解と明示、②ユーザーと組織の要求事項の明示、③設計による解決案の作成、④要求事項に対する設計の評価、となっています。

ISO 13407は、開発の成果物を評価するだけではなく、開発の最初の工程からユーザビリティを高めて作り込んでいく必要性とその方法を定めたものです。2010年には、ISO 13407の改訂版としてISO 9241-210が発行されています。

ユーザビリティの定義

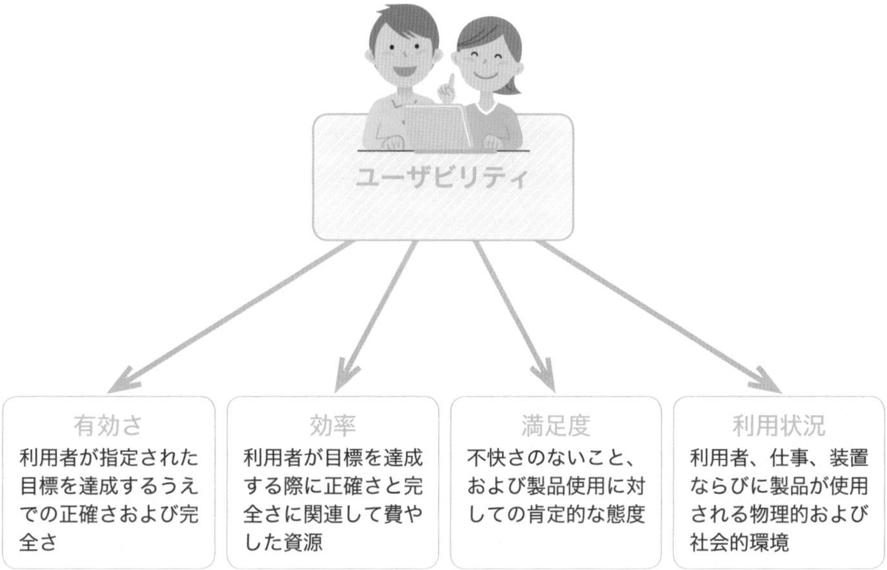
ユーザビリティ
有効さ
利用者が指定された目標を達成するうえでの正確さおよび完全さ
効率
利用者が目標を達成する際に正確さと完全さに関連して費やした資源
満足度
不快さのないこと、および製品使用に対しての肯定的な態度
利用状況
利用者、仕事、装置ならびに製品が使用される物理的および社会的環境

ISO13407（インタラクティブシステムの人間中心設計プロセス）

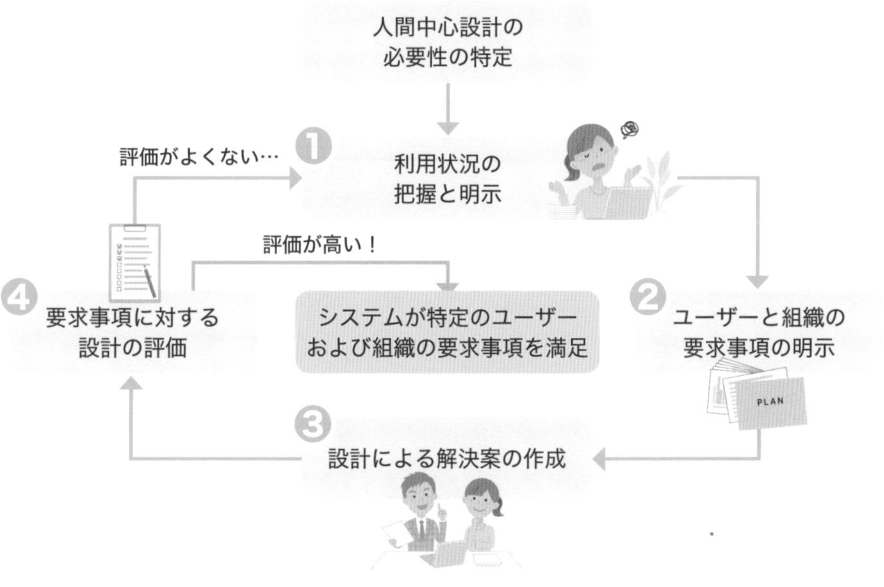
人間中心設計の必要性の特定
評価がよくない…
1 利用状況の把握と明示
評価が高い！
2 ユーザーと組織の要求事項の明示
PLAN
システムが特定のユーザーおよび組織の要求事項を満足
3 設計による解決案の作成
4 要求事項に対する設計の評価

関連用語 フレームワーク（P.176）、PDCAサイクル／OODAループ（P.234）、要求定義／要件定義（P.238）、アクセシビリティ（P.244）、UI／UX（P.248）

UI／UX

UIとは、ユーザーが製品を利用するとき、その接点となる入力や出力などの機能、手段、方法などのことです。一方、UXとは、ユーザーが製品を利用することで得られる体験全般のことを指します。

☑ ユーザーと製品の接点となる機能

UIとは、「User Interface」（ユーザーインターフェイス）の略語で、ユーザーと製品やサービスとの接点のことを指します。システムからユーザーへの情報の表示方法、ユーザーからシステムへのデータの入力や加工の手段、方式、使い勝手などを総称したものです。

その手段として、文字を基本とするCUI（Character User Interface）と、絵や図形を基本とするGUI（Graphical User Interface）の２種類が主流です。最近では、音声を使ったVoice UI（Voice User Interface）も一般的になっています。

CUI
文字による命令（コマンド）を入力してシステムなどを操作するインターフェイスのこと。

GUI
画面に表示されるウィンドウやアイコン、ボタン、メニューなどを使ってシステムなどを操作するインターフェイスのこと。

☑ 製品利用によって得られる体験全般がUX

UXとは、「User Experience」（ユーザーエクスペリエンス）の略で、ユーザーが製品やサービスを利用することで得られる体験およびその印象を総称したものです。製品やサービスの利用前後（単に製品の名前を知ったときなど）を含め、得られる体験すべてがUXとなります。

UXを実践するために、「ユーザー中心設計」や「人間中心設計」という考え方が提唱され、国際規格（ISO）や日本工業規格（JIS）として規格化されています。1999年にISO 13407「Ergonomics - Human-centered design processes for interactive systems」として国際規格となり、2019年にはこれが「JIS Z 8530:2019」（人間工学ーインタラクティブシステムの人間中心設計）としてJIS規格となりました。コンピューターを利用したシステムの、ライフサイクルの初めから終わりまで、人間中心設計の原則、活動のための要求事項および推奨事項について規定したものです。

≫ UIとUXの関係

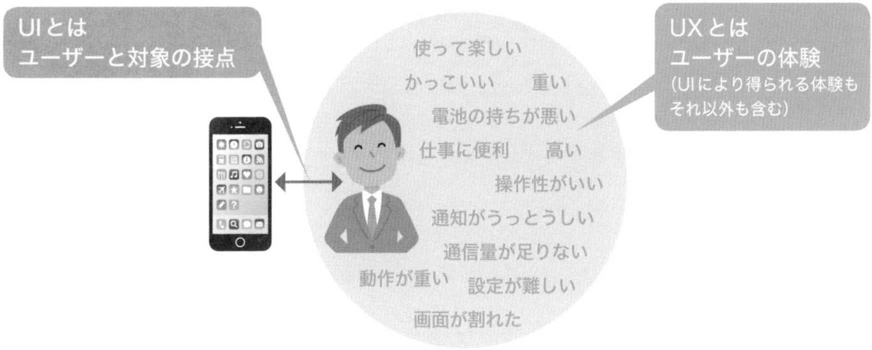
UIとは
ユーザーと対象の接点
UXとは
ユーザーの体験
(UIにより得られる体験も
それ以外も含む)
使って楽しい
かっこいい
重い
電池の持ちが悪い
仕事に便利
高い
操作性がいい
通知がうっとうしい
通信量が足りない
動作が重い
設定が難しい
画面が割れた

≫ 人間中心設計の流れ

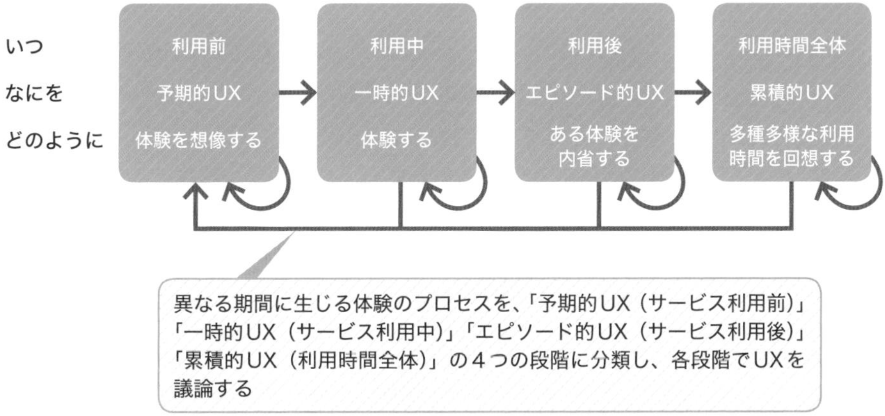
いつ
なにを
どのように
利用前
予期的UX
体験を想像する
利用中
一時的UX
体験する
利用後
エピソード的UX
ある体験を
内省する
利用時間全体
累積的UX
多種多様な利用
時間を回想する
異なる期間に生じる体験のプロセスを、「予期的UX（サービス利用前）」「一時的UX（サービス利用中）」「エピソード的UX（サービス利用後）」「累積的UX（利用時間全体）」の４つの段階に分類し、各段階でUXを議論する

出典：「ユーザエクスペリエンス（UX）白書」をもとに作成

ONE POINT

UXの改善

UIを改善すると、UXを高めることはできます。しかし、UXを高める方法はUIの改善だけではありません。検索サービスを使ってアクセスしやすくすることや、利用方法をていねいに説明することもUXの改善方法の１つです。

関連用語 MVC (P.200)、要求定義／要件定義 (P.238)、アクセシビリティ (P.244)、ユーザビリティ (P.246)

設計・仕様

レスポンシブ

従来、Webコンテンツはパソコンでの表示をベースにデザインされてきましたが、スマートフォンなどの普及により、画面サイズに応じてレスポンシブに対応するデザインが求められています。

☑ 画面サイズに応じて自動的にレイアウトを変更

レスポンシブ（responsive）とは、英語で「反応がよい」という意味ですが、Webシステムにおいては、「レスポンシブデザイン」「レスポンシブWebデザイン」を略して、レスポンシブという言い方がされます。

パソコン向けに作成されたWebコンテンツをそのままスマートフォンで閲覧すると、文字が小さすぎたり図表が画面からはみ出したりなどして読みづらくなります。レスポンシブデザイン（以下、レスポンシブ）は、デバイスの画面サイズに合わせ、自動的にレイアウトを変更するしくみです。これにより、Webサイトの運営者は1つのHTMLを作成するだけで、利用者の環境に応じて自動的にレイアウトを変えることが可能になります。デバイスごとに別にデザインする必要がないので、デザイン上の一貫性を維持できるというメリットもあります。

☑ メディアクエリによる記述

画面サイズやデバイスの種類などにより、適用するデザインを変更したい場合、「メディアクエリ」という記述方法を使います。メディアクエリとは、メディアの特性（Webブラウザのウィンドウ幅や高さ、デバイスの向き）などに応じて、適用するスタイルを切り替えることができる、CSS3で追加された仕様の1つです。1つのページデザインにより、複数の異なる表示環境に対応するレスポンシブを実現できます。メディアクエリは、CSSファイルやHTMLのstyle要素内で「@media」規則として記述するか、「@import」規則やHTMLのstyle要素のmedia属性で条件を指定して、読み込むCSSファイルを切り替えることができます。

CSS3
CSSはCascading Style Sheetsの略で、Webページのスタイルを設定する言語のこと。3はバージョン名。

レスポンシブのイメージ

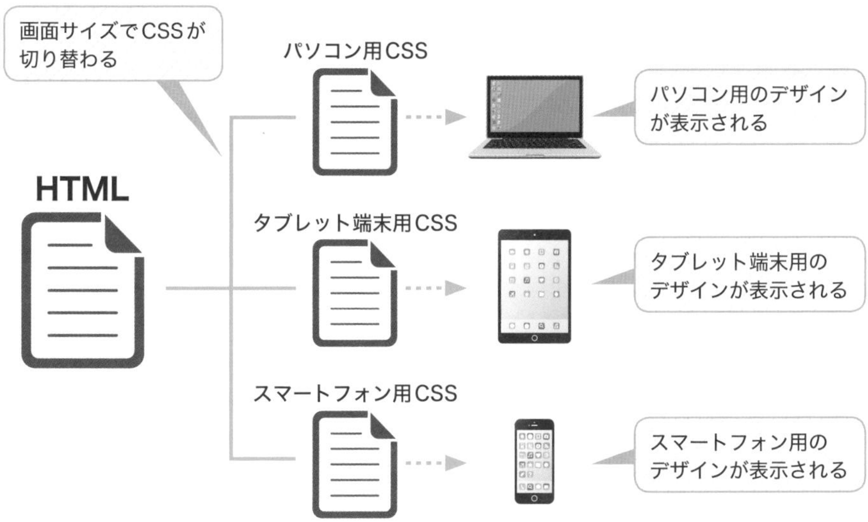
画面サイズでCSSが切り替わる
HTML
パソコン用CSS
タブレット端末用CSS
スマートフォン用CSS
パソコン用のデザインが表示される
タブレット端末用のデザインが表示される
スマートフォン用のデザインが表示される

メディアクエリの定義例

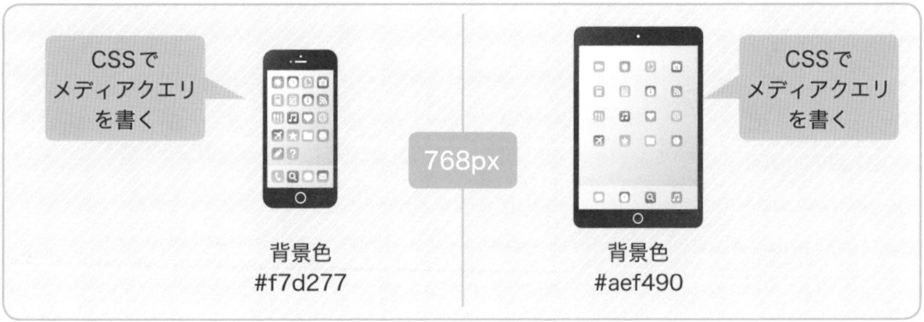
CSSでメディアクエリを書く
768px
CSSでメディアクエリを書く
背景色
#f7d277
背景色
#aef490

スマートフォン用のCSS

```
@media screen and (max-width:
767px) {

/*ウィンドウ幅が最大768px未満の場合に適用*/

/*背景色を#f7d277に設定する*/
body {background-color: #f7d277;}

}
```

パソコン、タブレット用のCSS

```
@media screen and (min-width:
768px) {

/*ウィンドウ幅が768px以上の場合に適用*/

/*背景色を#aef490に設定する*/
body {background-color: #aef490;}

}
```

関連用語 ライブラリ(P.182)、MVC(P.200)、アクセシビリティ(P.244)、ユーザビリティ(P.246)、UI／UX(P.248)

索引

英数字

２次元コード……46
２段階認証……112
5G……20,45,88
ACK……116
AI……12,24,27,30,162,168,184
API……138,176,196,198
AR……58
bps……21
CMS……96
Cookie……104
CPS……160
CRM……100
CSIRT……114
CSMA/CA……116
CSMA/CD……116
CSS3……250
CUI……248
CV……232
DBMS……202
DevOps……216,218
DMP……100
Docker……216
DX……16,210,213
ERP……18,208
eスポーツ……128
FinTech……138
GPS……50
GUI……248
Health Tech……140
HR Tech……142
IaaS……72,79
ICパスポート……56
InsurTech……144
IoT……14,36,88,136,160,162,164
IPv6……80
IPアドレス……80
ISP……80
KGI……232
KPI……232
Kubernetes……216
LAN……68,82
LPWA……90
M2M……36
MA……102
MaaS……42
MACアドレス……80
MR……58
MVC……176,200
NLP……34
O2Oマーケティング……150
OODAループ……234
OS……72
OSS……192
P2P保険……144
PaaS……72,79
PDCAサイクル……234
PPC広告……95
Python……182,220
QRコード……46
RDBMS……204
RFID……48
RFタグ……48
RPA……18
SaaS……72,134,142
SD-WAN……68
SDGs……166
SDK……182,198
SDN……214
SE……224
SEM……92
SEO……92
SIer……224
SMTP……122
SNS……99

Society 5.0 …… 162
SQL …… 202,204
SSL/TLS …… 122
TCP/IP …… 66,122,226
UI …… 248
UX …… 244,248
VPN …… 68
VR …… 58
WAN …… 68
WEP …… 86
Wi-Fi …… 82,84,88,90
WMS …… 164
WPA …… 86
XML …… 202,227

あ行

アーキテクチャ …… 194
アクセシビリティ …… 244
アジャイル …… 236
アソシエーション分析 …… 206
アドウェア …… 118
アドエクスチェンジ …… 108
アドサーバー …… 104,108
アドネットワーク …… 104,108
アルゴリズム …… 184
暗号化 …… 86,122,172,184
暗号鍵 …… 86
暗号資産 …… 152
イテレーション …… 236
イノベーション …… 162,164,166
インシデント …… 114
インスタンス …… 178
インダストリー4.0 …… 136
インタプリタ …… 180,220
ウォーターフォール …… 236
エキスパートシステム …… 12
エコシステム …… 16
エッジコンピューティング …… 74
オープンソース …… 192
オブジェクトコード …… 182
オブジェクト指向 …… 178
オムニチャネル …… 150
オンデマンド保険 …… 144
オンプレミス …… 76,78

か行

外部設計 …… 236
顔認証 …… 56
拡張現実 …… 58
仮想化 …… 72,212,214,216
仮想現実 …… 58
仮想通貨 …… 152,154
機械学習 …… 24,27,184
機械語 …… 180
機械翻訳 …… 34
基地局 …… 82
キャッシュレス決済 …… 21,146
協調フィルタリング …… 106
共通鍵 …… 86
興味関心連動型広告 …… 104
クライアントサーバー …… 70,194
クラウド …… 70,73,74,76,78
クラウドファンディング …… 148
クラス …… 178,196
クラスタリング …… 206
クリック単価 …… 94
クローリング …… 111
クロスチャネル …… 150
継続的インテグレーション …… 218,241
継続的デプロイ …… 240
継続的デリバリー …… 241
検索連動型広告 …… 92,94
公開鍵 …… 122,172
工数 …… 230
構造化データ …… 52

行動ターゲティング……104
コーディング……181
誤差逆伝播法……26,29
個人間送金……138
コネクテッドカー……38
コンテナ……212,216
コンテンツ連動型広告……95,104
コンバージョン……232
コンパイラ……180,198
コンピューターウイルス……118

さ行

サーバーレス……78
サイバーフィジカルシステム……160
サブスクリプション……134
シェアリング……156
自然言語処理……34
自動運転車……21,40
自動化……18,102,164,218
シャドーIT……170
集中型管理システム……154
周波数帯……89,90
省人化……164
シンギュラリティ……30
シングルサインオン……120
人工知能……12,24,30,162
信用スコア……168
スクリプト言語……176,180,220
スクレイピング……110
スコアリング……102,169
ストレージ……72,158,190,212
スパイウェア……118
スマートウォッチ……140
スマートシティ……14
スマートファクトリー……60,136
スマホ決済……138,146
生体認証……56
セッション数……232
ソーシャルエンジニアリング……126
ソーシャルメディア……98
ソーシャルリスニング……98
ソースコード……180,192
ソフトウェアデリバリープロセス……218

た行

タグ……104
チャットボット……32,144
ディープラーニング……27,28,184
データサイエンス……54
データセンター……70
データベース……202
データマイニング……206
デジタルトランスフォーメーション……16,210,213
デジュールスタンダード……227
テスト……186,188,236,240
デバッグ……186
デファクトスタンダード……216
デフォルト……228
デプロイ……240
テレマティクス保険……38,144
テレワーク……132
電子印鑑……172
電子署名……172
特徴量……28
トラッシング……126
トロイの木馬……118
ドローン……44

な行

内部設計……200,236
なりすまし……112,126
ニューラルネットワーク……26,184
ニューロン……26
人月……230

認証……86,120
ネットワーク仮想化……68,212,214
ノーコード開発……211
覗き見……126

は行

バーコード……46
パーセプトロン……26
パーソナライズ……106
ハイパーバイザー型……212,216
バグ……186
パケット……20,66,124,196
バックドア……118
ハッシュ関数……122,173
ハッシュ値……154,172
ビジネスメール詐欺……126
ビッグデータ……38,52,162,184
ビットコイン……153
秘密鍵……122,172
フォーマット……66
フォーラムスタンダード……227
フォレンジック……124
複合現実……58
ブラックボックス化……16
フリーミアム……158
フレームワーク……176,220,234
フローチャート……184
プロシージャー……66
ブロックチェーン……138,152,154
プロトコル……66,80,196
プロパティ……178,196
分散型管理システム……154
ページビュー数……232
ベンダーロックイン……226
ホストOS型……212,216

ま行

マーケットバスケット分析……206
マイクロサービス……218
マイクロ保険……144
マスカスタマイゼーション……136
マルウェア……114,118,170
マルチチャネル……150
マルチデバイス……96,210
無線LAN……82,84,86,116
メソッド……178,196
メディアクエリ……250
モジュール……176,182,220

や行

ユーザビリティ……188,246
要求定義……238
要件定義……224,236,238

ら行

ライドシェア……42,156
ライブラリ……176,182,198,220
ランサムウェア……118
リードスコアリング……96
リスティング広告……95
リソース……242
リターゲティング……104
量子コンピューター……62
リレーショナルデータベース……202
レコメンデーション……52,106
レスポンシブ……250
レビュー……188,236
ローカル5G……88
ローコード開発……210
ロジスティクス4.0……164
ロジスティック回帰分析……206
ロジックツリー……232

わ行

ワーム……118

著者紹介

小宮 紳一（こみや しんいち）

サイバー大学IT総合学部教授 博士（経営管理）
青山学院大学大学院 国際マネジメント研究科 博士課程修了。専門はネットマーケティング、ビジネスプランニング。ソフトバンクで20年以上にわたりIT関連の雑誌編集長やグループ会社の代表・役員を歴任。その後、株式会社グローバルマインの代表取締役として、シニアビジネスやインバウンドの領域で多くの企業と協働して事業展開し、シニア向けスマートフォンの開発などを行う。著書に『やさしく知りたい先端科学シリーズ サブスクリプション』（創元社）、『事例で学ぶサブスクリプション』（秀和システム）、『スマホ決済の選び方と導入がズバリわかる本』（秀和システム）などがある。

西村 一彦（にしむら かずひこ）

株式会社ボイスリサーチ 取締役兼CTO
東京理科大学 理工学研究科 修了。株式会社東芝にて、人工知能・ソフトウェア工学の研究開発に従事。その後、IT関連調査会社に移り、アナリストとして活動。2002年にボイスリサーチを共同創業し、現在に至る。2011年、電気通信大学大学院 情報システム学研究科 博士後期課程修了し、博士（工学）を取得。青山学院大学大学院 国際マネジメント研究科非常勤講師（2008年～2020年）、サイバー大学 客員講師（2016年～2021年）。

■装丁　井上新八
■本文デザイン　株式会社エディポック
■本文イラスト　さややん。／イラストAC
■担当　田中秀春
■編集／DTP　株式会社エディポック

図解即戦力
ビジネスで役立つIT用語がこれ1冊でしっかりわかる本

2021年5月4日　初版　第1刷発行
2022年5月5日　初版　第2刷発行

著　者　小宮紳一／西村一彦
発行者　片岡　巌
発行所　株式会社技術評論社
東京都新宿区市谷左内町21-13
電話　03-3513-6150　販売促進部
03-3513-6160　書籍編集部
印刷／製本　株式会社加藤文明社

ISBN978-4-297-11886-0 C0034　Printed in Japan

◆お問い合わせについて

- ご質問は本書に記載されている内容に関するもののみに限定させていただきます。本書の内容と関係のないご質問には一切お答えできませんので、あらかじめご了承ください。
- 電話でのご質問は一切受け付けておりませんので、FAXまたは書面にて下記問い合わせ先までお送りください。また、ご質問の際には書名と該当ページ、返信先を明記してくださいますようお願いいたします。
- お送りいただいたご質問には、できる限り迅速にお答えできるよう努力いたしておりますが、お答えするまでに時間がかかる場合がございます。また、回答の期日をご指定いただいた場合でも、ご希望にお応えできるとは限りませんので、あらかじめご了承ください。
- ご質問の際に記載された個人情報は、ご質問への回答以外の目的には使用しません。また、回答後は速やかに破棄いたします。

◆お問い合せ先

〒162-0846
東京都新宿区市谷左内町21-13
株式会社技術評論社　書籍編集部
「図解即戦力
ビジネスで役立つIT用語が
これ1冊でしっかりわかる本」係
FAX：03-3513-6167
技術評論社ホームページ
https://book.gihyo.jp/116